W9-CKI-501

Serie Infinita

M

ARTUR BALDER

Curdy y el cetro de Carlomagno

montena

El papel utilizado para la impresión de este libro ha sido fabricado a partir de madera procedente de bosques y plantaciones gestionadas con los más altos estándares ambientales, garantizando una explotación de los recursos sostenible con el medio ambiente y beneficiosa para las personas.

Por este motivo, Greenpeace acredita que este libro cumple los requisitos ambientales y sociales necesarios para ser considerado un libro «amigo de los bosques». El proyecto «Libros amigos de los bosques» promueve la conservación y el uso sostenible de los bosques, en especial de los Bosques Primarios, los últimos bosques vírgenes del planeta.

Primera edición: septiembre de 2009
Diseño de la cubierta: Random House Mondadori / Judith Sendra

Printed in Spain – Impreso en España

ISBN: 978-84-8441-436-0
Depósito legal: B-28.162-2009

Compuesto en Fotocomposición 2000, S. A.
Impreso en Limpergraf
Mogoda, 29. Barberà del Vallès (Barcelona)

Encuadernado en Imbedding

GT 1 4 3 6 0

Un instante después

Curdy hizo un enorme esfuerzo y extendió los brazos, tratando de recobrar la Corona de Hierro. Ya no le importaba que la figura monstruosa de Grendel hubiese aparecido, crecido y avanzado hacia él en las tinieblas del no-tiempo. Escuchaba la voz de su madre y ahora le parecía, por encima de cualquier otro temor y por vez primera, que no estaba tamizada por altos muros de piedra.

«¡No lo consientas, atrapa la Corona!», la oyó gritar.

No podía verla y la garra de Grendel casi había logrado cerrarse alrededor de la Corona de Hierro, como si se tratase de un pesado anillo.

El chico se arrojó hacia delante. Recordó las enseñanzas de su maestro y por vez primera quiso creer, como su maestro Luitpirc solía decir, que para un alquimista lo imposible era realizable, y no supo cómo, pero recorrió la distancia que lo separaba de Grendel, su astuto aliado, y se acercó a la Corona. La garra se abrió desmesuradamente para atraparlo. Curdy sabía que esta vez todo era diferente. Había entrado en esa misteriosa región en la que Grendel podía moverse a su antojo, había roto la superficie del espejo que lo separaba en cada ocasión en la que se encontraba frente al pensadero del monstruo, había entrado en el agujero del tiempo, había roto las reglas de la materia que arde a causa del fuego o que se disuelve a causa del agua, como solían enseñarle en los más básicos manuales de alquimia… y Grendel estaba furioso. Sus ojos diminutos y rojos ardieron de ira en medio de una ominosa sombra… pero finalmente el brazo del joven alquimista se alejó de la Corona. Había fracasado en el último momento.

Sin embargo, una mano invisible lo atrapó por la muñeca y tiró de él hacia lo alto, alejándolo de aquella vorágine.

El rostro de Grendel se borró frente a él. Un horrible grito distorsionó las imágenes a su alrededor. Una fuerza superior, indescriptiblemente superior, lo atrapó y lo arrastró hacia dentro, o hacia fuera, o hacia otro lado; Curdy no habría sabido explicarlo de otro modo. Estaba allí y no estaba: la fuerza lo succionaba.

«TRAIDOR.»

Era la segunda vez que alguien lo acusaba de traición en poco tiempo. No muy lejos de aquel lugar, Whylom Plumbeus lo había increpado de ese modo, todo Hexmade lo había hecho días atrás, y ahora su único aliado le acusaba de traición… Pero la palabra de una madre valía más que todo eso, y para Curdy ella era la única persona de aquel oscuro mundo en la que podía confiar, y ella se lo había gritado desde la inconmensurable lejanía, antes de desaparecer: «Atrapa la Corona».

Lo había intentado.

La voz de Grendel susurró el nombre del chico a lo lejos, muy lejos, cada vez más lejos. Sus ropas se sacudieron, el aire lo arrastró y, aunque esperaba oír la voz de su madre, sólo percibió el solitario bramido del viento y, después, absolutamente nada.

Primera parte

La Puerta de Salomón

DESDE EL ALTO REINO

Era como si hubiese entrado a formar parte de una solución líquida en un matraz gigantesco, como si fuese objeto de alguna operación alquímica en el corazón de un inmenso laboratorio, o como si se hubiese convertido en una mota de polvo que flota ingrávida en lo más alto del transepto de una catedral gótica, por debajo de una vidriera por la que la luz cae en haces de rayos que se pierden en las tinieblas sin tiempo. Era… como si hubiese agua a su alrededor, o como si un aire tan pesado como ella lo rodease. Le costaba moverse, pero no estaba mojado. Era, en definitiva, un lugar místico.

La mano invisible que tiraba de él lo dejó flotando en medio de esa nada inconmensurable, y la luz comenzó a brillar desde lo alto, y entonces, sólo al aparecer aquella luz, tuvo la sensación de terror más profunda que lo hubiese asaltado jamás: él sólo era una diminuta mota que flotaba en un abismo. La oscuridad era profundidad, una profundidad sin medida, y los rayos caían y se dispersaban en las tinieblas, surgiendo de una grieta de luz abierta en las alturas, como una línea flamígera en su centro que se reblandeciera y destellara al entrar en contacto con la oscuridad.

La silueta de la mano invisible se recortaba como un cuerpo semitransparente al moverse por encima de él, pero la mano no estaba sola, como pudo comprobar, y descubrió la forma de una garra de cuatro dedos que cambiaban de forma al ser tocados por el resplandor de arriba, unida a una misteriosa esencia que no acababa de definirse.

Debió haberlo pensado antes: la mano invisible tenía que pertenecer a alguien, aunque ese alguien fuese, a su vez, invisible, y su única manifestación como médium en el mundo terrenal fuese la escritura en un pergamino de especiales condiciones… el pergamino que habían encontrado junto al cadáver de su abuelo.

Iba a seguir pensando en esa y otras muchas cosas, cuando las luces relampaguearon arriba, y la figura de su madre apareció frente a él.

—¡Madre!

Podía escuchar su voz a pesar de no haber pronunciado palabra alguna.

Su madre se acercó lentamente y de pronto estuvo frente a él, con sus ojos de un verde almendrado y sus cabellos agitados. Parecía completamente sana. Se tranquilizó. No sabía que eso fuera posible, al menos en circunstancias como las suyas —después de enfrentarse al ejército de los inquisidores, batirse en duelo contra un lord tenebroso y abrasar vivo a un maestro de torturas—. Sin embargo, estaba allí, y fue como si todo hubiera sucedido… hacía muchísimo tiempo.

Ella parecía sana, no había marca alguna que evidenciase que le hubieran hecho daño.

Cerró los ojos y se abrazaron.

—Madre.

—Estoy bien, Curdy, mi querido hijo.

Ella le apartó los cabellos rojos y desordenados del rostro.

—Has hecho tantas cosas por mí —dijo ella—. Ojalá todas las madres tuviesen hijos como tú.

Curdy no supo qué decir. Pero rápidamente tuvo la sensación de que no todo sería como él esperaba.

—¿Te he liberado? ¿Dónde estamos?

Su madre lo había agarrado por los hombros y lo miraba, interponiéndose a la nebulosa lumínica de arriba.

—Me has salvado, hijo. Estaba allí dentro, encerrada. Querían que te atrajese hacia la caldera.

—La sangre de los magos...

—Esa sangre reunía un gran poder y abría una puerta en el no-tiempo. Por eso Grendel pudo acercarse a nosotros. Tuvo que elegir entre atraparte o hacerse con la Corona de Hierro.

—¡La he perdido!

—Ya no importa, es tarde para eso. Lo has hecho muy bien.

Curdy se sintió defraudado consigo mismo, pero después el mundo entero le dio igual. Sabía que se marcharía con su madre a alguna parte, lejos, que la había salvado y que nadie volvería a robarle jamás un miembro de su familia; al menos su madre y él seguirían juntos...

—¿Y los demás?

Curdy se dio cuenta de que ella escuchaba todo lo que pensaba como si leyese su mente con una transparencia absoluta.

—Los demás... ¡no confiaron en mí! No me importan —respondió el chico.

—Sí que te importan. Todos ellos te importan, por eso te sientes herido, pero esa no es razón para tratar de olvidarse o de rendirse...

—No lo entiendo. No importa lo que sienta... ¿Dónde estamos?

Curdy se aferró a las manos de su madre con miedo; había mirado a su alrededor, y flotar sobre aquel abismo le angustiaba.

—Estamos lejos de todo; ahí arriba —El dedo de la mujer señaló a lo alto— están las Puertas de Salomón. —Curdy abrió desmesuradamente los ojos; las leyendas alquímicas cobraban forma ante sí—. Esa luz viene del Alto Reino. Muy pocas veces se abren las Puertas, y ahí arriba estás viendo la Entrada.

—¡Oh...!

En ese momento algo tocó su nuca y al volverse vio otra vez la silueta de la mano de cuatro dedos recortada contra la luz. Iba unida a una gasa de vapor larguísima que ocultaba la figura deforme de una cabeza, y le resultaba difícil distinguir brazos o piernas. Estaba seguro de que la mano invisible era alguna clase de espíritu, cuyo pergamino había servido de ayuda durante su huida. Pero ese pergamino había sido propiedad de fray Gaufrey, y si lord Malkmus había dicho la verdad, fray Gaufrey era su abuelo. Se sintió confuso y la ira apresó sus pensamientos.

—Él era tu abuelo, hijo, es cierto.

Curdy miró hacia lo alto, sin soltar en ningún momento la mano de su madre, y distinguió, al fijarse con atención, miles de formas difusas que cruzaban la luz y que se dispersaban al atravesar los haces de rayos.

—Espíritus, espíritus que custodian las Puertas de Salomón...

—Espíritus *elevados* —añadió una voz.

Curdy se volvió hacia la mano.

—No te asustes —le pidió su madre—. Es Asmodeo.

—Recuerdo en parte su nombre... un demonio.

—No exactamente —replicó la voz metálica junto a ellos.

—Estás ante el Portal de Salomón, el acceso al Alto Reino desde el Abismo de los Caídos. Muchos espíritus superiores se precipitaron por ese Abismo al ser tentados por las profundidades. Yo estaba allí mucho antes —replicó la voz—. Supongo que recuerdas el nombre del espíritu que ayudó a Salomón a construir su templo, ¿verdad?

—Lo recuerdo. Fuiste tú —aseveró el chico.

—Pues eso no es nada en comparación con otras grandes creaciones... y el Portal es la más grande de todas —siguió el espíritu—. Pero sucede que en la mundana tierra se tiene un mal concepto de cualquier fuerza superior atraída desde el no-tiempo para actuar de forma controlada o incontrolada.

Curdy trató de escrutar las largas hebras de esencia que se transparentaban en la luz difusa.

—Este es el Abismo de la Caída... sería demasiado largo de explicar —prosiguió la voz—. Aunque los alquimistas han decidido llamar al Abismo el no-tiempo, ¡curiosa invención!, no es del todo incoherente, dada la ausencia de tiempo. No te creas que por aquí pasa cualquiera...

Curdy abrió la boca para formular una pregunta, pero el ente le respondió:

—No, no lo hagas. No hagas preguntas que no puedo responderte. Me atan pactos inviolables desde hace miles de años... hay preguntas sobre la vida y la muerte que no deben ser respondidas. Ahí arriba están los que más mandan, pero más allá están otros. Posiblemente los alquimistas mundanos los habrían llamado el Consejo, pero ellos se hacen llamar el Coro del Abismo, y más allá está el Coro de las Potencias, y la Orden de los Tronos... No es que se dediquen a cantar... pero cuando toman una decisión la toman entre todos, sin lugar a dudas, al unísono. Podéis acceder al Alto Reino... pero antes me han pedido que te haga saber algo.

Curdy miró a su madre con sorpresa.

—¿Estamos muertos?

—No, claro que no: habéis sido... transfigurados. Cuando alguien llega al Abismo, ha perdido toda memoria o gran parte de ella y entra a formar parte de algo que no se puede nombrar, que es inmenso y que no puede ser explicado. Pero cuando alguien entra en contacto con una puerta y la atraviesa, puede acceder transfigurado al Abismo.

—No te entiendo...

—No me has dejado acabar... Cuando alguien se transfigura y logra escapar, puede encontrarse ante la Invocación de Salomón, y entonces llegas al Portal y aquí el Coro del Abismo emite su veredicto tras consultar a los Círculos de Arriba. Y el veredicto es que podéis acceder al Alto Reino.

El rostro de Curdy se iluminó.

—Pero el Coro quiere que hables con tu madre... de algo.

Gotwif acarició el rostro de su hijo.

—Ya sé que quieres seguirme, y yo quiero que vengas. Pero tú has demostrado ser tan valiente...

Curdy tragó saliva.

—Me piden...

—Que te vayas —acabó el chico.

La dureza de las palabras de Curdy ensombrecieron el rostro de su madre, lleno de tristeza.

—No debes hacerlo si no quieres, pero nadie mejor que tú para salvar a tanta gente; has logrado traerme hasta aquí, si no llega a ser por ti continuaría presa en esa cárcel mágica, pero gracias a ti Grendel vino, rompió las puertas y la caída de la Corona de Hierro bastó para arrastrarnos muy lejos. Ahora el Sumo Inquisidor volverá a Hexmade…

—¡Whylom Plumbeus! —exclamó Curdy. Su madre lo miró con gran pena.

—Las armas de las tinieblas son grandes, y largas sus garras… Pero no te pido que vayas en busca de venganza, te pido que los ayudes a ellos, igual que me has ayudado a mí.

—¡No sabes cómo me han tratado! Incluso Luitpirc…

—Luitpirc confiará en ti, sólo tienes que tener fe…

Curdy se quedó pensativo. Era el momento de la venganza, pero si alguien quería su ayuda, tendría que darle ciertas garantías. No volvería a enfrentarse a los lores tenebrosos sin arma alguna, como había ocurrido tras su despido de Hexmade. Ella estaba a salvo… Y eso era lo más importante de todo.

—Y ¿cómo volvería y para qué?

—Volverías igual que has venido. Puedo arrastrarte hasta una de las salidas sin grandes dificultades; lo complicado es entrar sin transfigurarse —respondió el espíritu—. Y no olvides que lo que más codicia Aurnor es… el Arca de la Alianza, la reliquia más poderosa desde los tiempos de la Antigüedad. Antes de que los sirios y los asirios desolasen los desiertos y antes de que los demonios instruyesen a los grandes hechiceros, antes de todo eso existía el Misterio del Arca. Es necesario que alguien lo lleve al corazón del laberinto.

—¿El laberinto?

—Hexmade, toda la comarca, está construida sobre un laberinto, y en el centro del mismo se encontrará escondida y protegida el Arca de la Alianza. Cuando eso suceda Hexmade estará a salvo… pero hasta ese momento…

—… nada podrá librarlos de las fuerzas de los lores tenebrosos cuando vayan hacia allí —acabó su madre.

—Y Whylom Plumbeus sabrá cómo señalarle al camino a lord Malkmus de Mordrec —añadió el chico.

Curdy se debatía. Intentó buscar ayuda en su madre.

—¿No quieres que vaya contigo?

—¡Claro que sí! Pero el Fuego de Aurnor es temible, y tú puedes ayudarlos. ¿De qué sirvieron las muertes de tu padre y de tu abuelo? Ellos sabían que tú podrías enfrentarte a él, has demostrado que puedes hacerlo —le animó ella.

Curdy se acordó vagamente de Guntram, el caballero errante que se disponía a partir hacia los grandes desiertos del este en busca del Misterio del Arca. Todo el mundo hablaba de aquella reliquia de incalculable poder, pero nadie sabía explicar ni su contenido ni su procedencia, ni su utilidad. Poder... pero ¿qué poder encerraba? ¿Acaso una magia superior al tiempo?

—El Arca exige dedicación a sus benefactores, para llegar al Misterio no se hacen preguntas —dijo el espíritu.

Curdy se ensimismó y pensó en su padre, y en fray Gaufrey... deseó venganza. Si el Arca era la manera de enfrentarse de nuevo a lord Malkmus, estaba bien, así sería.

—Volveré —dijo Curdy con decisión. Pero su madre leyó rencor e ira en sus ojos.

—Cuídate de las armas de las tinieblas, porque pueden seducirte... Los más valientes son sus mejores adalides... Prométeme que llevarás mucho cuidado.

—Lo prometo, madre.

—Está bien... Asmodeo volverá contigo, ésa es la condición.

—La condición del Coro —añadió el espíritu.

Curdy apreció la sombra del espíritu e imaginó que aquella criatura en su mundo perdería gran parte de sus poderes; había estado relegado a una mano escribiente durante muchos años...

—Está bien, pero Asmodeo tendrá que obedecerme —exigió Curdy—. Eso tiene que quedar claro.

Su madre se volvió hacia las luces y después miró a Curdy, asintiendo.

—Un espíritu de tan grande poder no puede volver sin custodia alguna a la tierra de los hombres mortales. Dispondrás del fuego del Fénix y de Asmodeo. Pero algo me piden que te diga: escucha sus consejos. Escúchalos, por favor.

Curdy habría jurado que el espíritu se había agitado a su alrededor propagando su esencia, que se había hinchado como un velo inmenso.

—Aceptado —dijo la voz de Asmodeo—. Serviré al mandato de mi señor Salomón.

UNA EXTRAÑA DESPEDIDA

Parecía haber transcurrido un tiempo inconmensurable, y todavía continuaba abrazado a su madre. La despedida los unió y toda la luz parecía haber desaparecido, hasta que la escena volvió a cobrar forma.

Gotwif tenía los ojos tan húmedos como los de su hijo, pero a él no le importó que ella los viese. Si había aprendido algo en los últimos tiempos era a valorar a las personas que apreciaba. La desaparición de un ser dejaba un vacío, pensaba, y no habría soportado que su madre hubiese desaparecido para siempre sin despedirse de él. Había ganado su pulso a las tinieblas: su madre estaría a salvo por fin, en un lugar elevado en el Alto Reino. Él, en su mundo, anularía los planes de los lores tenebrosos, acabaría con ellos, lucharía contra las tinieblas... y sólo por eso había aceptado ir en busca del Arca. No tenía ni idea del plan, si es que lo había, pero de todas formas merecía la pena intentarlo. No dejaría que las llamas del Fuego de Aurnor devorasen a más alquimistas inocentes, mientras los imagovampiros aterrorizaban las aldeas en busca de nuevas víctimas.

—Adiós, Curdy.

Y ella comenzó a alejarse de él.

Sin dejar de mirarlo, su madre se elevó hacia las luces. Se empequeñeció y después desapareció. Fue demasiado rápido.

El muchacho se tocó el pecho, como si le doliese el corazón.

En ese preciso instante el abrazo del espíritu lo rodeó con un frío gélido y comenzó a arrastrarlo rápidamente. Las Puertas de Salomón se cerraron, la luz se desvaneció y las tinieblas se llenaron de distantes y extraños sonidos que atravesaban la infinita parálisis del no-tiempo.

Se preguntaba qué pasaría con el tiempo tal y como él lo había entendido en el mundo terrenal, pero las imágenes vertiginosas que lo envolvieron le aterrorizaron demasiado. Las inmensas tinieblas lo succionaban. Cerró los ojos y los abrió para darse cuenta de que no había ninguna diferencia.

—No sirve. No verás nada —dijo la voz.

—¿Podrías dejar de apretar? —exigió Curdy.

—¿Apretar? No te estoy apretando. Nos han unido y nos arrastran. Eso que oyes... ¿lo oyes?

Curdy trató de prestar atención. Lo oía. Ruidos inconexos. Podrían ser los bostezos de Grendel en el fondo de una caverna, los gritos de unas aves enormes haciendo la digestión, el ronquido de una rana en el fondo de un túnel...

—Eso es un conjuro pronunciado en lo alto en nuestro honor. Te parecerá una inmensidad. Sentirás dolor. Volver es doloroso, querido mago.

Curdy sentía miedo.

—¿Adónde vamos?

—¿Quieres saberlo? Me alegra ese interés, mejor distraerse cuando llega la hora de partir.

—¿Adónde vamos? —insistió Curdy, haciendo un gran esfuerzo.

—Vamos en busca de un arma para el joven elegido por los altos poderes. Deberías sentirte afortunado. Dicho de otro modo: nadie quiere enviarte a Inglaterra de nuevo sin una varita mágica en condiciones...

Curdy oyó la risa del espíritu, a la vez sarcástica y despiadada.

—¡Ya tengo una!

—¿Te refieres a esos trocitos humeantes que volaron hechos astillas durante tu enfrentamiento contra lord Malkmus, o más bien debería decir contra Plumbeus? Te queda solo un pedazo y ya no te servirá de mucho. Ahora vas al encuentro de Inglaterra, ahora vas a una verdadera guerra, y el Alto Reino quiere un arma en condiciones para su elegido... Deberías estar contento.

—¿Tendré que ponerme de rodillas para que me digas cuál es?

—No será necesario. Vamos en busca del arma favorita de Carlomagno.

Las palabras retumbaban a su alrededor.

—Carlomagno... —murmuró Curdy. Tenía una idea clara de todo lo que significaba aquel nombre.

—Se fue a la tumba con un amuleto de gran poder, una bagatela en comparación con otras maravillas del mundo, como el Cáliz, pero algo por lo que cualquier hechicero, mago o alquimista ambicioso estaría dispuesto a dar la vida con tal de poseerlo durante algún tiempo: el Cetro de Carlomagno.

Curdy apenas escuchó las últimas palabras.

Sintió una horrible sacudida y esta vez la luz apareció a su alrededor de pronto, como si hubiese salido de la nada. Abrió los ojos, pero sólo vio colinas blancas y valles grises que se desmenuzaban antes de recibirlo. Iba a estrellarse de un momento a otro y gritó aterrorizado cuando las colinas (que en realidad eran nubes) cedieron a su paso y sintió que su rostro se humedecía; después atravesó cortinas de vapor y el vaho se volvió dorado. La luz del ocaso venía del oeste y distinguió un nuevo techo de nubes.

¿Dónde estaba Asmodeo? ¿Qué clase de puerta era ésa? ¿Se había corporeizado en el cielo y ahora esperaban que aterrizase como un pájaro?

Rompió las nubes como un halcón en picado. La confusión dio paso a una luz áurea y de pronto vio la tierra debajo de él. Era inmensa y se acercaba peligrosamente. Una alfombra de casas diminutas, edificios, construcciones de piedra, caminos que zigzagueaban, manchas de árboles...Y cuando retiró la mirada del horizonte y volvió a mirar hacia abajo, el suelo estaba demasiado cerca.

En ese momento unas garras lo atraparon por las solapas del abrigo. Oyó el ululante aleteo de una gran bandada de pájaros negros y fue zarandeado hasta un banco de niebla. Una vez allí, las garras lo dejaron caer y él rodó por la hierba.

Se quedó quieto, mirando la niebla que lo envolvía. Los cuervos aleteaban ruidosamente, pero no podía verlos. Al menos no se había matado en la caída: un buen comienzo. Si era necesario saquear la tumba del mismísimo Carlomagno en busca de alguna reliquia mágica, entonces estaban bastante lejos de Inglaterra, en la vieja Europa.

El olor de la hierba le pareció maravilloso, como nunca antes lo había experimentado. El no-tiempo era un lugar sin percepciones para los sentidos; al acariciar la tierra húmeda con sus dedos, se dio cuenta de que uno no estaba vivo en semejante extensión. El alquimista no podía prescindir de sus elementos.

Se incorporó e intuyó que allí cerca debía de estar su fiel guía y servidor, y por el momento su único aliado: un demonio llamado Asmodeo.

DE SALOMÓN A CARLOMAGNO

Al principio le pareció una gárgola, pero lo que tenía ante sí no era nada que hubiese visto con anterioridad: tenía el cuerpo de un viejo, garras de águila con las que se rascaba una hirsuta barba blanca, cabeza con dos rostros humanos en los que brillaban ojos rojos como brasas ardientes y de la que crecían enormes cornamentas de muflón, y de su espalda sobresalían largas alas de águila.

—¡Aquí estoy! —exclamó el demonio, complacido con su encarnación.

Curdy retrocedió asustado ante el brillo de sus ojos. Hasta el momento, Asmodeo sólo había sido una voz. No fue capaz de conferirle rostro alguno, pero desde luego aquella apariencia superaba cuanto hubiese sido capaz de imaginar.

—No me parece un aspecto demasiado discreto... —empezó a decir Curdy.

—¡Discreto! ¿Crees que iba a aparecerme como una vulgar imagen humana? Soy Asmodeo de Judea, amigo íntimo de Abraxas, de Abigor y de Abezi-Thibod... nombres que no te suenan de nada pero que eclipsarían tu conocimiento hasta el fin de los tiempos, y esto que ves no es una aparición escogida al azar, sino el ídolo al que han adorado todas las sectas que protegían los secretos del Templo...

—Un *bafomet* —interrumpió Curdy con prisas.

Había logrado su objetivo. Asmodeo se sintió intimidado por sus conocimientos.

—Exacto... un *bafomet*... o el Bafomet a secas. Sería otro de mis muchos nombres. Como comprenderás, no revelo mi auténtica identidad a cualquier patoso que encuentre en el camino cuando voy y vengo resolviendo asuntos para el Consejo. Prefiero la discreción. Inventé yo mismo esta apariencia hace algunos siglos; deberías ver la cara que pone la gente cuando me brillan los ojos y extiendo las alas...

—Está bien —le cortó Curdy. Empezaba a tener la sensación de que Asmodeo no sería un sirviente al que pudiese dar cualquier orden a su antojo: pensaba demasiado—. Pero si vamos a Aquisgrán, preferiría que adoptases una apariencia más discreta... y necesito que me expliques algunas cosas.

—Apariencia más discreta... —protestó Asmodeo, acariciándose la espesa y erizada barba blanca—. Hay una cosa que se llama tradición y otra, muy importante, que se llama dignidad. No pienso renunciar a una ni perder la otra, para que lo sepas. Y deja que te diga una cosita. —Cuando Asmodeo se acercó a él dejando ver sus dientes afilados en el rostro ambivalente, Curdy tuvo la sensación de que aquellos espíritus superiores encadenados a la voluntad de los grandes no eran otra cosa sino entidades demoníacas—: debo ayudarte a cumplir esta peligrosa misión, pero no soy tu subordinado, que lo sepas. Tendrás que aprender a colaborar. Se acabó lo de andar a tu aire sin contar con nadie, ¿vale?

Curdy entornó sus ojos azules, escrutando las llamas en el interior de los ojos del demonio.

—De acuerdo.

—Entonces, nos pondremos en marcha; ahí detrás hay un sendero, podríamos dar un paseo mientras te pongo en antecedentes.

Curdy siguió los pasos largos y bamboleantes del *bafomet*.

—Háblame de Salomón, de tu amo.

—¡Mi amo! Sí, Salomón. —Asmodeo abrió las garras y miró a lo alto—. Un gran tirano de demonios, qué te voy a contar.

—Necesito saber qué relación tiene Salomón con el Arca.

—Salomón quería construir el famoso templo de Jerusalén, pero el pueblo judío carecía de conocimientos de matemáticas, física, arquitectura, y demás... por lo que Salomón recurrió a un pueblo altamente desarrollado en ese tiempo: los fenicios. Los fenicios eran un pueblo semita que vivían en la costa occidental de Oriente Medio (más concretamente, por la zona de la ciudad de Tiro); como todos los pueblos de aquella época y zona (persas, babilonios, hititas, etcétera), eran adoradores de demonios y tenían un GRAN panteón de dioses: los Setenta y Dos Amos. Así que cuando Salomón recurrió a este pueblo se rieron de él, ya que él sólo tenía un ídolo al que adorar. Los altos sacerdotes fenicios le ofrecieron un intercambio: ellos le proporcionarían el arquitecto de su templo si, y sólo si, legalizaba la adoración de los demonios en Israel. Salomón aceptó y los fenicios le dieron un arquitecto egipcio miembro de la Hermandad de las Estrellas; éstos poseían con secretismo sectario los conocimientos para construir grandes edificios sin que se cayeran a pedazos; gracias a ellos las famosas pirámides siguen en pie...

Hizo una pausa.

—Ésa fue la época en que todo el mundo creía que Salomón adoraba demonios, se enrollaba con la reina de Saba, etcétera. Pero Salomón era mucho más listo de lo que sus vecinos creyeron, ya que, además del Gran Templo para albergar el Arca de la Alianza, construyó setenta y dos templos para los demonios, rodeando Jerusalén. Lo que no sospechó el pueblo fenicio (¡ni los demonios!) fue que en el sótano del Gran Templo, junto al Arca de la Alianza, Salomón había dispuesto a setenta y dos ídolos de piedra en los que, con un ritual secreto, encerró uno a uno a sus correspondientes demonios para siempre, en una sala sagrada de la que no pudieran salir. Además, esto le sirvió como medida de seguridad para custodiar el Arca de la Alianza, que contiene el legendario Misterio. No obstante, la Historia ya había condenado al rey hechicero por abandonar a Yaveh y a su pueblo para dejarse llevar por los placeres y la idolatría de los demonios; bueno, siempre se habla mal de la gente que hace cosas notables... A cambio, legó a su pueblo un templo prácticamente invencible (que sería saqueado con la invasión de los babilonios, que buscaban volver a liberar a los demonios). Desde entonces nada se supo ni de los Setenta y Dos Amos ni del Arca de la Alianza, y todos creyeron que los babilonios los habían liberado; pero, como sabes, el sótano del templo en realidad seguía intacto, oculto bajo las arenas (pues ni siquiera los babilonios lograron romper el conjuro). Finalmente fue descubierto hace algunos años... gracias a mi inestimable y discreta intervención.

—Aquellos caballeros que conocí con Luitpirc se encargarían de custodiar el traslado del Arca hasta Inglaterra... —pensó Curdy en voz alta.

—¡Lo que me costó convencer a Godofredo de que debía ir a Jerusalén! Efectivamente, el Arca viaja hacia el Laberinto de las Profecías, el inmenso laberinto subterráneo cuya puerta se encuentra en la fortaleza de Hexmade.

—¿Y qué fue de los Setenta y Dos Amos?

—Buena pregunta: viajan en primera clase junto al Arca. Hasta ahora se había mantenido en secreto, aunque ya sabemos que han sido descubiertos y que Aurnor se prepara para atacar con todas sus fuerzas. Ellos son una de las pocas razones que le impiden hacerlo de manera inmediata. Teme la protección del Arca: la leyenda dice que los Setenta y Dos Amos desatarán su ira contra aquel que intente abrirla.

Curdy se quedó pensativo durante un rato. Caminaban por la profundidad de un espeso bosque. La niebla se arrastraba hacia ellos sinuosamente, retorciéndose como una serpiente entre los troncos de los árboles. Se preguntó si sería obra de Asmodeo.

—¿Y Carlomagno?

—Ya, centrémonos en lo esencial, ¿no es así? Eres muy concreto, para ser tan joven —comentó el *bafomet*, lanzando una mirada roja a los ojos del chico.

—Carlomagno.

—Sí. Ya te he oído. Y yo decía que eres muy concreto para ser tan joven. Ya sé que es una observación personal... pero como vamos a ser compañeros de viaje, debería tener derecho a hacerla.

Curdy se sintió incómodo. No le gustaba que nadie tratase de mirar en su interior. Era una especie de defensa personal que había desarrollado en los últimos tiempos.

—¿Qué pasa con todos los amiguitos? ¿Es que no te importan nada?

—¿Que no me importan nada? —protestó el muchacho con energía. Con ello deseaba distraer la atención de su interlocutor—. ¿Para qué se supone que me voy a meter en la tumba de Carlomagno? He vuelto para ayudar a los demás, y eso incluye también a mis «amiguitos».

—Vale, vale, no me sueltes eso de que tienes asumido tu rol de héroe universal porque a mí no me la pegas: en realidad no piensas en ellos, piensas en ti.

—¿De qué estás hablando?

—De lord Malkmus, de tu venganza; he conocido a bastante gente en los últimos cuatro mil años para saber cuáles son las motivaciones esenciales de alguien con sólo echarle un vistazo… y tú sólo piensas en ti mismo. Quieres *tu* propia venganza. Ellos piensan que les vas a ayudar, y así se lo harás creer a todo el mundo, pero en realidad buscas venganza a cualquier precio. Conozco esa mirada.

Asmodeo señaló con su larga y mugrienta uña los ojos de Curdy, acercando su mano.

—¡Ni te atrevas a tocarme! —estalló el joven, y un rubor iracundo trepó por sus mejillas, a la par que en el rostro del *bafomet* se dibujaba una extraña sonrisa.

—Está bien —dijo apartando las manos, y sus ojos brillaron más rojos que nunca en las sombras del bosque—. Está bien. Ya veremos si me equivoco. Aunque reconozco que me gusta tu estilo. Como mínimo, nos divertiremos.

—Carlomagno —exigió Curdy, y siguió andando. Asmodeo le respondía mientras daba saltos de una raíz a otra siguiendo el avance decidido del muchacho.

—No tengas prisa, te llevaré al centro de Aquisgrán cuando caiga el crepúsculo. ¡Confía en mis métodos y ahorra fuerzas!

—De acuerdo. —Curdy aminoró el paso y escuchó al demonio.

—Carlomagno llegó a ser un emperador poderoso, como muy bien sabes. Estuvo en contacto con muchas órdenes secretas, y en su ambición llevó muy lejos el conocimiento oculto. Buscó a los representantes perdidos de la Hermandad de las Estrellas. No se sabe si llegó a contar con alguno de ellos, pero hizo progresos... De cualquier modo, fue en los tiempos de Carlomagno cuando Aurnor escapó de las profundidades en las que había estado encerrado desde hacía tiempo incalculable... No era uno de los Caídos, ni siquiera era un nombre notable entre los espíritus del no-tiempo. No era nadie, sólo un insignificante y ambicioso espíritu que logró escapar a las legiones de Baal y de Azazel. El mundo de los espíritus es grande, como sabes, pero casi ninguno es capaz de escapar sin mandato alguno... Aurnor se escapó sin amo que lo dominase, escogió un cuerpo y creció en la tierra. Y se convirtió en lord Aurnor y fue influyente en la corte de los reyes francos. Fue allí donde su poder prosperó, y utilizó a Carlomagno para manipular a los hombres mortales. Convirtió en emperador a Carlomagno con sus artes, creando para él, sin que sepamos cómo, un amuleto de enorme poder: una piedra negra y robusta, una roca filosofal ocultada en el pomo de la espada de Carlomagno, invencible durante años. Carlomagno la utilizó en sus campañas, y venció en todas; fue la base de su imperio. Pero el emperador se hizo viejo y la espada se volvió pesada en su cinto. Incapaz de arrastrarla, ordenó que a su nueva coronación asistiesen todos sus súbditos, y allí, ¡oh, maravilla!, mostró el Cetro. Era una hermosa pieza de oro, zafiros y rubíes traídos de las fuentes del Nilo y del Éufrates, y la esfera que lo coronaba y que simbolizaba el mundo era en realidad la misma piedra negra que había estado al final de la empuñadura de *Durandart*, su espada. El Cetro de Carlomagno era un arma de increíble poder, tanto o más que cuando había estado unido a la espada. Y esa pequeña varita mágica —Asmodeo se rió burlonamente— es lo que la Orden de los Tronos desea conceder a su elegido.

—Pero eso no es tan sencillo, supongo... —murmuró Curdy, impresionado.

—Supones acertadamente, chico, porque de lo contrario no sería necesaria la presencia de un espíritu de orden superior como yo. Para empezar, hace tiempo que Aurnor no repara en esa arma, pero sobre todo por respeto a los restos del que fue su gran aliado. Cuando Aurnor vino a la tierra, tuvo que sufrir las penalidades del tiempo y de la materia, era una encarnación patética... a fin de cuentas, era un espíritu de bajísimo rango, ni siquiera conocíamos su nombre. Gracias a la figura de Carlomagno, él pudo crecer y llegar a dominar por un tiempo la Corona de Hierro, eso le permitió abandonar sus penalidades y hacerse más fuerte en lo terrenal, extrayendo energía y esclavizando a numerosos espíritus que lo adoraban en las tinieblas.

—¿Por honor?

—Ésa es la única razón: sólo por honor la tumba de Carlomagno y el Mausoleo subterráneo de los reyes francos y de sus antepasados merovingios permanecen intactos, custodiando los huesos del emperador y, sobre todo, entre muchas joyas y tesoros de gran valor, su Cetro de Poder.

—¿Significa eso que Aurnor ni se imagina lo que vamos a hacer?

—Si lo tuviese en cuenta, no podríamos conseguir nada, ni siquiera si Agramon y Belfegor viniesen con nosotros junto con sus sesenta legiones de trasgos roedores... Nuestros poderes decrecen enormemente en el mundo terrenal, la materia es odiosa. He visto grandes espíritus convertidos en miserables apariciones al entrar en contacto con los Cuatro Elementos. ¡Pero eso no significa que la tumba no esté vigilada! La sorpresa será nuestra mayor baza para el triunfo.

El crepúsculo se acercaba. Curdy lo sentía. Se habían detenido bajo la bóveda oscura del bosque. El aliento de su respiración se sumaba a la niebla. Los brazos de Asmodeo se extendieron y el aire se llenó otra vez de aleteos. Todo se volvió gris y las garras de un enorme pájaro atenazaron los hombros del muchacho; antes de que pudiese formular pregunta alguna, ya había abandonado el bosque y era arrastrado hacia algún incierto lugar.

Segunda parte
El profanador de tumbas

LA CAPITAL DEL IMPERIO

Aquisgrán en el crepúsculo

Al fin apareció ante sus ojos como un sueño de la vieja Europa, la tierra de la que procedían sus antepasados. Ahora el destino lo volvía a arrojar contra sus orígenes, como si tuviese que desenterrar su memoria mágica, inscrita en el espíritu del alquimista que había llegado a ser. Y si el asunto iba de desenterrar, tendría que saquear la tumba del mismísimo Carlomagno, el fundador de un imperio que había arrojado sombra sobre los siglos posteriores a su auge, y que había escondido las claves del alzamiento del lord tenebroso, Aurnor el Grande, también conocido entre los historiadores de los Años Oscuros como la Sombra de Carlomagno.

Oscurecía. El telón de fuego del ocaso se estrellaba como una ola contra los desvencijados tejados de la ciudad vieja, cuyas dimensiones sorprendieron a Curdy desde el cielo, esparciendo un resplandor macilento como de cobre sucio. La nube tocó la barriada medieval convirtiéndose en niebla. En la niebla aleteaban al menos una docena de cuervos. Y entre los cuervos caminaba la figura encapuchada de un joven. Pelirrojo, indudablemente malhumorado, de aspecto desharrapado. Penetrantes ojos azules. Era Curdy, por supuesto. Quienes lo vieron aparecer se apartaron. Las calles solitarias de aquella parte de la ciudad, erigidas con piedra que el tiempo y la humedad se habían encargado de desgastar y ennegrecer, serpenteaban como un laberinto desdentado sobre el que la mayor parte de los tejados y agujas amenazaban con derrumbarse.

Los tiempos en los que el más ambicioso de los francos había engalanado la ciudad de Aquisgrán como si se tratase de una dama recién casada habían quedado atrás; la ciudad se había convertido en una viuda triste y gris, apesadumbrada por el recuerdo centenario de su amante fundador: el emperador Carlomagno. Los vestigios de su esplendor emergían de la niebla como apariciones espectrales de la gloria que fue en otro tiempo y que nunca más volvería a ser. Los dragones que coronaban las esquinas, medio desmoronados, las melladas siluetas de piedra y las efigies de hombres ilustres, todas ellas deslustradas, se caían a pedazos.

Los cuervos vigilaban alrededor cualquier atisbo de tensión mágica. Revoloteaban haciendo un extraño ruido en torno al joven pelirrojo hasta que llegaron a la gran plaza. La niebla se dispersó vagamente entre el ajetreo de un mercado. El vapor se alzó sobre los perfiles negruzcos de las casas señoriales, deshaciéndose en hilachas al entrar en contacto con el resplandor de un crepúsculo rojo. Se recogían mercancías y sillas que habían estado desperdigadas. Alguien tiraba de un cordal al que habían atado cinco ruidosos cerdos. Se oía el aleteo de las aves encerradas en sus jaulas. Se encendían farolillos aquí y allá. Monjes encapuchados murmuraban al pasar de largo. Una escena muy alegre…

Curdy se detuvo, indeciso. Otra vez tuvo aquella sensación, como algún tiempo atrás, durante su huida de Wilton: había poderes tenebrosos en Aquisgrán, podía sentirlos.

Una campana tocó por encima de aquel espectáculo melancólico y los ojos inquisitivos de Curdy, al alzarse, descubrieron la imponente mole de la catedral: la gigantesca tumba del emperador que había doblegado por igual a hombres y magos llenó su mirada.

Bien. Al menos eso era algo que Curdy tenía claro: nunca era tarde para devolvérsela a alguien, Carlomagno incluido. Tenía la sensación de que una gran acción no tardaría en ponerse en marcha, y al sentir el miedo y la fuerza en la punta de sus dedos echó mano de su bolsillo, en busca de su varita de hueso..., pero allí no había nada más que un resto patético de la varita de Trogus Soothings. Había ido a Aquisgrán, precisamente, a hacerse con una varita extraordinaria.

El murmullo de los habitantes volviendo a sus casas inundaba la plaza, que era una de las zonas abiertas más grandes de la ciudad. A diferencia de los lugares más lujosos que Curdy había conocido en Inglaterra, la plaza había sido adoquinada en el pasado, como muchas de las callejas que se entrecruzaban caóticamente en los alrededores de la catedral. Había puestos de flores y peatones, pero un reguero de carros, carretas y carruajes de toda condición la atravesaban abandonando los quehaceres del día. Las bandadas de pájaros se arremolinaban en el cielo con creciente protagonismo, y Curdy se dio cuenta de que no eran los únicos que vigilaban la antigua ciudad. Las fachadas de las elegantes casas de varias plantas que ribeteaban la plaza le recordaron las de los alquimistas nobles; el viejo orden de las clases de magos, que oprimía a muchos linajes inferiores, estaba ya muy establecido en la vieja Europa, sobre todo gracias a la reforma administrativa de los alquimistas impuesta por el propio Carlomagno. Y mientras observaba aquellos enjambres de pájaros, Curdy sintió un inexplicable y poderoso deseo.

—No estamos solos —dijo la voz de una mujer junto a él.

El chico se volvió sobresaltado, cerrando su puño en el bolsillo.

—¿Se puede saber qué rayos...?

—No te gusta mi aspecto —respondió su madre—. Y yo que pensaba que te encantaban mis ojos...

Curdy disimuló su sorpresa como mejor pudo. Desconocía la capacidad de Asmodeo para transformarse. Era tan real... Sus mismos ojos, su nariz, algo más delgada, algo más alta, con el pelo liso más enmarañado que en los tiempos de Wilton.

—Yo pensaba que te agradaba rememorar a tus seres queridos... —respondió una voz burlona y femenina.

—No hagas eso...

—¡Ya! Sucede que no tengo ninguna necesidad de obedecerte, y un demonio puede adoptar la forma de su señor siempre y cuando éste no se lo prohíba estrictamente. —El joven se puso nervioso—. Como veo que el aspecto de tu amada madre te perturba, cambiaré de apariencia a la primera de cambio, pero esto corrobora mi teoría sobre tus seres queridos. En realidad, no te gustaría que se diesen cuenta de que sólo deseas venganza.

—Estás yendo demasiado lejos...

—De acuerdo, seré concreto, como a ti te gusta —se burló.

—Estás acabando con mi paciencia, Asmodeo. Se supone que teníamos que ser capaces de colaborar, ¿y es ésta la forma como pretendes hacerlo?

—No entiendo el motivo de esta discusión. He conocido a miles de personas a lo largo de mi existencia, y ahora me presento aquí con el aspecto de una de ellas... y mira cómo te pones. Te falta autocontrol, siempre lo he dicho. Tendrías que agradecerme esta clase de apariciones, y sin embargo reaccionas de un modo muy extraño...

—No me falta autocontrol —gruñó Curdy, con una curiosa y amenazadora mueca en los labios. Efectivamente, estaba muy enojado. Asmodeo sabía cómo jugar con sus sentimientos.

—Claro, eso es precisamente lo que te llevó a meter la pata en la catedral de los normandos, Old Sarum; no podías pasar desapercibido y le pegaste fuego...

—¡No sucedió así!

—Gritar es de muy mala educación —continuó Asmodeo, sin abandonar la frágil apariencia de la madre de Curdy—. Por no mencionar el curioso incidente en la Cámara de los Lores; gracias a tu pérdida de control, ese pobre fraile llamado Clodoveo es hoy un montoncito de ceniza arrastrado por el viento...

Curdy se volvió y caminó hacia la guardia, tratando de escapar del murmullo de aquella voz a sus espaldas.

Entonces vio el carruaje negro y los estandartes.

—Espera —susurró la voz de su madre. Ella lo detuvo cogiéndolo por el hombro derecho—. Tenemos que marcharnos...

Pero ya era demasiado tarde, Curdy se había dado cuenta.

—Ahí dentro...

El mundo se desvaneció a su alrededor y todos sus sonidos banales y comunes se apaciguaron por debajo de unas voces que se elevaron en su interior. Su percepción mágica creció y creció, y se dio cuenta de que dentro de aquel carruaje había presos. No necesitó la confirmación de su hábil aliado para darse cuenta de que las víctimas eran magos y brujas cazados en las proximidades, retenidos quién sabe bajo qué extrañas acusaciones.

—No muevas un solo dedo, ¿me oyes? —susurró la voz de Asmodeo (disfrazada de su madre) en sus oídos.

Curdy percibió que los presos estaban muy débiles, gracias al aura que desprendían. Recordó las hogueras en las afueras de Wilton, la angustia que sufrió ante la sensación de que su madre pudiera haber muerto abrasada...

En ese momento y con gran decisión, las piernas de Curdy se pusieron en marcha hacia el centro de la plaza, al encuentro de aquel carruaje.

—Sólo debe de ser el resultado de una inspección rutinaria... —musitó la voz de Gotwif, insegura—. No deberías meterte donde no te llaman, la verdad...

Los pasos de Curdy eran cada vez más decididos, y toda aquella tensión acumulada durante meses en su interior apuntó en sus puños como una energía incontenible o la electricidad que precede al estallido de un rayo en el corazón de una nube.

—De acuerdo, bandada, ¡orden de ataque! —ordenó a los cuervos aquella inofensiva mujer que parecía ser Gotwif Maiflower, apartándose del muchacho.

Curdy chocaba contra los murmurantes francos y atravesaba los corros en busca de la línea que seguían los vehículos tirados por animales, hasta que se encontró a unos pasos de los jinetes armados que custodiaban el carruaje. Ahora estaba seguro: era la misma clase de carruaje que había penetrado aquella fatídica noche en Wilton.

Un instante después, pasaron muchas cosas a la vez.

En primer lugar, los cuervos se cernieron a su alrededor perseguidos por una bandada de pájaros mucho mayor en la que primaban las urracas. En segundo lugar, la forma elegante de Gotwif Maiflower se transformaba en otra más limitada, pequeña y difícil de describir (a causa de la velocidad que alcanzó en pocos segundos) que corría a toda mecha hacia los caballos. Y en tercer lugar, Curdy pronunciaba una palabra espantosa y su correspondiente sortilegio estallaba en el centro de la plaza más transitada de Aquisgrán para terminar de pasar desapercibidos. Se trataba de una detonación a base de *Sulphur comburens*, una sal alquímica causante de la mayor parte de los efluvios abrasadores capaces de prender fuego a objetos hechizados y protegidos contra el fuego. La parte frontal del carruaje se envolvió en llamas rápidamente. Los caballos se encabritaron y arrojaron a varios de los jinetes. La detonación sacudió de tal modo el habitáculo que, además de quebrar sus hechizos de cierre, también estuvo a punto de matar a los que iban dentro, que salieron aturdidos mientras la guardia se abalanzaba sobre ellos. El caos estallaba en el centro de la plaza y se extendía como la onda expansiva de una piedra arrojada contra las aguas de un estanque.

Los cuervos conjuraron la espesa niebla, las bandadas de pájaros se transformaron en genios de diferente índole que arrojaban pestilencias mortíferas y maldiciones a diestro y siniestro. Y los soldados armados vieron cómo el encapuchado que había espantado a los caballos se convertía en una enorme gárgola moteada de piedra, tan vieja y ennegrecida como las reliquias de las calles de Aquisgrán; cambiaba la capucha por una maraña de liquen de bronce oxidado y sus alas se abrían para mayor regocijo de sus compañeros, una docena de genios malignos cuyo aspecto, semiocultos en la niebla, todavía no había quedado esclarecido para ninguno de los presentes.

La gárgola fue hacia el carruaje derribado. Vio cómo los presos trataban de huir. Cogió a dos niños pequeños, se los puso debajo del brazo como si fuesen dos sacos de coles y echó a correr sobre sus patas combadas al tiempo que se daba impulso gracias a sus alas de una tonelada y media cada una. Después de ponerlos a salvo, volvió a la carrera y se abalanzó contra el carruaje envuelto en llamas, que estalló en una nube de humo y chispas al tiempo que al otro lado descubría a un adolescente rabioso a punto de pronunciar su frase favorita y…

Hay que decir que la gárgola llegó tarde. En ese momento se oyó el estallido de un trueno. El rayo trazó un zigzag aterrador en el centro de la plaza y varios de aquellos jinetes cayeron derribados, con el corazón tan quieto como una piedra encantada. El temible sortilegio de Curdy puso en alerta a toda la ciudad. Tormenta. Magos. Espías. Demasiadas señales juntas. Era hora de escapar.

En medio de la trepidante confusión general, del humo ocasionado por la quema de objetos malditos y su consiguiente destrozo, así como del extraño aspecto de las llamaradas que aleteaban en el centro de la plaza con la forma de unas águilas de fuego que acaso se ensañaban en la cacería de una rata gigantesca,[1] lograron confundirse y escapar, al tiempo que los prisioneros huían entre la población, obviamente sin tiempo para dar las gracias.

Asmodeo volvió con el aspecto de un pobre transeúnte cojo envuelto en un manto andrajoso, mas al levantarle la capucha Curdy descubrió los ojos rojos, la barba blanca, el rostro quemado por el sol y ambivalente del *bafomet*.

—Esos niños ya están con su madre y huyen, y tú y yo tenemos que hablar. Deja que mis genios jueguen a despistar a esa jauría y esfumémonos. Percibo una energía mágica muy poderosa en camino y ya hemos dado bastante espectáculo.

Se precipitaron hacia la oscuridad de la noche. Un racimo de cristales se encendió por encima de los tejados: las estrellas asomaban parpadeando precisamente cuando ellos huían en busca de las tinieblas.

1. Esto es un símil metafórico: el carro, una vez carbonizado, se parecía a una rata gigantesca que gruñe envuelta en llamas. (No, la verdad es que no es gran cosa como recurso poético, pero los objetos malditos tienen tendencia a proferir toda clase de injurias y sonidos extraños una vez abrasados por un fuego mágico, como era el caso del sortilegio de Curdy.)

12

EL *BAFOMET* Y LA GÁRGOLA

Pero no iba a ser tan sencillo.

El callejón se llenó de sombras. Curdy jamás había experimentado algo así, al menos en su corta existencia en tierras inglesas. Posiblemente, no había sido una buena idea llamar tanto la atención en la mismísima capital de un reino oscuro, como lo eran, todavía doscientos años después, los vestigios del Imperio carolingio.

Las sombras correteaban por las paredes. Podía tratarse de simples hechizos controlados por una voluntad más poderosa, pero Curdy se dio cuenta de que eran criaturas, cientos de criaturas mágicas que los perseguían. Eran como un hormigueo insistente, como el cuchicheo de un ejército de malas lenguas o el chirrido de una comunidad de murciélagos; sombras que corrían a toda velocidad por los muros y que empezaron a saltar a su alrededor.

—¡Ya nos han localizado! —gruñó el *bafomet*, volviendo sus ojos astutos hacia Curdy—. Me tienes hasta las narices, y eso que mis narices no son precisamente grandes. ¿No podías haber reprimido tu insoportable afán de protagonismo?

Los ojos de Curdy delataron una gélida furia y fulminaron a la gárgola de un modo tan siniestro que ésta se sintió cohibida unos instantes. «He de reconocer que es peor que su abuelo, una versión más peligrosa del modelo pelirrojo problemático, diría yo.» La presencia de aquellas criaturas se intensificaba.

—¿Qué tal si haces algo útil y dejas de pensar en voz alta? —espetó Curdy, extrayendo de su bolsillo lo poco que le había quedado de la varita de hueso.

—Se me olvidaba que ando con un asesino sin escrúpulos, ¡es verdad! Mi mala memoria... Eso perteneció al pobre Trogus, ya me enteré de que no tardaste en, digámoslo así, eliminarlo convenientemente. Un chico ambicioso no deja nada a su paso, ¿verdad? No dejar cabos sueltos, ése es tu lema, pero no podrás darme la vuelta, mocoso. ¡Deja de meterte en líos! —Asmodeo trataba de ser duro, pero al parecer eso servía de poco.

Curdy se desabrochaba los botones de su abrigo cuando Asmodeo se adelantó agachando la cabeza entre los robustos hombros. Su tamaño se había triplicado.

—¿No puedes hacerte más grande? Son un montón —protestó Curdy.

—Estoy en los límites de mi poder esencial, no puedo hacerme más grande, a menos que abandone la consistencia del bronce y, midiendo casi veinte pies de altura, sea sólo una imagen tan fina como el papel o el vapor, en cuyo caso sería poco útil a tus verdaderos fines, ¡egoísta!

El primer ataque fue inesperado y vino de un costado. Las fauces del hombre lobo se abrieron desmesuradamente y Curdy pudo escuchar el horrible gorgoteo de su garganta. Nunca supo si habría llegado a tiempo para defenderse, pero cuando enristró en aquella dirección su varita de hueso, los ojos del hombre lobo se iluminaron con un espasmo rojizo y sanguinolento y un estallido de luz pareció reventar en su estómago, al tiempo que una criatura con la forma de un niño de cinco años ataviado con una túnica romana blandía una guadaña de siete pies. El espectáculo era terrible. Especialmente si tenemos en cuenta que el niño de cinco años lucía la cara de un anciano recién afeitado. Fuera lo que demonios quisiera ser, estaba de su parte.

Curdy no se detuvo a inspeccionar el cuerpo en descomposición mágica del hombre lobo: tres más iban cogiendo carrerilla hacia ellos. Asmodeo se adelantó.

—¡Las cosas no son tan sencillas, trío!

La gárgola extendió un brazo, agarró a uno de sus secuaces con forma de cuervo y lo arrojó contra sus contrincantes. Un momento después, el caos de plumas estallaba y el pájaro había desaparecido. Los hombres lobo parecían momentáneamente distraídos por una bandada de garras y picos.

Estaban rodeados por todas partes, hombres lobo de gran tamaño por el suelo y un ejército de ratas negras aproximándose. Las ratas ya creaban un círculo chirriante e inquieto alrededor, saltaban, gruñían y se ponían rabiosas. Varios de los cuervos se convirtieron en extraños personajes: uno parecía un diablo con cabeza de carnero; otro, un guerrero con aspecto de cerdo capaz de lanzar pestilencias deletéreas. Pero para Asmodeo estaba claro: sólo quedaba una solución.

—*Divide et impera* —gruñó.

—No es momento de aprender latín —protestó Curdy.

—¡No arrojes ninguno de tus sortilegios! Son demasiado llamativos y nos han localizado. Vamos a dar a este problema una solución *salomónica*... nunca mejor dicho.

Los hombres lobo se acercaban.

—¡Pues haz algo de una vez! —gritó Curdy.

La gárgola aprovechó el momento para atrapar a Curdy desprevenido. Lo aferró con sus fuertes garras y empezó a correr bamboleándose como un enorme mono. Las alas de bronce comenzaron a dar impulso. Hizo un giro extraño y se abalanzó contra los hombres lobo. Docenas de ratas se adherían a sus piernas. Envolvió a Curdy con sus poderosos brazos, seguido por una escolta de espíritus desvencijados y desastrosos que repartían detonaciones infernales a diestro y siniestro. Por el rabillo del ojo, Curdy apenas logró distinguir la silueta del niño con cara de anciano que segaba la cabeza de otro hombre lobo con su alucinante guadaña.

Un caos de mandíbulas y el codo de Asmodeo en medio del torbellino. La velocidad crecía, las garras cargadas de ratas se movían tan rápido como nadie puede imaginar en el caso de una gárgola de casi cuatro toneladas. Curdy oyó un gruñido, después una explosión, luego la caída de un muro; luego sintió frío e, inmediatamente después, un calor asfixiante.

La gárgola dio un salto; sus alas cortaron el aire al agitarse. Dos ratas y un hombre lobo más pequeño se lanzaron contra ellos. Las dos ratas erraron su objetivo. El hombre lobo se encontró de frente con las afiladas garras de Asmodeo, en las que quedó ensartado con saña antes de precipitarse al vacío lanzando un lastimero gañido que helaba la sangre.

Volar, lo que se dice volar, las gárgolas no vuelan. Pero son capaces, si se trata de espíritus especialmente poderosos, de dar saltos muy grandes a una velocidad despiadada y, tratándose de cuerpos de bronce, eso las convierte en auténticos arietes de demolición.

Fue el caso al que nos referimos.

La gárgola de Asmodeo reventó un muro de piedra vieja situado en los bajos de la casa de algún señor franco. Los sillares rodaron unos sobre los otros en medio del polvo. Las grietas treparon por los muros y parte de la escalera fue derruida. La salita de usos se hizo añicos, y por suerte la anciana que se sentaba junto al fuego resultó físicamente ilesa, si bien nunca se recuperaría del shock que le produjo ver cómo de entre los escombros se levantaba una espantosa gárgola que blasfemaba todo lo que sabía, a la par que un adolescente pelirrojo e igualmente enojado que escupía el polvo que se le había metido en la boca.

—Esto no nos deja demasiado tiempo...

Varias personas acudían escandalizadas a la sala cuando Asmodeo, eficaz y veloz, saltaba con Curdy en brazos sobre la escalera y trepaba a los pisos superiores. Las antorchas que se encontraban a su paso, ardiendo entre lujosos telares importados de Italia, se desvanecían ante la presencia de Asmodeo. Llegaron a la parte más alta de la casa. La gárgola no se molestó en abrir la puerta: la derribó directamente. El tejado descendía y Curdy vio cómo el demonio se precipitaba hacia las tinieblas de otro callejón, mas en ese momento algo cambió en su forma, y el suave golpe de unas alas cubiertas de plumas contra el aire reconfortó sus oídos. No hubo más explosiones ni derribo de muros. Ni ratas ni hombres lobo. Los cuervos aleteaban a su alrededor y el enorme *bafomet* ascendía majestuosamente en el cielo de la noche, al tiempo que una espesa niebla trepaba de los callejones, enturbiando el brillo de los faroles y las antorchas de los guardias de Aquisgrán, que corrían hacia el corazón de la ciudad.

LA TUMBA REGIA

—Es el momento ideal para que tengamos una pequeña charla. —Curdy oyó la voz de Asmodeo a través del rugido del viento, que soplaba helado a su alrededor—. Ya te he dicho que me estoy cansando de tu estilo. Supongo que eres incapaz de colaborar de una manera desinteresada y modesta, sin tratar constantemente de llamar la atención...

—¡El que está cansado soy yo, maldito demonio! —repuso Curdy, forcejeando.

—¿Estás seguro de que quieres que te suelte? —preguntó con suficiencia el *bafomet*.

Curdy apenas logró serenarse cuando se dio cuenta de lo desventajoso de la situación. Aquisgrán se desvanecía en hilachas neblinosas allá abajo. Los regueros de antorchas eran hilos discontinuos de luces que titilaban débilmente. Asmodeo se inclinaba planeando majestuosamente, y con sólo cerrar un poco una de sus alas trazaba un vertiginoso círculo que obligaba a Curdy a sentir un espantoso retortijón, como si hubiesen encerrado una serpiente viva en su estómago.

—No te preocupes, puedes hacerlo. Creerán que ha sido un milagro, ¿no te parece?

El muchacho apretó los músculos de la pared abdominal y reprimió el impulso de vomitar. No estaba dispuesto a darle esa satisfacción a Asmodeo.

—Estás más tranquilo, ¿no?

—No podía dejar a esa gente, marcharme sin hacer nada… ¡Ése es más bien tu estilo! —respondió Curdy.

—Reconozco que no soy precisamente un altruista, pero eso no significa que pueda considerarme un bastardo sin escrúpulos, hay términos medios, ¿sabes? Aunque los adolescentes engreídos no los conocéis. Hay que vivir unos cuantos miles de años para entender ciertas cosas. O… ¿quién crees que salvó a tu abuelo de una muerte segura en la Batalla de Hastings? Yo mismo, mocoso, razón por la cual hoy tengo que soportar a su nieto.

—¿Salvaste a mi abuelo? —preguntó Curdy, mirando la cabeza del *bafomet* con renovado interés.

—Desgraciadamente —contestó la voz—. Me habría ido mucho mejor librarme de él, aunque supongo que me dejé llevar por ese viejo refrán: «Más vale malo conocido…

—… que bueno por conocer» —terminó Curdy, algo desanimado.

—En adelante quiero que sigamos mi plan, ¿de acuerdo? Hicimos un trato: íbamos a ser una especie de dúo. No la fastidies más o me veré obligado a tomar una decisión fulminante.

—No puedes hacerlo sin mí, ya lo sabes —repuso Curdy.

—Ya lo sabemos todos, pero también sabes tú que si te suelto te estamparás contra el suelo por muchos sortilegios que arrojes, por ejemplo, o que esa dichosa Arca de la Alianza, que tanto preocupaba a tu abuelo y a la Orden de los Tronos y al mismísimo Salomón, será atrapada por Aurnor.

—En tal caso, ¿dejarás de adoptar la forma de personas a las que conozco? —pidió Curdy.

—No sé qué tiene de malo, la verdad.

—Ésa es tu parte del trato, y sabes que me molesta.

—¿Te refieres al hecho de que me aparezca con la forma de tu… madre?

Curdy guardó un obstinado silencio.

—Está bien —aceptó Asmodeo—. La cosa se pone seria y ya basta de bromas. Lo intentaré. Hay que llegar hasta el final. Mi plan, minucioso y prudente, consistía en aproximarse lentamente a la catedral, tras observar a su guardia durante varios días convertido en algo completamente insignificante y desapercibido, realizar un análisis y, después, intentar profanar la maldita tumba, confirmando la información altamente secreta de la que dispongo... Pero está claro que todo lo que tenga que ver con un plan minucioso y prudente se ha ido al traste gracias a tu altruista intervención de esta noche. A estas horas, todas las fuerzas oscuras que anidan en esta milenaria ciudad se habrán agitado y estarán haciéndose preguntas. Ya sabes lo que eso significa. Todos mirarán a su alrededor, paranoicos perdidos, y los ojos se volverán de cuando en cuando hacia la catedral. La ventaja es que ha sido tan escandaloso que pocos sospecharán que vamos a atrevernos a entrar esta noche en la mismísima tumba del emperador Carlomagno.

—¿Y vamos a hacerlo realmente? —preguntó Curdy con un nudo en el estómago.

—¡Ha sido tan disparatado! Pocos pensarán que trataremos de conseguir lo más evidente, porque cualquier ladrón que pretendiese saquear la tumba del emperador procedería con la paciencia de una astuta araña que teje los hilos de su plan uno a uno durante siglos, así que en cierto modo el factor sorpresa está de nuestra parte, razón por la cual no debo felicitarte, porque ni siquiera lo tenías previsto.

—Tengo el don de la oportunidad —replicó Curdy misteriosamente, y no estaba seguro de dónde había oído eso antes.

—Tienes el don del oportunista, pero también vale —repuso Asmodeo, enojado.

—Pero... —La mente de Curdy parecía abotargada por la altura y el aire gélido. Las garras del *bafomet* le resultaban dolorosas. Asmodeo viró trazando una espiral y comenzó a descender rápidamente. El aire cortaba y ante él apareció una constelación de antorchas que ardían insinuando el perfil de una sombra gigantesca. Allí estaba: la tumba de Carlomagno.

—Curiosamente, se ha considerado una catedral, pero pocos saben que los emperadores y hombres poderosos han levantado esa clase de monumentos a lo largo de la historia a costa del sacrificio de otros con las mismas motivaciones con las que los legendarios faraones egipcios elevaban sus megalómanas pirámides: para cubrirse de gloria a toda costa durante siglos y más siglos. El caso de la catedral de Aquisgrán no era muy diferente. Era (y es) como una refinada pirámide erigida en los años oscuros de la Edad Media. Bajo el pretexto de sus fines religiosos, en realidad Carlomagno deseaba levantar una tumba inexpugnable para que nadie pudiera robarle sus secretos, sus tesoros y, sobre todo, su amuleto de increíble poder…

Mientras Asmodeo soltaba aquel discurso, las estrellas iluminaron aquel monstruo de piedra que se ocultaba en la débil bruma. Las antorchas titilaron y el *bafomet* se acercó vertiginosamente a una pared vertical sobre la que sobresalía un tiznado grupo de agujas; desde abajo parecerían simples adornos, pero de cerca eran de un tamaño descomunal.

Curdy rodó envuelto en su manto y tiritando de frío. El viento silbaba entre las piedras. El *bafomet* había desaparecido. Curdy esperó unos instantes.

—Como iba diciéndote… —La voz de Asmodeo susurraba a sus espaldas. Curdy se volvió y se encontró con un espantoso jorobado envuelto en una túnica andrajosa cuyo rostro permanecía oculto a los implacables ojos del joven— eso es precisamente lo que quería Carlomagno: erigir un monumento a su memoria, y un enorme sarcófago para su buen nombre.

Curdy aferró de nuevo su varita de hueso. Asmodeo era incorregible. Esta vez no conseguiría jugar con él.

—¿No lo sientes? —preguntó el jorobado.

—¿Qué? —protestó Curdy de mala gana.

—La muerte a tu alrededor. —Y Asmodeo se acercó a unas pulgadas del rostro blanquecino y cubierto de pecas de su interlocutor.

—Eres incapaz de cumplir un trato, ¿verdad?

—No soy yo el que ha elegido este atuendo, ya va siendo hora de que comprendas una cosa: es tu propio recuerdo y tu estado de ánimo lo que provoca estas transformaciones. En cuanto me relajo terminas por controlar mi aspecto, y no es que me agrade parecerme a tu madre ni...

—... a un fraile sanguinario y torturador llamado Clodoveo —terminó el joven.

—Tienes que entenderlo, no siempre lo hago adrede, ¿sabes?

—Hablar contigo es como enfrentarse continuamente al pasado —dijo Curdy muy serio.

—Eso ha sido impresionante, por fin me has dedicado unas palabras dignas de mí —añadió el jorobado—. ¿Cómo has sido capaz de verlo?

Curdy se volvió, esquivo.

—¿Has matado a alguien alguna vez? —preguntó el jorobado.

¿Cómo podía saberlo? Curdy hizo como que no lo oía.

—Vaya, vaya... Disculpa que te haya hecho la pregunta. Quería decir: has matado a alguien a alguna vez. Sin interrogantes. Es evidente.

—Ya lo sabías.

—Lo sospechaba. Había oído rumores... Todo el mundo habla de Curdy después de la gran batalla, pero... hasta este momento había hablado medio en broma. Si hubiese sabido que era cierto no te habría mortificado de ese modo... o sí. Bueno, no. —Asmodeo parecía incómodo—. Aunque debía suponerlo cuando percibiste el sufrimiento de esa gente en la plaza. La presencia de la muerte, de este sepulcro, es la que te hace proyectar todos esos recuerdos, pero, ahora que lo sé, trataré de controlarlo, aunque me cueste un esfuerzo extra... Mira ese pináculo, a tu izquierda.

Curdy se volvió con ojos ceñudos, evitando la visión del espantoso Clodoveo en que se había convertido Asmodeo. Siguió la dirección del dedo acusador del fraile y miró una de las agujas. Allí había una sombra y al fijarse en ella pudo sentir la presencia de un hombre que había sido ahorcado en ese mismo lugar. Casi le pareció ver su cadáver balanceándose al viento... Algo en sus ojos lo delató y Asmodeo susurró:

—¡Eso sólo pueden verlo quienes han matado a alguien!

—Tuve que matar a Clodoveo en defensa propia...

—Hay muchas formas de conocer la muerte —le explicó Asmodeo con extraña serenidad—. Quienes han perdido a un amigo, a un familiar, a un padre o a una madre perciben el sufrimiento ajeno con gran facilidad. Pero hay otras percepciones mucho más extrañas y terribles: las de quienes han matado a alguien alguna vez. Hay emanaciones mágicas que sólo pueden percibirlas ellos, sólo pueden ser vistas por aquellos que han *dado muerte*.

—Está bien, gracias por avisar —añadió Curdy, tratando de zanjar la conversación.

—No te asustes, es normal —advirtió Asmodeo, y ya había cambiado de forma, convirtiéndose en un enorme gato negro de ojos verdes.

—No tengo ganas de hablar de esto.

—Lo he visto muchas veces. Cuando un alquimista se vuelve poderoso, empieza a asustarse. Se cree que todo es tan fácil como ir de aquí para allá acumulando poder, ¡ja!, pero no es así. Crecer también tiene sus desventajas, chaval. Haber matado te da ciertos poderes, pero te obliga a ver cosas que nadie quiere ver, a recordar cosas que todos quieren olvidar…

—¿Has acabado?

—Pues no. Envidiarás a quienes no pueden sentir esas cosas…

—¡Estoy empezando a cansarme de tus monsergas!

—¿Así es como recompensas mi repentina transformación en gato negro de la suerte? Está bien, llegó la fatídica hora de las presentaciones. Veamos: éste es Gurlipus, ya lo has visto en acción, el de la guadaña. —Curdy miró al cuervo: acababa de transformarse en el niño de cinco años armado con una pesada guadaña.

—A vuestro servicio —dijo el alquimista.

—No estoy aquí por gusto… —repuso el niño.

—Estos tres son los hermanos Grimmig, expertos demonios trasgo capaces de transformarse casi en cualquier cosa. No es necesario que te diga sus nombres porque siempre actúan juntos; cuando quieras llamarlos hazlo sencillamente con la palabra Grimmig, y ya se dan por aludidos.

—Vale —añadió Curdy. Los Grimmig se habían convertido en tres enormes perros de ojos rojos que husmeaban desconfiados a su alrededor.

—Estos son Hugin y Munin, los Hijos de la Viuda. Patéticos, ¿verdad?

—Hugin y Munin —saludó Curdy, haciendo una breve reverencia. Los hermanos se miraron sorprendidos. Parecían dos enormes cuervos humanos, especialmente debido al tamaño de sus narices.

—Y ésta es Keily. —La extraña aparición con cabeza de puerco se convirtió en una hermosa joven de aspecto realmente diabólico. Cuando sonrió, Curdy descubrió sus dos afilados colmillos. Se trataba de algún demonio vampírico procedente de Irlanda.

—En total, un maravilloso elenco, desde luego. Salomón tiene sus siervos, y yo los míos.

—Un placer —dijo Curdy, confundido por aquella mirada.

—Verdaderamente... —repuso ella, logrando ponerlo rojo como un tomate.

—Los demás están ahí. —Asmodeo hizo un gesto y sus ojos verdes parpadearon desdeñosamente. Sobre el muro, seis o siete enormes cuervos montaban guardia inquietos—. Por supuesto, no quieren mostrarse tal como son. Sus esencias son ciertamente monstruosas, pero ahí donde los ves, son los que conjuran toda esta niebla. Tienen un poder casi infalible e inmediato sobre la atmósfera. Son eficaces y discretos, y eso es realmente fantástico, no como Gurlipus, a quien le encanta llamar la atención, como a ti.

—Estoy empezando a hartarme de tus comentarios, Asmodeo —protestó Gurlipus, para sorpresa de Curdy, con una voz absolutamente infantil.

—Puedes unirte al chaval, ya sois dos, aunque así tampoco creo que lograseis nada contra mí, la verdad, y vamos al grano, que se hace tarde —replicó el gato negro—. En primer lugar, necesito mucha niebla, así que concentraos. Vamos a la entrada. Necesitaré la punta de esa guadaña, Gurlipus. Prepara ese huesecito que llevas por varita, Curdy. Hugin y Munin, seguidnos.

—Pero ¿cuál es el plan? —inquirió Curdy.

—Mejor no dar detalles o la fastidiarás. Simplemente, déjate llevar.

Gurlipus y Curdy se miraron como dos lagartos que acabaran de encontrarse por casualidad en medio de un desierto.

EL TÚNEL Y LA BÓVEDA

Avanzaron.

Curdy tuvo tiempo de preguntarse cómo aquellas estelas portentosas y sutiles que se desplazaban por el no-tiempo, ante la Puerta de Salomón, podían dar lugar a seres tan estrambóticos. Sabía que los misterios de la transustanciación de los espíritus demoníacos eran complejos y casi desconocidos para los alquimistas; apenas existían libros que hablasen de ellos. Sabía que un espíritu podía convertirse en algo rarísimo al cobrar forma terrenal y que, según su poder, podía optar entre un abanico de transformaciones más o menos amplio, pero no tenía idea de su nacimiento. Sabía que todo era parte de una esencia enorme, la cual, debido a alguna clase de milagro que escapaba a los conocimientos de la Alquimia, podía aislarse y pensar por sí misma hasta individualizarse, dando lugar a una esencia latente. De todos modos, las transformaciones terrenales eran traumáticas y condicionaban las formas de sus apariciones. Curdy trataba de imaginar el pasado de Gurlipus, especialmente. Había sufrido alguna clase de trastorno desagradable en la época romana, de eso no cabía duda alguna, pero la guadaña no encajaba de ningún modo.

La niebla se espesó, como si al pie de los muros hubiesen roto a hervir unas ollas inmensas. El aire estaba quieto y todo parecía demasiado expectante. Curdy tenía la desagradable sensación de que aquellas estrechas cornisas entre los tejados de la catedral estaban plagadas de espías y defensas mágicas. Recordaba el acceso a Old Sarum, algún tiempo atrás, y estaba seguro de que aquello iba a ser mucho más complicado.

El gato negro se detuvo y les pidió que esperasen. Esperaron. El gato negro hizo un gesto y se metió en una especie de cripta. Los demás le siguieron y se quedaron incómodamente apretados en la oscuridad.

—¡Salid! No os he dicho que os metáis…

Los cuervos se cernieron y empezaron a volar en torbellino alrededor del pináculo que sobresalía por encima de aquel espacio. Curdy se dio cuenta de que la niebla se volvía tan espesa que podrían haberla cortado. Se oyó un zumbido parecido al que producen las armas de los honderos cuando las hacen girar para arrojar sus proyectiles. Punteando la niebla, una estela de colores violáceos, entre cuyos hilos difusos y disparejos salpicaban peligrosos chisporroteos, parecía tendida entre las piedras hasta donde alcanzaban a ver, que no era mucho. Pero estaba clarísimo que se trataba de un escudo de protección mágico que recubría la catedral y sus entradas potencialmente más peligrosas. El tejado estaba algo más descuidado, pensó Curdy, pero no lo suficiente para haberlo dejado sin protección. Allí estaba aquella red difusa, el rastro de un conjuro muy antiguo. Para cualquier persona normal, sólo se habría tratado de puertas imposibles de forzar, de candados irrompibles o de una dosis de fatídica mala suerte a cada paso, pero para los secuaces de Asmodeo lo mágico se volvía visible, teniendo en cuenta que Curdy era capaz de ver elementos mágicos que aparentemente son irreconocibles y que se quedan encerrados en lo que se llama el «aura» de una persona o incluso de un objeto. Ahora el aura de la catedral de Aquisgrán empezaba a emerger gracias al conjuro de los cuervos.

Rápidamente, algunos de ellos se precipitaron contra la red y empezaron a picotear las difusas arañas. Los cuervos no trataron de huir, pero se convirtieron en enormes e irreconocibles sombras que se las tragaban, extendiendo una mancha completamente negra en el tejido del aura.

—No aguantarán mucho —dijo Asmodeo.

—¿Qué quieres decir? —inquirió Curdy.

—Estos horlas son capaces de adquirir la forma esencial de casi cualquier cosa que encuentren a su paso: el aura permanecerá inalterada durante algún tiempo, pero después volverá a cerrarse, por eso tenemos que actuar con cautela —respondió el demonio—. La punta de esa guadaña, Gurlipus, y tu varita de hueso, Curdy.

Entraron en el habitáculo. Había una puerta herrumbrosa protegida con un candado medieval tan grueso como la cabeza de un carnero. La punta de la vara de hueso y la de la guadaña entraron en la cerradura. Asmodeo hizo un gesto y arrojó alguna clase de hechizo. Se produjo un ruido seco en el interior del candado y un hilo de fuego recorrió el contorno de la puerta. Cuando apartaron las puntas del candado, un humo verde y pestilente trepó en el aire.

—Acabamos de aniquilar un espíritu menor… —se burló Asmodeo—. Para la vida que llevaba, creo que le hemos hecho un favor.

—¿Qué vida llevaba? —inquirió Curdy.

—Estaba esclavizado a la magia de la catedral, era un designio; estaba ahí encerrado por toda la eternidad, a eso me refiero. Una vida que no vale nada.

—¿Y a ti no te ha pasado lo mismo con ese libro? —inquirió Curdy—. ¿No estás acaso unido a su destino y al de sus dueños?

Asmodeo se volvió, transformándose de nuevo en una gárgola con cuernos.

—Hay niveles y yo soy de los que creen en las clases, y no es lo mismo ser el brazo derecho de Salomón el Grande que el guardián de un candado en la azotea de la catedral de Aquisgrán, ¿no te parece?

—Visto así…, sí —reconoció Curdy. A su alrededor se oyeron risitas anónimas en la oscuridad. Curdy había logrado poner en evidencia a Asmodeo.

—Está bien, a partir de ahora no quiero preguntas, ¿de acuerdo? Esto no es una excursión. Comienza la acción. Vamos a entrar ahí la mar de tranquilos, ¿de acuerdo? Nada de llamar la atención. (Lo digo sobre todo por vosotros dos, pareja de exhibicionistas.) —Curdy y Gurlipus se miraron, molestos—. En serio, a partir de ahora un error puede ser fatal: exterminio de espíritus, destrucción de plasma mágico, alquimista reducido a ceniza…, cualquier cosa es posible. Esto es una fortaleza mágica teóricamente inexpugnable, de modo que seguid los pasos del guía. Llevo siglos planeando este golpe, ¿de acuerdo? Tengo información secreta para que salgamos airosos. Vamos a dar nuestros pasos con cautela, eficacia y prudencia…

El discurso del demonio continuó algún tiempo más para terminar de mortificarlos, pero al final reinaba un silencio de muerte; fuera, la niebla era tan espesa que no era posible distinguir nada alrededor, ni uno solo de los muchos farolillos que se encendían por las barriadas de la capital del decadente Imperio romano-germánico.

La puerta cedió con un gruñido que los hermanos Grimmig sofocaron inmediatamente. Una vez abierta, la casi inexistente luz se proyectaba a tientas en un espacio completamente negro. El *bafomet*, que había disminuido notablemente de tamaño hasta ocupar la mitad de la altura de Curdy, descendió en la oscuridad plegando sus alas. Curdy lo siguió. El corredor era muy estrecho, y supuso que se trataba de alguna clase de pasadizo abandonado en los años de su construcción, habilitado para poder acceder al techo.

Avanzaron sigilosamente. No se oía nada y no se veía nada, pero el muchacho tuvo la sensación de que recorrían un círculo gigantesco. Delante apareció una luz fantasmal. La luz fantasmal iluminaba un rostro fantasmal. El rostro fantasmal del *bafomet* le hizo una señal. La uña angulosa de una garra mugrienta señalaba hacia abajo.

Curdy llegó y se inclinó.

La imagen era vertiginosa. Estaban en algún lugar de la imponente cúpula, mirando a través de un pequeño parteluz hacia el vacío.

—Y ahora, ¿qué? —susurró Curdy.

—Ahora te callas —respondió Asmodeo.

El espacio era suficientemente grande para que Curdy pudiese deslizarse... pero no tenía ningún sentido, a menos que decidiese lanzarse al vacío. El plan de Asmodeo se hizo evidente cuando el *bafomet* se metió en el hueco y, una vez en el otro lado, ya colgando en el vacío, se transformó de nuevo, esta vez en un monstruo rarísimo con amplias alas de dragón que colgaba del techo como un murciélago.

—¡Vamos!

Curdy se sintió estúpido al meter los pies en el hueco. Se preguntó si era idiota o qué estaba haciendo, pero no se lo pensó demasiado, porque si se lo hubiese pensado el miedo habría crecido y crecido y finalmente no lo habría hecho.

Sus manos apenas podían asirse a la parte superior y estaba a punto de descolgarse.

—Perfecto, ha llegado el momento. —Oyó una voz particularmente antipática—. Es hora de ajustar cuentas.

Curdy miró hacia abajo: sus pies colgaban en el vacío. Entonces miró al monstruo en que se había convertido Asmodeo y reconoció el rostro de Whylom Plumbeus. No podía ser cierto. Sus dedos se deslizaron y comenzó a caer.

Un instante después, las garras rodeaban sus hombros de nuevo y se veía planeando hacia la gigantesca oscuridad del transepto. Aterrizó suavemente entre las columnas y se echó en el suelo. Asmodeo era otra vez una pequeña gárgola. Keily se había quedado arriba; los Grimmig, Gurlipus, Hugin y Munin ya estaban escondidos detrás de las columnas.

Asmodeo hizo una señal y Curdy lo siguió.

CON UN PIE EN LA TUMBA

Candados medievales por todas partes, un transepto descomunal, bóvedas de misterio, columnas que trepaban sosteniendo una techumbre tenebrosa… Todo eso era lo que se movía silenciosamente alrededor de Curdy mientras avanzaba con tanto sigilo como podía.

La longitud del transepto parecía inabarcable; al fin las antorchas quedaron atrás, bajo la bóveda de la que habían bajado. Pero la silueta del *bafomet* había desaparecido. Curdy tenía la sensación de que aquello iba de mal en peor.

Desde hacía casi trescientos años, muchos de los más importantes gobernantes francos, así como algunos de sus antepasados merovingios, liudolfingios y arnulfianos, habían sido sepultados en las criptas de la catedral. Conformaban una sucesión rigurosa de rememoraciones sobre aquellos grandes hombres y mujeres que habían construido o heredado el Imperio de Carlomagno, pero nada de monumentos: sus nombres estaban inscritos con caracteres góticos en las columnas y en las grandes losas de las capillas adyacentes.

Curdy se dio cuenta de que alguien le hacía señas. Gurlipus y los Grimmig se dispersaron a su alrededor al entrar en el crucero meridional. Asmodeo había ocasionado un ruido sordo y se oyó un leve gruñido de metal. La portezuela enrejada de una capilla cedió suavemente. Curdy entró en la cripta. Asmodeo se las ingenió para cambiar de sitio el tablón de una pintura flamenca, detrás de la cual había una gran losa. El *bafomet* pronunció una ristra de horripilantes palabras y la losa cedió hacia dentro, ayudada de dos bisagras ocultas que nadie habría sido capaz de intuir. Curdy estaba seguro de que Asmodeo había merodeado por aquel lugar en otras ocasiones, quizá enviado por su amo Salomón, para planear el golpe. Siguió la señal y se metió con Gurlipus y los otros. Estaba empezando a entenderse bastante bien con Gurlipus. Quizá Asmodeo tenía razón en cuanto a la imposibilidad de pasar desapercibidos... Pero de momento lo estaban consiguiendo.

La pintura flamenca volvió al sitio y el hueco del túnel se sumió en la más espesa de las tinieblas. Una llama chisporroteó en la garra de Asmodeo; tenía la forma de un pequeño y furioso diablillo islandés, también llamado «elfo de fuego».

—Ni se te ocurra decir una palabra de más, te he conjurado... —lo amenazó Asmodeo.

En el fondo del estrecho e incómodo túnel por el que Curdy tenía que ir a gatas se deslizó un nuevo corredor. Olía a cuerno quemado y la humedad era espantosa. Sentía la piedra fría pegada a las yemas de los dedos. Había otra puerta, pero no se parecía en nada a una puerta normal. No tenía cerraduras; sencillamente, interrumpía el acceso como un muro de acero empotrado en los sillares de la catedral. A una señal de Asmodeo, los Grimmig cambiaron de forma en medio de un intenso aleteo. Curdy creyó que sus plumas y garras iban a metérsele por la boca cuando se dio cuenta de que alguna clase de actividad mágica de insospechado poder obraba ante sus ojos. De algún modo, la unión del fuego de Asmodeo y el giro incesante de tres formas extrañas producían estallidos de rayos mudos que violentaban el muro de hierro macizo. Finalmente se convirtieron en algo que giraba tan deprisa que era imposible distinguir nada. La pared se calentó hasta ponerse al rojo, y en ella apareció el rostro somnoliento de un guardián encerrado en el bloque de metal, un rostro de una fealdad sin parangón. Sus ojos insomnes se abrieron bajo unas cejas que parecían descomponerse, la nariz y la barbilla asomaban como puños rugosos, y, mientras sus facciones se movían lentamente, el hierro al rojo cambiaba de forma como si estuviese a punto de gotear en forma de líquido incandescente.

Abrió la boca y la energía mágica rotativa creada por los Grimmig comenzó a ser succionada, hasta el punto de que empezó a desaparecer. El demonio que custodiaba aquella entrada trataba de gritar, Curdy estaba seguro de ello, pero los Grimmig se lo impedían. Poco tiempo después, su ancha boca se convulsionaba y empezaba a derretirse por completo.

El brazo de Asmodeo atrajo a Curdy: el hierro se hacía líquido y se convertía en un peligroso charco que fluía afortunadamente en dirección contraria a ellos. Unos rastros centelleantes anunciaron la destrucción de esencia mágica.

—Sin sonido alguno. La verdad es que eran buenos estos Grimmig —dijo Asmodeo—. Los echaré de menos una vez cada mil años.

—¿Han... muerto?

—No exactamente. Han pasado a mejor vida. Se han extinguido, disipado, consumido; se han marchado. ¡Vamos!

Curdy vio cómo Asmodeo apartaba con gran precaución los restos ya pastosos de hierro fundido; de un trozo que desprendía chispazos procedían algunos ruidos apagados. Asmodeo cogió el pedazo y se lo guardó.

—¿Ha sobrevivido?

—Puede decirse que sí... —respondió Asmodeo a Curdy—. Estos elfos de fuego islandeses anidan en las grietas de la tierra; su elemento es la roca fundida, de modo que puedes imaginar que sobreviven a esta clase de enfrentamientos con metales endemoniados. Pero hay que llevar cuidado con ellos, son extremadamente coléricos... Ahora está atrapado en este pedazo de hierro, y ahí se quedará hasta que se le pase el enfado.

Asmodeo se metió en el agujero. Curdy lo seguía de cerca. El resplandor del hierro fundido no lograba iluminar las tinieblas subterráneas; los restos de la puerta colgaban por la pared y por la base del muro como estalactitas y estalagmitas pastosas que se enfriaban lentamente. No fue necesario que Curdy saltase: el *bafomet* volvió a arrastrarlo por las tinieblas hasta el fondo del lugar más lúgubre que había pisado en toda su vida.

Una vez abajo, Curdy sospechó que estaban en un laberinto de criptas y sepulcros. Por un momento tuvo la extraña sensación de que había vuelto a la Cámara de los Lores.

—El cementerio subterráneo de los merovingios… —susurró Asmodeo alzando una mano, en la que ardió un pequeño globo dorado que emitía una suave luz.

Curdy enristró su trozo de varita y pronunció la palabra adecuada; un resplandor rojizo se desprendió a lo largo de su hueso, dándole la oportunidad de descubrir una sucesión inabarcable de esculturas, columnas, rejas, puertas descabezadas, inscripciones góticas, entradas de sepulcros y criptas revestidas de mármol. Asmodeo se puso en marcha rodeado de espantosas sombras. Curdy y Gurlipus lo siguieron.

Al entrar en la nave y descender una escalinata, el lujo de la estancia parecía mayor y la notoriedad de los personajes enterrados de rango superior, a juzgar por el aspecto de sus estatuas conmemorativas. Primero aparecieron reyes postrados, con las manos cruzadas sobre el pecho y los ojos abiertos. Luego se encontraron con esculturas de bronce de reyes sedentes en sus tronos que blandían documentos, sostenían espadas o miraban ceñudamente a su alrededor. Entonces aparecieron, en pie, los reyes merovingios: de porte heroico y altos, sombríos en sus expresiones, los rostros angulosos y pálidos. Las reinas merovingias clavaban sus ojos vacíos en ellos y, a diferencia de sus maridos, sonreían de un modo enigmático que a Curdy le helaba la sangre. Se detuvo ante una de ellas, especialmente alta; parecía una anciana de aspecto feroz, rígido e implacable. Estaba toda revestida de piezas de diferentes metales, como si le hubiesen puesto un traje forjado para la eternidad. Docenas de piedras preciosas centelleaban al paso de la antorcha, como si dentro de ellas hubiesen sido encerrados cientos de ojos vigilantes que parpadeaban y destellaban; sus manos y su rostro estaban tallados en el mármol más blanco que jamás hubiesen visto, tan blanco que el color de la luz que lo iluminaba, dorado o rojizo, no lograba imponerle su tono y emitía una especie de luz propia. Su rostro era extraño, viejo y a la vez joven, horrible y a la vez hermoso. Curdy huyó y se dio cuenta de que detrás, como si ella fuese una especie de guardiana, se erigía la única estatua ecuestre de aquel selecto cementerio subterráneo.

—Dejad que os presente al Emperador. —Asmodeo hizo una reverencia ante el imponente monumento funerario.

El caballo parecía estable e imperturbable, tallado en piedra negra, con anchos ollares. La figura de Carlomagno miraba hacia abajo con la misma imperturbabilidad que su caballo. Llevaba puesto un casco teutónico, su mármol blanco había sido tallado cuidadosamente con todos los detalles de su vestimenta, y su brazo derecho se alzaba en señal de dominio, sosteniendo un cetro. Ahí estaba el símbolo de lo que buscaban, con la desagradable diferencia de que el Cetro verdadero tenía que estar oculto en algún lugar mucho más inaccesible y maloliente.

Al lado izquierdo había otras muchas tumbas sobre las que se levantaban los monumentos (también vestidos con trajes de metal) de sus numerosas esposas, pero a su derecha yacía un sepulcro imponente, aunque menos grandioso.

A sus pies, por aquel espacio que parecía maldito, se esparcían esqueletos humanos destrozados y polvorientos. Las calaveras, separadas de los cuerpos, habían rodado; el tiempo desmenuzó con desdén unos miembros de otros. Había marcas y quemaduras, rastros de fuego en el suelo. Curdy supuso que alguien más había tratado de saquear aquellas tumbas con un resultado fulminante y nefasto.

—La tumba de Carlmann, su hermano menor, a quien mató para poder crear su grandioso Imperio carolingio —explicó Asmodeo en un susurro—. Supongo que Carlomagno se arrepintió en algún momento de su fechoría y decidió enterrar a su hermano junto a él, muchos años después de haberlo matado. Curiosa forma de pedir disculpas...

Curdy leyó una de las numerosas inscripciones góticas que había en las paredes del sepulcro de Carlomagno:

Carolus Magnus Imperator Mundi

—«Carlomagno, Señor del Mundo» —tradujo el muchacho sin dificultad.

—¿No decías que no sabías latín? —inquirió Asmodeo.

—Esa frase es muy sencilla. ¿Y esa estatua de ahí? ¿Quién fue? —preguntó Curdy, refiriéndose a la extraña anciana que parecía custodiar el corazón del cementerio.

Asmodeo hizo una reverencia ante la anciana y movió su garra luminosa ante el pie de la estatua.

—¡Brunilda de Worms! La Reina del Oeste... —susurró Asmodeo, aparentemente asustado.

—He oído hablar de ella —dijo Curdy, sorprendido.

—Me alegro, porque estamos demasiado cerca de su tumba para...

El *bafomet* se interrumpió al ver que Gurlipus, con una desagradable mueca en el rostro, le hacía señas con su guadaña. Curdy se aproximó. Los vacíos ojos de la anciana parecían vigilarlo todo desde su aparente inmovilidad. El muchacho se dio cuenta de lo que habían descubierto: la puerta del sepulcro de Brunilda de Worms estaba entreabierta, sin señales de haber sido forzada.

—Vamos a lo nuestro —ordenó Asmodeo sin demasiada convicción—. Tampoco hay que exagerar... Puede que alguien lograse saquear las faldas de la vieja Brunilda... ¡Quién sabe!

Volvieron sus rostros hacia Carlomagno. El asunto entrañaba grandes dificultades. Curdy esperaba que Asmodeo supiese lo que hacía.

Para sorpresa de todos, el *bafomet* se dirigió al sepulcro de la derecha. El mausoleo de Carlmann era menos ostentoso que el de su hermano: la estatua, esculpida a tamaño natural, se elevaba en actitud heroica, encima de una construcción maciza de mármol jaspeado indio cubierta por una espesa capa de polvo y rodeada de complicadas forjas. El *bafomet* apartó la portezuela de metal y se aproximó a la entrada.

—Será mejor que utilices tú mismo esta llave —le pidió a Curdy.

Curdy desconfió. Después de ver la pasmosa tranquilidad con la que Asmodeo se había despedido de los Grimmig, aparentemente extintos en plena actividad mágica, ya no podía fiarse de él.

—¿Y por qué yo? —fue toda la respuesta que supo interponer.

—Porque es *tu* llave, esa que abre todas las puertas, y sólo servirá si la utilizas *tú* —respondió la gárgola, lanzando miradas desconfiadas a su alrededor—. Comprendo que suena un poco narcisista, pero la culpa indudablemente no es mía. La Llave de Oro que forjó tu antepasado en los tiempos de Carlomagno... ya sabes...

—¡Ya sé cuál es! Pero... ¿cómo es que la tienes tú? —inquirió Curdy.

—No es el momento de largas conversaciones, pensaba que confiabas en nosotros... o sea, ¡en mí!

—No lo entiendo.

—Es cosa de Asmodeo saber cómo Asmodeo la ha encontrado, y basta. ¿Por qué te crees que estás aquí? Las cerraduras del mausoleo fueron forjadas por tu antepasado, mucho tiempo después de haber encontrado el amuleto; la misma Llave de Oro es capaz de abrir estas puertas, y ésa es la razón por la que estás aquí, pesado... ¿O crees que teníamos alguna necesidad de soportar tu presencia durante un viaje tan poco halagüeño de no haber sido imprescindible?

Curdy cogió la Llave y, haciéndose más preguntas, se acercó a la puerta. Parecía normal en muchos sentidos, aunque la cerradura, como casi todos los elementos que destacaban bajo la capa de polvo, estaba llena de complicados detalles propios de una buena forja.

Metió la Llave en la cerradura. Se oyó un sonido seco. Curdy respiró hondo. No sabía lo que le esperaba allí debajo y no estaba seguro de querer hacer girar la llave.

—¿Y por qué demonios estamos abriendo la tumba de Carlmann si hemos venido a saquear la de Carlomagno?

—¡Estúpido! ¿No has visto cómo hago reverencias ante las esculturas? ¡No pronuncies en voz alta ninguna palabra como «saqueo», «robo», «hurto» ni ninguna otra que se le parezca!

—Perfecto: ya lo has hecho tú —respondió Curdy.

Gurlip sonrió.

—Lo he hecho en voz baja... —se disculpó Asmodeo—. ¿Has visto esos esqueletos? No somos los únicos que en los últimos trescientos años han tratado de entrar en esas criptas. Anillos mágicos, tesoros encantados, diademas cargadas de piedras preciosas... Las leyendas sobre el tesoro son innumerables, ¡pero ahí ves los esqueletos! Nadie ha logrado entrar jamás porque es necesaria esa llave, en primer lugar, y en segundo lugar... —Asmodeo hizo una pausa dramática—, porque escogieron la entrada incorrecta. Muy pocos estuvieron presentes cuando Carlomagno fue introducido en su tumba, pero hemos llegado a enterarnos de que Carlomagno no está en su cripta.

Curdy estaba sorprendido. Miró la puerta. Ya lo había entendido.

—¿Está aquí?

—Exacto —confirmó Asmodeo—. El mausoleo de Carlmann es sólo una tapadera, ésa fue su última defensa.

—Pero ¿por qué?

Asmodeo parecía impaciente.

—Por una sencilla razón que un alquimista debería conocer muy bien: para salvaguardar su gran amuleto, Carlomagno necesitaba protecciones mágicas muy agresivas y poderosas. Inducir esas fuerzas y conjurarlas por toda la eternidad en un lugar como un mausoleo puede ser altamente corrosivo. Cuando sus alquimistas le comentaron esto, Carlomagno decidió cambiar de estrategia y ocultó su propio cuerpo y el cetro en otro lugar. El mausoleo de Carlomagno es inexpugnable, pero ciertamente dentro no habrá nada de valor; bueno, sí, oro, joyas, un gran tesoro, eso sí, porque la magia lo protegerá de modo efectivo, pero él sabía que los conjuros podrían interactuar con sus reliquias mágicas y especialmente con el amuleto, y no deseaba destruirlo. También imagino que no quería que su propio recuerdo fuera fulminado por el peso de trescientos años de maldiciones…

Curdy estaba realmente sorprendido.

—Y deberías abrir esa maldita puerta, nunca mejor dicho…

El chico miró la cerradura. Apoyó los dedos en la Llave; ésta comenzó a brillar al tiempo que giraba. La cerradura se volvió dorada como un sol.

—Hum… falta un detalle: tienes que bajar solo.

—¿Qué? No pienso hacerlo.

—Se supone que eres un héroe.

—Cuando se trata de salvar a unos desgraciados de la muerte segura en una hoguera, sí; no cuando tengo que conseguir un cetro mugriento.

—No podemos acompañarte, ¡la maldición nos exterminaría!

—¿Y a mí qué?

La puerta estaba abierta. La cerradura había dejado de brillar. Un habitáculo descendente y, detrás, nada. Tinieblas.

—No pienso bajar ahí abajo —rezongó Curdy.

—Eso es una cámara mágica, una especie de despensa de conservación para reliquias y amuletos mágicos de altísimo poder. Está protegida por una maldición contra toda energía mágica exterior. Sólo un alquimista que sepa utilizar la Llave puede entrar.

Algo centelleó en la mente de Curdy (¿sentido común?), que retrocedió convencido.

—¡Ni hablar! ¡No pienso hacerlo!

—¡Curdy! Escúchame. —La voz de Asmodeo adquirió un tono especialmente dramático. Parecía que por fin iba a decir algo serio—. Tu antepasado fue el que cerró esta cripta por última vez, por eso tú puedes accionar la Llave, porque es la llave mágica de los herreros de tu estirpe y, aunque él entró con el cortejo fúnebre de Carlomagno, nunca salió de aquí. De modo que hay algo que te pertenece ahí dentro, y sólo tú puedes sacarlo. Después de un cierto espacio, encontrarás otra puerta. Sólo puede ser de ese modo. La siguiente cerradura no se abrirá hasta que esta puerta se haya cerrado detrás de ti.

—Eso significa que me quedaré ahí dentro con los restos de mi antepasado y con los de Carlomagno... No pienso hacerlo. ¿Para qué?

—Las cosas pueden cambiar... Deberías confiar en mí, llevo mucho tiempo sabiendo esto. —Asmodeo estaba inquieto—. Tú monta guardia alrededor, ¿qué haces aquí?

Gurlip retrocedió de mala gana. Asmodeo bajó el tono de voz hasta que susurró en el oído de Curdy:

—Tu abuelo Gaufrey no habría planeado todo esto para que murieras, ¿no crees? Ahí dentro no hay espíritu alguno ni demonio que te pueda acompañar, salvo tu propia fuerza y tu ingenio. Seguro que todo tiene una explicación...

La mente de Curdy daba vueltas y más vueltas, hasta que el rostro de Whylom Plumbeus apareció de nuevo. ¿Merecía la pena intentarlo sólo por venganza? Pero si lo hacía, tendría que quedarse el dichoso Cetro y utilizarlo...

Sí, la venganza fue lo único que le convenció.

Lanzó una mirada desdeñosa a Asmodeo y descendió un par de peldaños. Localizó la puerta y encontró la cerradura. Metió la Llave y miró hacia atrás. La puerta se cerraba lenta e inexorablemente. Los ojos rojos de Asmodeo se volvieron.

Que Carlomagno tenía que estar podrido allá abajo es algo que no habría asustado a ningún hombre del Renacimiento... pero en el año 1100 era otra cosa, y las maldiciones que pesaban sobre la cripta de un hombre tan poderoso, que había sido, además, amigo íntimo de Aurnor en sus años de juventud, todo eso cambiaba mucho las cosas.

De todos modos, el sitio era tétrico, tétrico de verdad.

Aun con esas expectativas en mente, Curdy forcejeó con la Llave y la puerta comenzó a abrirse, y al hacerlo percibió un fuerte olor cuya esencia le era completamente desconocida.

Rápidamente, la oscuridad lo atrajo hacia sí y fue succionado hacia ella por una fuerza irresistible. Los escalones, la bóveda y el túnel habían desaparecido. Curdy esperaba caer de un momento a otro en las garras de un furioso esqueleto de la Antigüedad.

LA ESCALERA, EL TEMPLO, EL ÍDOLO

El ocaso rojeaba y el cielo parecía inmenso.

Olía intensamente a opopónaco[2] y Curdy tenía la sensación de que aquel cielo cálido y sofocante, que se sumergía por debajo de él hasta abismos inconmensurables plagados de vapores áureos, turquesas y violáceos, navegaba a la deriva, ebrio de color.

Medio despierto, medio dormido, tenía la reconfortante sensación de que estaba volando, de que el mundo había desaparecido y de que podía tomarse un respiro. Pero a medida que volvía en sí se daba cuenta de que había algo duro pegado a su espalda, de que no se movía, y después llegó a la prosaica conclusión: lo que se movía eran las nubes, no él.

2. El opopónaco no es cualquier cosa escogida al azar porque quedara bien en el texto: se trata de una gomorresina rojiza por fuera y amarilla veteada de rojo por dentro, de sabor acre y amargo y de olor aromático muy fuerte, que se saca de la pánace.

La pánace es una planta herbácea, vivaz, de la familia de las umbelíferas, con tallo estriado, poco ramoso, velludo en la base, de uno a dos metros de altura, hojas de pecíolos lanuginosos, partidas en lóbulos acorazonados, flores amarillas en umbelas muy pobladas, semillas aovadas y menudas, y raíz gruesa y jugosa, de la que se saca el opopónaco. Y si Curdy hubiese sabido algo más de botánica, se habría dado cuenta de que ese olor sólo podía ser tan intenso en algún remoto lugar de la India, que es precisamente adonde había ido a parar…

En ese preciso instante su campo de visión se vio desagradablemente invadido por una cabeza alargada de la que brotaban negros bigotes y unas orejas ovaladas, la punta de una nariz rosada que husmeaba con curiosidad a izquierda y derecha (aproximándose alarmantemente a la nariz de Curdy) y dos ojos completamente negros que, aun careciendo de iris, parecían observarlo directa y atentamente.

Curdy dio un grito y la rata saltó por encima de su cabeza, aparentemente tan escandalizada como él.

Al incorporarse sintió un agudo dolor de cabeza. No se fijó en nada salvo en su puño cerrado: el Cetro del emperador estaba allí, intacto, en su poder. Lo había conseguido; podría afirmarlo en cuanto estuviese seguro de que aquello no era otro de sus incómodos sueños… pero ¿cómo podía saberlo? Cuanto más se fijaba en su entorno, más inverosímil le parecía todo.

Entonces prestó atención.

El suave murmullo de la jungla ronroneaba mecido por la brisa. Los muros vegetales crecían plagados de gorjeos, chirridos y cantos estridentes ocasionales que delataban su intensa vida interior. El chico se puso en pie y atisbó las aguas de un río que fluía desbordado, como si quisiese arrastrar consigo la espesa selva. Una breve y resquebrajada explanada, sobre la que correteaban diez mil lianas salvajes, descendía al encuentro de las aguas.

Hasta ahí todo habría parecido normal en un cuento de *Las mil y una noches*. Pero había algo mucho más llamativo que todo eso: docenas de ratas por todas partes. Algunas lo observaban con descarada curiosidad. Otras lo ignoraban y correteaban de un lugar a otro, ocupadas en asuntos particulares, asuntos de ratas, supongo…

Primeramente, Curdy recordó las bestias hechizadas en forma de rata a las que había tenido que enfrentarse en más de una ocasión, y se puso en guardia. Instantes después, empezó a sentirse algo ridículo: apuntaba a las ratas con su varita de hueso y éstas lo miraban con aire de curiosidad, antes de ignorarlo de nuevo. Estaba claro que aquellas ratas no parecían demasiado peligrosas.

Gracias a sus tentativas defensivas, Curdy se había dado la vuelta, girando sobre sí mismo con el Cetro en la mano y la vara enristrada, y en ese momento se dio cuenta de que detrás de él la escalera de la explanada ascendía y ascendía (y ascendía) abriendo una brecha en el muro asfixiante de la jungla.

Tuvo que quitarse el abrigo, tanto calor hacía. Mientras subía los peldaños, las ratas se apartaban. La entrada del templo abandonado no tardó en aparecer justo delante, casi envuelta en un gigantesco nudo de lianas.

Hasta ese momento había estado demasiado sorprendido para hacerse preguntas, pero en ese instante le vinieron todas de golpe. En primer lugar: ¿cómo había llegado el Cetro a sus manos, si ni siquiera lo había visto al entrar en la cripta de Carlmann? En segundo lugar: ¿había entrado realmente en la cripta de Carlmann, donde se suponía que yacía el cuerpo de Carlomagno? Tercero: ¿por qué, en cambio, estaba en algún remoto lugar de la India? Y cuarto: ¿por qué en aquel arco, que era la entrada del templo, también había docenas de ratas esculpidas en todas las posiciones imaginables, con la salvedad de que algunas de ellas no tenían cuatro sino doce patas?

Y fue entonces cuando se dio cuenta de que no estaba solo. Unos hombres de cabellos y barbas muy largos estaban sentados indolentemente en los últimos peldaños de la escalera, ante el arco.

Curdy lo vio: uno de ellos comía en cuclillas una galleta, extendiendo el brazo de cuando en cuando para tender la misma galleta a una enorme rata negra, que la mordisqueaba ávidamente. Después el hombre volvió a mordisquear su galleta, sin el menor reparo, por el mismo lugar por el que la rata la había mordido.

Curdy estaba alucinado. Pero eso sólo podía significar una cosa: el templo no estaba abandonado, y las ratas iban y venían a su antojo porque eran animales venerados por aquella secta.

Entró en el templo.

Hubo un momento en que la presencia de aquellos animales era tan densa que apenas se atrevió a andar. Cientos de ratas hormigueaban a los pies de aquellos muros tatuados con extraños bajorrelieves en los que unas mujeres de senos redondos y ocho brazos bailaban con enormes ratas de doce patas.

Estaba clarísimo: la rata era una especie de divinidad. Acaso el dios rata de los brahmamitas de Nachtakan... Lo había leído en alguna parte. No podía ser de otro modo. Se preguntó qué habrían pensado los buenos habitantes de Inglaterra de algo semejante... pero no pudo pararse a imaginarlo. Lo que sucedía a su alrededor era demasiado extraordinario.

Los muros del templo eran altos y las lianas colgaban de las paredes. Los roedores se movían tranquilamente por todas partes. Y alguien le esperaba.

—Se trata de una secta ancestral, tan antigua como la jungla misma. Comen poco o nada, y comparten sus escasos alimentos con sus venerados animales.

La voz procedía de una sombra. La sombra le esperaba en lo alto de una escalera. La escalera estaba detrás de un estanque de aguas verdes en el que nadie en su sano juicio habría deseado bañarse.

—Bienvenido a la morada de Rashakantra, el Señor de las Ratas.

Para Curdy eso fue como darle la bienvenida a nunca jamás. La sombra descendió los peldaños. Por fin vislumbró en la penumbra del templo la forma de un anciano moreno de barba blanquecina y rojiza. Sus ojos, propios de un enajenado, eran azules. Curdy sintió un escalofrío ante la idea de que pudiera tratarse de alguno de sus antepasados.

—Supongo que ese nombre no te dice nada —añadió la voz del anciano con calma—. Como tampoco entenderás por qué estás aquí... Pero puedo contarte algunas cosas, sólo algunas, para que te orientes. Soy el Guardián del Amuleto, y puedo concederte tres respuestas a tres preguntas. No es necesario que me digas tu nombre.

—Porque ya lo sabes... —pensó Curdy en voz alta.

—Acertaste.

El rostro del misterioso personaje se abrió paso entre los haces de luz que atravesaban desprevenidamente los muros de la selva y el chico se dio cuenta de que aquel hombre era viejísimo: tenía el aspecto de un ser humano con más de doscientos años. La barba le llegaba a los pies, iba descalzo, sus piernas eran delgadísimas, se cubría la entrepierna con un taparrabos colgante y, por lo demás, estaba desnudo. De todos modos, su piel, aunque morena, no tenía el mismo tono que la de la mayoría de los hombres y mujeres que había visto a la entrada del templo: parecía algo más clara. Entonces Curdy se acordó de las últimas palabras de Asmodeo: si un antepasado suyo se había encerrado en la cripta con el amuleto de Carlomagno, ese antepasado podría ser, precisamente, el mismo hombre que tenía ante sí.

—¿Sois mi tatarabuelo?

—Vaya, ¡primera pregunta!

Curdy se mordió la lengua. Si estaba ante un verdadero oráculo, no podría saltarse las reglas; cualquier pregunta que hiciese contaría, y le habían concedido sólo tres, que eran muchas. Normalmente, los oráculos (uno de los más famosos había sido el de Delfos, en la antigua Grecia, y otro el de Cumas, en Italia, lugar en el que los emperadores romanos habían padecido el acoso de toda clase de desventurados acertijos) sólo concedían una pregunta, y eso muy de cuando en cuando.

—Soy el hijo y heredero de Curdy Copperhair. Heredé la difícil tarea de recuperar el amuleto, algo que sólo conseguí tras infiltrarme en la corte de Carlomagno. Durante muchos años fui uno de sus herreros. Participé en los trabajos de construcción de las criptas subterráneas; sólo allí logré, a última hora, llevar a cabo el plan de la Orden de los Tronos, y la Piedra del Monarca quedó a salvo.

—Pero... ¿qué es esto? ¿El Cetro?

—Es la personificación, el símbolo de la Piedra del Monarca: encierra fuerzas enormes como el cosmos en un espacio inferior al de un dedal, y no es exactamente un objeto tal y como te lo parece. Sólo en las inmediaciones de este templo te lo parecerá... pero en realidad has entrado en la Piedra del Monarca. De ahí que estuviese encerrado en la tumba de Carlmann, y de ahí que la tumba de Carlmann no exista: lo que se extiende debajo de su estatua es en realidad el Sortilegio de la Piedra: dos puertas que sólo pueden ser abiertas por una clave, dos puertas que sólo se abren cuando una se ha cerrado, y la segunda puerta accede directamente al Sortilegio y al Oráculo de Rashakantra. Como le pasó a mi padre cuando vivió sus primeras y extrañas aventuras: el símbolo está oculto dentro del Sortilegio. Tú ahora estás dentro, sólo de esa manera puedes aferrarlo entre tus dedos.

—Y ésa era mi segunda pregunta… —murmuró Curdy, tratando de pensar a toda velocidad. Había docenas de preguntas a las que exigiría una respuesta, todas ellas de una importancia vital, pero debía decidirse por una de ellas, y se sentía clavado en la encrucijada del destino. ¿Y ahora qué? ¿Qué se suponía que tenía que hacer? ¿Cómo resolver la situación? ¿Dónde demonios estaba todo el mundo? ¿Qué le había pasado a Asmodeo y qué actitud se suponía debía tener ante su tatarabuelo…?

—¿Y qué debo hacer exactamente?

El viejo se echó a reír. Después se puso una mano en la oreja como si quisiese escuchar una voz que le susurraba en el silencio.

—No puedo responder a tu pregunta, pero el oráculo te concede otra. Nadie puede decirte lo que debes hacer, nadie puede saberlo… Ninguno de nosotros lo sabe.

Curdy se quedó mirando el estanque muy pensativo. Volvió a ser implacablemente práctico, y se dio cuenta de que lo que realmente quería era conseguir poner a salvo el Arca de la Alianza, quedarse con el Cetro e ir a Hexmade para acabar lo que había empezado. ¿Cuál era la solución? Algo le decía que tenía que arriesgarse.

—¿Cómo puedo regresar con el Cetro a Hexmade?

—¡Eso ha estado mejor! —respondió aquel hombre longánimo—. La respuesta está ante ti.

Las palmas abiertas de sus rugosas manos señalaban el estanque verdoso en aparente estado de putrefacción. Si su tatarabuelo había desarrollado una afición tan acusada hacia las ratas, no sería extraño que también se bañase en aquel estanque desde hacía doscientos años. El muchacho se reprochó aquellos pensamientos, pero no podía soportar la idea; tener que meterse en aquella piscina le asustaba.

—Sólo tendrás que salir del oráculo y el Templo te dejará allí donde deseas ir. Pero tendrás que aceptar las reglas del Sortilegio, y no te irás solo. Debes ir con el Cetro al centro del Laberinto de las Profecías si quieres derrotar al lord tenebroso. Una vez allí, tendrás que elegir entre el Principio y el Fin. Todo acabará o todo empezará para ti. Dependerá de lo que hagas.

—¿Quién más vendrá y por qué? —preguntó Curdy.

—No puedo responderte una cuarta pregunta, pero debo explicarte que las reglas del amuleto son misteriosas, si bien severas. Ni siquiera Carlomagno logró gobernarlas, aunque lo retuvo durante muchísimos años… Lo que en el interior de la Piedra es inofensivo, fuera puede ser mortal; lo que dentro es monstruoso, fuera te parecerá un juego de niños. Cierra tus manos en torno al amuleto, cierra los ojos y arrójate al agua.

Curdy dudaba tanto como al principio, pero imaginó que no tenía otra elección. De todos modos, el agua del estanque empezó a burbujear y a convulsionarse, hasta que se formó un vertiginoso remolino. El aire también giró a su alrededor; su tatarabuelo comenzó a reírse y cerró los ojos, y vio cómo cientos de ratas se arrojaban unas sobre otras al remolino. Pasaban entre sus piernas, chillando y gruñendo, saltaban por las paredes, hacían lo que fuera por arrojarse al remolino y allí desaparecían. Una nebulosa de gases trepó en el centro y empezó a cobrar la confusa forma de rostros que cambiaban a toda velocidad.

Por fin Curdy apretó el Cetro contra su pecho y saltó al remolino; mientras caía, oyó las siguientes palabras:

Su peste será tu gloria
si la puerta a tiempo cierras;
su gloria será tu muerte
si la puerta abierta dejas.

Siglos tarda lo pequeño
en hallar el camino
que los grandes han vedado
con poderes eternos.

Al principio creyó que caería en el lugar que había visto hasta ese momento, pero al lanzarse el remolino se hizo inmenso. Sintió un viento huracanado a su alrededor que lo atrapaba y lo volteaba, sumergiéndolo en una profundidad inconmensurable. Después aquel dolor volvió a su cabeza y al abrir los ojos…

ENCERRADOS

La escalera estaba cubierta por un polvo milenario. La puerta se había abierto completamente y Curdy volvió en sí para darse cuenta de que, como si hubiese sido empujado por la espalda, perdía el equilibrio y se precipitaba en la oscuridad. Al hacerlo rasgó un espeso velo de telas de araña que arrastraba en su caída. Los peldaños parecían bastante estrechos; rodó hacia abajo hasta que se detuvo. Apartó las telas y trató de mirar a su alrededor.

La luz procedía de arriba. La primera puerta estaba entornada. No se había cerrado, como había dicho Asmodeo que sucedería.

—¿Cómo has conseguido abrirla? —la voz del *bafomet* llegó a él por el lúgubre túnel.

Curdy se sentía demasiado aturdido para pensar. Tenía que poner en orden aquello... ¿Dónde había estado?

La puerta se abrió y los ojos rojos del *bafomet* ardieron arriba siniestramente.

—¿Estás vivo?

—Sí...

—Vaya... esto sí que es una sorpresa —murmuró Asmodeo al tiempo que descendía cautamente—. ¿Se puede saber qué ha pasado ahí?

—Creo que... he visitado un templo en la India... donde vivía mi antepasado... y me ha dejado hacerle tres preguntas...

—¡Fascinante! —exclamó Asmodeo—. La Llave de Oro y la recámara ocultaban un sueño astral.

—¿Qué es eso?

—Eso es lo que has tenido. Podrías haber viajado a la India o a Wilton, a cualquier parte. Sólo ha sido la intervención de un sueño. Pero ¿has hablado con él?

—Sí... aunque no recuerdo muy bien...

—¡Pues haz memoria! Ahí debe de estar la clave.

—Había cientos de ratas, y yo tenía el Cetro de Carlomagno. —Curdy se miró las manos.

—Eso era un sueño profético. Sigue.

—Y después... no recuerdo las preguntas ni las respuestas... pero salté a un estanque de agua podrida.

—Las ratas son tus enemigos, domesticados, y el estanque... podría ser el sarcófago de Carlomagno. De cualquier modo, tenemos que seguir. No podemos quedarnos aquí mucho más tiempo.

Curdy se incorporó. Apartó las telas de araña.

—Descendamos —sugirió.

Los peldaños seguían hundiéndose en las sombras. La cripta era sólo una tapadera. El agujero se sumergía en las tinieblas de la tierra, el lugar más seguro para ocultar un amuleto mágico de altísimo poder. La tierra y los muros de hierro y piedra eran el mejor aislante que podría crearse, como muy bien sabía Curdy.

El estrecho túnel se abrió y no hubo más peldaños. La luz era demasiado escasa. Asmodeo abrió su garra derecha y pronunció el hechizo; una debilísima luz titiló en las tinieblas.

La sala subterránea estaba cerrada en una bóveda de arcos de medio punto. Los hilos de las arañas brillaban siniestramente. El polvo que levantaba el hálito de su respiración se alejaba en atosigantes nubecillas de puntos, que centelleaban ante la luz sostenida por el *bafomet*. En el suelo Curdy vio las losas de mármol negro y blanco, ocho a cada lado: un tablero de ajedrez. Había escuchado en numerosos cuentos el respeto casi supersticioso que Carlomagno profesaba al juego de ajedrez...

—No des un solo paso. Mira.

Curdy se dio cuenta de que a lo largo del tablero aparecían esparcidas numerosas esculturas de mármol, talladas con gran realismo. Se disponían alrededor del centro, orientadas hacia él, donde un gran sarcófago con la forma del rey caído ocupaba varias casillas blancas y negras. Algunos peones parecían llorar la muerte del rey en primera fila. Un alfil mostraba la espada desenvainada. Al fondo, de semblante lúgubre, la reina ocultaba su rostro lloroso entre las manos abiertas.

—Es el final de la partida —dijo Curdy—. El rey está muerto.

—¿No soñaste nada de esto?

—No.

Asmodeo pareció defraudado. Iba a pisar una losa blanca del tablero cuando Curdy lo detuvo.

—Tampoco a mí me parecía una buena idea... —dijo Asmodeo.

—¡Eh, ahí abajo! —La voz de Gurlip los sobresaltó.

—Qué desastre... —murmuró Asmodeo—. Le pedí que no hablase a no ser que...

—¡Tenemos compañía!

—... a no ser que tuviésemos compañía.

El *bafomet* ascendió rápidamente los peldaños. Curdy se quedó en las tinieblas, indeciso. Le pareció que algo pasaba por encima de sus pies, correteando con premura. No le dio importancia, podría ser sólo una rata... Después subió hasta la segunda puerta. Se dio cuenta de que la Llave de Oro continuaba allí.

En ese momento escuchó un chirriante estallido y la sala se inundó con una luz venenosa. Tuvo la sensación de que algo terrible sucedía allí fuera. Asmodeo había desaparecido.

Su peste será tu gloria
si la puerta a tiempo cierras;
su gloria será tu muerte
si la puerta abierta dejas.

Curdy se acordó al fin de las palabras del oráculo. No recordaba bien la segunda parte que había oído. No sabía si comprendía el acertijo, pero lo que estaba clarísimo era que un esqueleto sólo podía heder a muerte...

—¡Tenemos que cerrar la puerta!

Gurlip entró ágilmente arrastrando su pesada guadaña escalones abajo. Estuvo a punto de cortar la cabeza de Curdy, o al menos eso le pareció a él. Asmodeo retrocedió indeciso.

—No pienso enfrentarme a eso...

¿Qué era «eso»?

Curdy se asomó y descubrió algo increíble. Sin pensárselo dos veces, extrajo la Llave y la puerta empezó a cerrarse lenta e inexorablemente... pero todavía estaba algo abierta para ver que alguien se aproximaba.

Era ella. La mujer más terrible de la dinastía merovingia. La anciana más poderosa de los Años Oscuros que precedieron al alzamiento del Imperio. El mármol había cobrado vida. El rostro de Brunilda de Worms brillaba; las facciones angulosas y malignas se aproximaron, pero las manos blancas no llegaron a tiempo y un instante después la puerta se había cerrado.

Su aliento gélido se alejó pasillo abajo congelando a su paso las telas de araña, que cedían cual rígidos y frágiles hilillos de cristal.

—¿Tienes la Llave?

Curdy se la mostró a Asmodeo. Descendieron de nuevo y se detuvieron ante el tablero de ajedrez al débil resplandor del hechizo ígneo del demonio. Al situarse de nuevo en aquel lugar, se acordó: en el último momento, antes de subir a cerrar la puerta, le había parecido que algo pasaba junto a sus pies, o que tropezaba levemente con algo que era capaz de moverse por sí mismo... Una simple rata, había pensado... pero... allí adentro no podría haber ningún animal como ése. ¿Cómo habría entrado?

Curdy se puso en cuclillas y escrutó las losas de mármol, recubiertas de sucio y volátil polvo. Asmodeo se inclinó y alzó la luz junto a su hombro, tratando de alumbrar la imaginación del elegido. Para empezar, las cosas comanzaban a tomar un rumbo desconocido, y el demonio estaba seguro de que la clave para salir de allí estaba en aquel viaje astral o microsueño profético de Curdy al cruzar el umbral de la cripta; había estado allí esperando a la llegada del único que podía blandir aquella Llave de Oro: un descendiente mágico del linaje de quien había forjado la Llave. Hasta ahí todo encajaba. Que el tablero escondía alguna clase de trampa no era ningún misterio. Le parecía poder oír la mente de Curdy devanándose los sesos a toda velocidad.

Trataba de encontrar la solución. De momento, la puerta parecía dejarlos a salvo... a salvo de los guardianes de aquel cementerio subterráneo. Pero estaban encerrados junto con los restos mortales de un hombre poderoso, en medio de una sala llena de trampas.

Pensó en el Templo de Salomón, en la Hermandad de las Estrellas, en los constructores de pirámides. Todos esos edificios estaban llenos de trampas de toda índole, pero al tratarse de conjuros y hechizos encerrados durante muchísimo tiempo, la única forma de vigilar con seguridad era activar las trampas de un modo u otro... Carlomagno adoraba el ajedrez. El ajedrez era un tablero con infinitas posibilidades de movimientos, pero en cada partida sólo había una forma de llegar a dar muerte al rey...

Y el rey estaba muerto. Se fijó en el sarcófago; su perfil débilmente iluminado no dejaba lugar a dudas. Era una escultura magnífica en mármol negro. Carlomagno desafiaba a sus profanadores. Tendrían que imaginar la partida al revés, para deducir qué movimientos eran los que habían llevado a aquellas posiciones, permitiendo acceder hasta el centro sin caer en ninguna de las trampas... Pero eso era imposible y disparatado, incluso en el caso de que fuese un experto jugador de ajedrez, que no era el suyo. Apenas conocía los movimientos de las piezas...

Sólo quienes se ocuparon de la cripta y del traslado de los restos mortales podrían conocer la combinación de pasos que avanzaba hasta el rey sin tener que pisar las fichas que activaban, con seguridad absoluta, trampas mágicas y mortíferas. Trató de imaginar qué demonios hacían allí confinados, esperando a la señal para escapar rabiosamente de su cautiverio. Recordó la sala del Arca de la Alianza y los Setenta y Dos Amos conjurados por Salomón. Carlomagno se había asesorado bien para diseñar su reposo eterno.

Las ideas se le habían agotado; una gota de sudor se deslizaba por encima de su ceja y caía al polvo que recubría la losa blanca que Asmodeo había estado a punto de pisar.

Un efluvio verde, como dotado de luz propia en todas sus partículas, emanó de la gota de sudor, que siseó al desaparecer. El efluvio se elevó y cobró levemente la forma de una espantosa máscara con la boca abierta, como si bostezase. Alrededor del efluvio las motas de polvo se alejaban y, ya deshaciéndose, al tocar el techo de la bóveda, exterminaron las telas de araña, devorándolas en un radio increíblemente amplio antes de desaparecer.

—No quiero imaginar lo que sucede si lo pisas… —susurró Curdy.

—Ése era el rostro de la fuerza que dormita debajo, encerrada en la losa —explicó Asmodeo.

Los ojos inquisitivos de Curdy la descubrieron: la rata estaba allí, junto a un arco, en una losa negra. Los miraba con curiosidad.

Gurlip dio un respingo y empuñó su guadaña.

—¡No hagas ninguna tontería!

Curdy se quedó mirándola. En todo parecía una rata normal y corriente. De pronto saltó a otra losa blanca, luego a otra negra, después a otra negra y se plantó no muy lejos de ellos.

¡Eso era lo que necesitaba saber!

Los ojos de Curdy se llenaron de entusiasmo. La idea no era descabellada. La rata conocía el camino.

GLORIA Y ORO

—¡Así de sencillo! Sólo tenemos que seguirla —dijo Curdy.

—Si se descarta otra trampa... —murmuró Asmodeo—. ¿Cómo sabemos que no se trata de otra proyección de una imagen que no existe?

—Vamos —sugirió Curdy—. ¿Te imaginas a Carlomagno poniendo a salvo su Cetro por mediación de una rata?

—La verdad es que no... Es demasiado... patético.

—No parece el estilo de un emperador —añadió Gurlip—. Yo estuve mucho tiempo en Roma y...

—No empieces con tus romanos, no hay tiempo para eso —le cortó el *bafomet*—. La seguimos o no, ésa es la cuestión.

Curdy estaba totalmente convencido: había interpretado correctamente su sueño profético, encerrado en la cripta mucho tiempo atrás por su antepasado: el oráculo estaba en un templo dedicado a las ratas precisamente para descubrir que una rata en el interior de la cripta no le pasase desapercibida, pero además...

—¡El espíritu de mi antepasado habrá logrado poseer esa rata!

El *bafomet* alzó el rostro y sus ojos ardieron rojizos.

—¿Y cómo demonios ha entrado una rata en esta cámara?

—Lo importante es que, si ha entrado, también puede salir.

En ese momento, Curdy pisó la primera losa de mármol que había recorrido la rata. Gurlip y Asmodeo se miraron sorprendidos. No había pasado nada. El chico estaba seguro y pasó a la siguiente, y después a la siguiente, y a otra, hasta situarse en la misma en la que esperaba, nerviosa, la rata.

—Está bien, me convence. —Y Asmodeo y Gurlip siguieron los pasos de Curdy—. La verdad es que esto resuelve muchos problemas…

La rata siguió una complicada jugada. Pasaron bajo el alfil amenazador, esculpido en mármol negro, y después vieron los peones, que tenían la forma de monjes apesadumbrados, hasta que se acercaron a la reina, que lloraba justo delante del sarcófago con las manos sobre su rostro. La rata indicó, caminando sobre ellas repetidas veces, que tres de las losas continuas junto al sarcófago estaban libres de peligro. Se situaron en ellas con precaución y miraron la forma del sarcófago. No era una imagen de Carlomagno, sino la de un rey solemne y poderoso, un rey de mármol negro. Los bajorrelieves habían sido tallados con gran esmero.

—Nada de métodos mágicos… —dijo Asmodeo, alzando la débil luz que ardía en su garra derecha.

Gurlip entregó la guadaña a Curdy.

—Adelante.

¡Clac! Acompañado de un chirrido.

Curdy había introducido la punta de la guadaña en la junta del sarcófago. No sucedió nada extraordinario. No hubo ruidos fantasmales, ni voces de ultratumba; nada amenazador.

Finalmente, el sarcófago gruñó. La piedra era pesada, muy pesada, tanto que Curdy sintió los goterones de sudor chorreando por su frente, pero de momento había perdido el miedo.

La piedra se desplazó lentamente.

Se sintieron defraudados. El chico lo leyó en los rostros de sus audaces compañeros.

—No me lo puedo creer…

Curdy empujó con decisión la piedra. En realidad había dudado porque esperaba que en cualquier momento apareciese una calavera horrible y pálida, o los huesos sobresaliendo de alguna vestimenta raída por el tiempo.

Pero sólo vio un paño negro tornasolado que cubría algo voluminoso. Al menos sus embalsamadores habían tenido la delicadeza de facilitar la tarea de un profanador de tumbas…

El bloque de mármol cedió hasta desmoronarse al otro lado, quedando apoyado contra la maciza pared inferior del sarcófago.

—No podemos tocar nada, ya lo sabes —dijo el *bafomet*—. Podríamos activar cualquier clase de defensa oculta.

El muchacho se fijó en sus ojos: ardían de astucia en las tinieblas débilmente iluminadas por aquel endeble conjuro. Gurlip miraba con desconfianza, como alguien que espera ser fulminado de un momento a otro.

Curdy sabía que tenía que abrirlo. Miró la rata. Y no dejó de mirarla mientras aproximaba los dedos al paño negro que cubría el misterio de Carlomagno. Un hombre glorioso reposaba allí debajo; ahora tendrían que enfrentarse a su aspecto doscientos años después de su muerte.

Su peste será tu gloria
si la puerta a tiempo cierras;
su gloria será tu muerte
si la puerta abierta dejas.

Curdy recordó una vez más aquellos versos. Sin saber por qué, estaba otra vez seguro de que su verdadero significado no podía referirse sólo al cierre de la puerta; tendría que implicar algo más.

—No podemos esperar toda la eternidad…

—Eso es algo que no debería molestarte demasiado, ¿no? A fin de cuentas tú eres un inveterado espíritu de más de cuatro mil años de existencia y todas esas monsergas que no dejas de repetir —respondió Curdy tajantemente.

Volvió a acercar la mano al paño y miró la rata. Esta vez se había subido al sarcófago y escrutaba a Curdy con atención.

Curdy apresó el paño y tiró de él lentamente.

Lo que emergió ante sus ojos era, en contra de lo que todo el mundo esperará, una de las apariciones más hermosas que hubiesen visto jamás: el oro puro en el que estaba enbalsamado el cuerpo de Carlomagno relumbraba y empezaba a arder como si contuviese fuego. El vapor de oro se propagó y ascendió, como una espesa ola, desbordándose por todos lados, propagándose en miles de gotitas microscópicas y microrrelucientes, cayendo al suelo, como si realmente el oro fuese capaz de convertirse en un gas que emitía luz propia y que a su vez convertía en oro todo lo qué tocaba.

Miraron fascinados el rostro noble de Carlomagno: el anciano tenía los párpados sellados; su gesto era severo, el de alguien acostumbrado a mandar por encima de cualquier otra voluntad. Los rasgos estaban marcados alrededor de los labios con extrema dureza; un gesto semejante, aunque sereno, se dibujaba en su frente. La corona que cerraba su cabeza ascendía con docenas de pináculos delicados con forma de cruz. El manto de oro había sido tintado en algunas zonas. No había piedras preciosas. Sólo oro, oro puro y rutilante, y aquel gas de oro que trepaba y desbordaba.

—La gloria, fijaos… —susurró Asmodeo.

El gas de oro se elevó. El oro empezó a sublimarse y vieron ante ellos, cobrando forma en medio de las veladuras auríferas, imágenes extraordinarias que desaparecían de un instante para otro, desvaneciéndose en otras que se volvían más claras: coros de iglesias que cantaban ante un hombre arrodillado, una larga espada empuñada por un gran guerrero a la grupa de un caballo blanco, monjes maliciosos doblegándose ante la presencia de un caballero, multitudes que lo aclamaban a su paso por grandes ciudades, un enorme campo de batalla lleno de muertos en el que gritaban su victoria… Pero después vieron su sarcófago, y una sombra alta y soberbia, erguida junto a las fumarolas de los inciensos, y la sombra se volvió y entonces Curdy contempló el rostro extraño y siniestro, seductor, y los ojos llenos de violencia de lord Aurnor, ante la tumba de su gran aliado en la tierra… El muchacho se estremeció. El rostro se acercó.

En ese momento, la gloria se convirtió en peste. Lo bello se hizo miserable. Lo elevado rezumó la maldad a costa de la cual había llegado tan alto... Y la magia obró su prodigio, como le había sido revelado en su sueño profético. El rostro abominable de Aurnor se volvió en busca de la pequeña rata, que chilló y retrocedió asustada, con los pelos de punta, al tiempo que una horrísona voz de ultratumba emergía de la tierra. Lo que era dorado se volvió verde, de un verde venenoso y horripilante, y las imágenes gloriosas se hicieron torturadoras y miserables; contemplaron en un instante más inmundicias humanas de las que hubieran querido vivir en todas sus vidas, y el olor nauseabundo de la muerte entró en sus gargantas como un tósigo venenoso. Curdy se cubrió la boca, pero no dejó de mirar y vio cómo al fin toda la nebulosa verde se reunía y se convertía en un rostro demacrado que se hinchaba y flotaba sobre ellos, deshaciéndose rápidamente: la última y verdadera máscara mortuoria de Carlomagno.

Miraron abajo: ya no había una rutilante figura de oro embalsamada con la magia de un poder omnipotente. Los pliegues de un traje raído y hecho jirones caían con desdén entre los huesos de un miserable y largo esqueleto. La corona estaba florecida; el metal, oxidado; los ojos de la calavera, llenos de inexpresable horror.

El verde se esfumó. El rostro de Carlomagno, allá arriba, decrépito y nauseabundo, perdió su luz y dejó una asquerosa pestilencia en el aire.

—Fue encerrado con su gloria, y ahora su gloria le ha abandonado —dijo Asmodeo.

—Eso que hemos visto, ¿era su gloria? —insistió Gurlip, anonadado—. Huele fatal...

—La gloria de los poderosos se crea a costa de la miseria de los débiles —respondió el *bafomet*—. Por eso se ha convertido en la pestilencia de la muerte cuando la mano vengativa ha roto su hechizo... Ese hechizo se llama «conjuro mirífico» y fue descubierto por los brujos del más antiguo Egipto. A los faraones les encantaba ser embalsamados con oro mediante el conjuro mirífico para conservar su gloria. Es como si se solidificase y se pegase al cuerpo... —Asmodeo miró a Curdy con atención—. Ese Cetro de Poder debe ir a tus manos, poderoso lord Cuthbert.

Curdy lo miró sorprendido. Lo que tenía ante sí era algo absolutamente horrible. La calavera, los huesos, las ropas descoloridas, todo estaba recubierto por alguna clase de polvo finísimo que, al más mínimo movimiento, se alzaba, como el polen que desprenden algunas setas cuando ya han cerrado su ciclo vital y se han secado. Curdy sabía que muchos venenos poderosos se extraían de esos polvos finísimos de las setas, y la asociación de ideas no le agradó. Extrajo una desgastada bufanda que solía llevar en el abrigo. Se la ató alrededor de la cabeza, cubriendo nariz y boca, y se inclinó.

Tenía que arrebatarle el Cetro: estaba allí, entre los dedos de sus grandes manos. Los huesos se cerraban con aparente fuerza alrededor de la esfera, que no emitía resplandor alguno. El Cetro era largo, una pieza de oro llena de detalles de indescifrable contenido, pequeñas esculturas que se unían entre sí como trenzas, finalmente rematado por una cruz. En su parte inferior, el oro se ramificaba como una complicadísima garra de quince dedos que apresaba la piedra negra.

Curdy sintió miedo ante la posibilidad de tocar semejante poder.

No quería convertirse en alguien como Carlomagno...

Pero todas esas consideraciones ya no tenían sentido. Miró la rata, que observaba expectante. Entonces forcejeó con las manos de Carlomagno. Sudaba y pudieron escuchar su jadeo. Los huesos estaban rígidos. Terminó por romper un dedo. Luego otro.

Alzó las manos: el Cetro ya era suyo.

De inmediato, el oro, que parecía sucio y moribundo, se encendió. Las garras que apresaban la piedra brillaron como rayos alrededor de una oscura nube de tormenta, y sólo por un instante a Curdy le pareció que allí dentro había algo encerrado, aprisionado en el interior de la piedra y que llevaba mucho tiempo dormido, y que por un momento se había asomado, curioso, para mirar el rostro de su nuevo amo...

Sintió miedo y sostuvo el Cetro en las palmas de sus manos; al no estar apresado con decisión, el poder pareció abandonar el Cetro, o más bien la fuerza se replegó hacia el interior.

—¡Magnífico! No parece que la cripta se vaya a derrumbar ni nada por el estilo, así que esto ha sido un éxito.

La mano se había movido. El muchacho estaba seguro. Y uno de los dedos rotos había vuelto a su lugar.

—¿Qué pasa?

—Tenemos que cerrar el sarcófago —sugirió Curdy.

Rápidamente guardó el Cetro en uno de los bolsillos de su abrigo. Después agarró la tapa del sarcófago y tiró de ella. Asmodeo había cambiado de forma y la enorme gárgola de bronce se elevó por detrás de Curdy. Sus brazos enormes aferraron la tapa de mármol y su rostro espantoso advirtió a Curdy del peligro. La mano del esqueleto ya empuñaba un cuchillo con el que había sido enterrado. Curdy retrocedió empujado por Gurlip. La gárgola de bronce tiró del sarcófago y se oyó un grito agudo, semejante al chirrido de una rueda de acero. La mano ya se apoyaba en el borde del sarcófago, ayudándose para levantar al resto del esqueleto, cuando la tapa de mármol retrocedió hacia su posición original y crujió al destrozar los huesos. El sarcófago estaba cerrado, y los restos de la mano, aparentemente inanimados de nuevo, cayeron a los pies de Curdy.

—Buena idea… —dijo la gárgola.

—¿Era Carlomagno? ¿No está muerto?

—Hace mucho tiempo que está muerto, lo que has visto es un recurso que francamente esperaba —contestó con suficiencia Asmodeo—. Casi todos los sarcófagos de hombres poderosos suelen tener uno.

—¿Un qué?

—Un espíritu encerrado junto con algunas armas, es para dar muerte al profanador precisamente cuando éste cree que ha vencido y está fascinado ante el tesoro robado. Pero hay que decir que el guardián de Carlomagno no es muy bueno, supongo que debido a que el propio Carlomagno y sus enterradores consideraron que su sepulcro era prácticamente inexpugnable… Suelen quedar neutralizados de nuevo con el cierre del sarcófago; de lo contrario, vagan durante algún tiempo. Nada grave.

La rata saltó de una baldosa a otra ante los ojos inquisitivos de Curdy. Pero no retrocedía hacia el punto de entrada. El muchacho la siguió. La gárgola fue detrás aparatosamente, agachada para no tocar los arcos de la cripta subterránea. Avanzaron hasta el otro extremo del tablero de ajedrez. Una vez allí, vieron cómo la rata se introducía en una grieta casi invisible entre dos bloques de piedra.

—Nosotros podemos cambiar de forma y convertirnos en vulgares ratoncitos… —dijo la gárgola—, pero mucho me temo que tú no.

Curdy se quedó pensativo. La rata asomó el hocico por la grieta y volvió a deslizarse por el ajujero.

—No es mala idea.

Asmodeo atrapó a Curdy y lo protegió bajo una de sus enormes alas de gárgola. Saltó contra el muro y las piedras cedieron en una ruidosa explosión, derrumbándose al otro lado ante un angosto túnel.

—Así que es por aquí por donde tu rata logró entrar en el sepulcro. En realidad, Carlomagno fue traído en secreto por este paso hasta el sepulcro de Carlmann, después de fingir que había sido enterrado en su propio sepulcro —explicó Asmodeo—. Tengo que reconocer que era ingenioso.

—No me parece una ruta demasiado segura —añadió Curdy—. Si alguien se ha enterado ya de lo que ha pasado, es probable que nos busquen.

—No tan rápido. Éste tiene que ser un pasadizo altamente secreto.

Asmodeo y Gurlip avanzaron, seguidos de Curdy y de la rata, que iba precavidamente tras sus pasos. Curdy estaba indeciso. No sabía si alargar las manos y cogerla; lo que estaba clarísimo era que no la dejaría allí abandonada.

EL ESPECTRO DE BRUNILDA

Hasta ese momento no había podido observar con calma su rata. Una rata normal y corriente: peluda, fea, ágil, de hocico astuto y ojos completamente negros en los que no podía adivinarse expresión personal alguna. Supongo que nadie espera encontrar una expresión demasiado personal en el rostro de una rata, pero el caso de Curdy era diferente, porque, a su parecer, la rata había sido poseída por el espíritu de un poderoso antepasado suyo. Sólo un mechón de su pelo parecía tener un ligero tono cobrizo. El muchacho pensó que ésa era una señal inequívoca de que estaban emparentados.

—Míralo de otro modo: ahora tienes el Cetro de Carlomagno y una rata; tus posesiones han mejorado notablemente.

Asmodeo se detuvo: la gárgola dudaba sobre el camino que debían seguir.

—No diría que esa rata sea tu antepasado, ni sabría cuál de ellos... —siguió la gárgola—, porque tampoco se trata de la transformación de otro mago, es realmente una rata poseída por un alma. Supongo que el espíritu de tu antepasado, atrapado en la cripta de Carlomagno, encontró tarde o temprano la posibilidad de entrar en el cuerpo de una rata que, extraviada o por casualidad, terminó por acceder a la cripta, y así es como logró salir de ella. Y supongo que entró gracias a alguna casualidad, aunque la gente olvida a menudo la fortaleza de estos animales para resistir toda clase de maldiciones. Su medio es subterráneo y la tierra las envuelve; con los siglos se han vuelto altamente resistentes a toda clase de magias.

—Por eso el ejército inquisitorial de lord Malkmus dispone de tantos hombres rata —añadió Curdy—. Quizá mi sueño profético hacía referencia a él...

—Porque esas criaturas resisten mejor que ninguna otra la magia defensiva. Y sí, lo que ese sueño daba a entender era que... el ejército inquisitorial de los lores tenebrosos no era más que una multitud de ratas inofensivas ante la presencia del Cetro.

Miraron la rata con gran curiosidad.

—No esperes que tu antepasado hable ni nada de eso —dijo Gurlip—. La gente bromea demasiado sobre estos temas, pero que haya logrado poseer el cuerpo de la rata ya es un gran prodigio, te lo aseguro, y al menos sabe darte buenos consejos cuando puede. Nos ha sacado de un gran apuro en la maldita tumba del emperador.

—Tengo malas noticias. —La gárgola de bronce miraba las escaleras ascendentes del pasadizo—. Esto no me gusta.

—¿Adónde van a parar?

—¿Tú qué crees, chaval? —Asmodeo siguió adelante. Se oyó un sonido hueco en la oscuridad de la que huían—. Malas noticias. —Todos pensaron lo mismo.

—¿Estás seguro de que el esqueleto se ha quedado en el sarcófago? —insistió Gurlip, leyendo los pensamientos de Curdy.

—Bueno... seguro, lo que se dice absolutamente seguro... ya sabéis que no hay nada.

El pasadizo ascendía en una larga y solemne escalera.

—Lo que me esperaba: termina en el cementerio subterráneo. —Asmodeo se volvió y su voz susurró a las dos caras que, expectantes, escrutaban su espantoso rostro coronado con largos ramilletes de orejas como hojas de muérdago. Los ojos de la gárgola se encendieron con un tono verde que habría helado la sangre a cualquier persona en su sano juicio—. Vamos a salir ahí fuera con el mayor sigilo posible, correremos hacia el pasadizo y volveremos por el camino por el que hemos venido. Yo delante, apartaré las losas; el chico en el centro; Gurlip detrás, con la guadaña.

—¿Puedo utilizarla?

—Ahora sí.

Asmodeo se dispuso a mover la losa.

—¡Ah! Se me olvidaba: ni se te ocurra recurrir al poder del Cetro, bajo ningún concepto, a no ser que entremos en peligro mortal.

—¿Y cómo sabré que estoy en peligro mortal?

—Si Gurlip y yo hemos sido destruidos... entonces estarás en peligro mortal.

—De acuerdo.

Un nuevo sonido retumbó en la oscuridad escaleras abajo.

Asmodeo se mostró lo más amenazador que pudo. Sus garras se apoyaron en el techo. Lentamente elevó la losa y la desplazó con gran delicadeza, aunque a todos les pareció un espantoso sonido en medio de aquel silencio. La luz del hechizo se esfumó. Una penumbra fantasmagórica se asomó creando un polígono contra la oscuridad impenetrable del túnel.

La garra de Asmodeo sacó a Curdy en volandas, detrás vino Gurlip. Adoptaron una posición de combate. Optaron por no encender luz alguna, pero una claridad antinatural les permitía reconocer los objetos a su alrededor, como si aquello fuera una gran sala que contase con una claraboya por la que se deslizase, tétrica y lúgubre, el resplandor de un claro de luna. Por eso Curdy miró hacia arriba, y allí contempló la nebulosa de un fantasma que levitaba en el techo. Fue sólo un instante y después la luz se concentró ante ellos, adquiriendo mayor intensidad. Era Brunilda de Worms: había abandonado la rigidez del mármol y su rostro cadavérico los amenazaba con una expresión de rabia y fuerza; sus cabellos flotaban como un largo resplandor que se convertía, al igual que la larguísima capa, en una nebulosa de plasma espectral capaz de congelar lo que tocaba.

—Majestad. —Asmodeo avanzó hacia la anciana haciendo una profunda reverencia—. Dejad que os muestre mis respetos...

Curdy desplazó la mano instintivamente hacia el Cetro. Los ojos del gigantesco espectro se movieron hacia él y la mano huesuda y larga extendió el dedo índice, señalándolo acusadoramente.

Mientras tanto, de la oscuridad inferior se elevó un sonido desagradable y Curdy observó la aparición de un gran esqueleto cubierto de andrajos.

Todo ocurrió muy rápido y por eso es necesario ir por partes: en primer lugar, Gurlip empujó a Curdy, arrojándolo a las tinieblas de la izquierda, detrás de la tumba de un merovingio sedente cuyo rostro parecía especialmente cruel; en segundo lugar, el esqueleto salió y una guadaña se movió con gran destreza partiéndolo por la mitad; en tercer lugar, Asmodeo fue atrapado en su huida por la garra de Brunilda, que apresó su ala derecha. El esqueleto se descompuso en una columna de chispazos verdes al tiempo que sus andrajos ardían furiosamente. La rata emitió un chillido terrorífico y, con todo su pelaje electrizado, saltó a ponerse a salvo bajo el manto de Curdy. El ala de la gárgola se arrugó pese a ser de bronce macizo, como si fuese una hoja de papel: la mano del espectro perdió forma al encontrarse con la esencia demoníaca, descomponiéndose en una miríada de gotitas de gélido plasma que recubrían de escarcha las lenguas de fuego que brotaban del bronce incandescente, para volver a fundirse y volver a estallar contra la piedra de un mausoleo detrás del cual la gárgola trataba de protegerse.

Brunilda retrocedió para recobrar fuerza, estirando su brazo, como si tirase de la mano atrapada en un cepo de fuego, y su furia era como una tormenta de hielo. Asmodeo se reunió con Curdy, y Gurlip mostró el mango de su guadaña rota. Otros guardianes habían despertado y, como era el caso de Brunilda, rodeaban a los profanadores de tumbas.

En ese momento, la gárgola oyó la llamada y se encogió lastimeramente.

—¡Estoy siendo invocado! Es el Pentagrama de los Templarios.

—¿Qué significa eso? —inquirió Curdy, asustado.

—En circunstancias normales sería una incomodidad, pero en éstas será un placer poder abandonar la escena —explicó Asmodeo—. No puedo trasladarme por la tierra según mi propia voluntad, hay una serie de limitaciones... pero si soy invocado me desvanezco y me marcho.

La imagen de la gárgola se transparentó y a través de ella Curdy vio la mano huesuda y blanca de Brunilda de Worms surgiendo detrás del sepulcro. Y no sólo eso: otros rostros cadavéricos iban acercándose y elevándose alrededor. Una parte del esqueleto de Carlomagno se arrastraba hacia ellos castañeteando los huesos.

—No tendríamos forma de escapar... —Gurlip sonrió.

Curdy no entendía nada.

—¿No puedes resistirte? —preguntó el chico.

—¿Resistirme? —respondió Asmodeo—. ¿Para qué? Si lo hacen es porque nos ayudan allá arriba. Los templarios recurren al Pentagrama después de muchas súplicas para ser socorridos, eso sólo sucede porque tienen verdaderamente problemas. Salomón nos envía hacia el Arca. Los templarios van en busca del Laberinto de las Profecías para cerrar el ciclo del Cáliz y ponerlo a salvo, los ejércitos inquisitoriales pueden haberlos descubierto o estar cortándoles el paso. Tengo que dejarme arrastrar y llevarte conmigo. Será doloroso, pero lo más rápido y efectivo que puedo imaginar...

—¿Y mi rata?

—La rata no estaba en los planes...

El roedor saltó rápidamente sobre las piernas de Curdy y se metió en su bolsillo.

—¡No puede venir! Nadie me dijo que una rata entraría en nuestra misión...

—No puedes despreciarla ahora; si no hubiese sido por ella, las maldiciones y defensas de la tumba de Carlomagno nos habrían fulminado hace rato.

—Ya, pero hay una cosa que se llama disciplina; otra, orden, y otra más, Salomón. No puedo comunicarme con él directamente, como tampoco puede hacerlo nadie que se encuentre aquí, pero lo conozco y no se le escapa nada. Si contradigo sus planes...

—¡Si la rata no va, yo tampoco, y el Cetro se queda con nosotros! —exclamó Curdy.

—¡Saca el maldito amuleto! —ordenó Asmodeo.

El chico extrajo el Cetro y lo empuñó con precaución. Sintió la vibración en su cuerpo, algo sumamente desagradable e irresistible a la vez. La pequeña mano de Gurlip aferró su antebrazo. Asmodeo agarró a Curdy. La gárgola disminuía de tamaño al tiempo que una de sus alas continuaba emitiendo un fantasmagórico torbellino de fuego chisporroteante y plasma helado. Brunilda se arrojó hacia ellos con las manos abiertas, dispuesta a destruir al invasor, pero en ese momento Asmodeo retrocedió encogiéndose de tamaño, hasta que los tres desaparecieron en una esfera que se convirtió en un punto de luz parpadeante, el cual, finalmente, al ser tocado por la uña del dedo índice de Brunilda, se extinguió por completo con la explosión de un rayo. Éste trepó hasta lo más alto de la bóveda, dibujando una veta cárdena antes de desatar un trueno bestial que subió retumbando desde el fondo de la tierra, ya que despertó a la mayor parte de los habitantes de la ciudad y a otros muchos que vivían en las afueras, como si se tratase del inicio de un terremoto.

EN EL CENTRO DEL PENTAGRAMA

Curdy habría jurado que lo habían colgado de una almena por los pies y que lo habían zarandeado hasta que su estómago se balanceó como una bolsa suelta. Luego dio mil vueltas en un espacio negro y después abrió los ojos lentamente.

Estaba empapado en sudor. Se sentía enfermo. El interior de una tienda de campaña, el viento sacudía las pieles que la cerraban y la protegían de la intemperie. Estaba cubierto con varias mantas. Unas velas ardían sobre una mesa, junto a la cama. El aire era muy frío, pero sintió algo familiar: estaba seguro, por los olores, de que se encontraba de nuevo en Inglaterra... A fin de cuentas, ése era el lugar hacia el que iban a ser invocados junto a Asmodeo.

Sentado a la mesa, como dormitando, una figura encapuchada le daba la espalda. El muchacho se inquietó. Movió la mano hacia el bolsillo, pero no llevaba el manto puesto... Sin embargo, su mano se encontró con la forma del Cetro. ¡Lo tenía! Eso sólo podía significar que las cosas no iban tan mal como había imaginado. Algo se movió debajo de las mantas. Las levantó con sorpresa para darse cuenta de que allí, acurrucada junto a sus pies, estaba su entrañable rata.

Al volver a mirar hacia la mesa se dio cuenta de que la capucha se había vuelto hacia él y de que no era otro sino Luitpirc, su maestro, quien le observaba de un modo extraño.

—Maestro…

Con un solo parpadeo la imagen de Luitpirc se había borrado y en su lugar apareció un rostro viejo y desconocido, de larga barba blanca.

—Tus emociones vuelven a alterar mi apariencia —dijo Asmodeo—. Aquí me ves, con el más vulgar de mis disfraces: el de mendigo. —El muchacho resopló aliviado—. ¿Temes a tu maestro?

—No lo sé, pero no tengo ganas de encontrarme con él, no así.

—Preferirías hacerlo empuñando tu Cetro para mostrarle tu inmenso poder, ¿verdad?

—Yo no he dicho tal cosa…

—Pero te entiendo, a mí tampoco me gustaría que Salomón se me apareciese mientras estoy sentado en cuclillas dándole golosinas a un puerco llorón… Hay una cosa que se llama dignidad y otra, orgullo. Ya te lo dije.

Asmodeo se aproximó a la cama.

—Esa rata tuya no te abandona jamás.

—Déjala tranquila, la he adoptado.

—Estupendo. Cuida de que no te provoque alguna enfermedad mágica espantosa e incurable…

—Lo haré.

—Porque es posible que contenga el alma de uno de tus antepasados, pero el cuerpo sigue siendo el de una rata acostumbrada a moverse por los nichos mortuorios alimentándose de desperdicios humanos, gusanos…

—¡Gracias! Lo tendré en cuenta —le cortó Curdy.

En ese momento, la rata salió de la cama y subió a la mesa. Allí se zambulló en una fuente llena de agua fresca. Curdy se echó a reír al verlo.

—¿Lo ves? Quiere darse un baño.

El viejo encapuchado se acercó a la fuente, donde la rata se revolvía salpicando la mesa.

—No bastará con agua, de modo que permitidme una desinfección en condiciones… —Extendió el dedo y tocó el agua, en la que se produjo alguna clase de fenómeno paranormal. La rata chilló. Curdy pensó que le había pasado algo grave. El agua se evaporó creando una nube densa de donde el roedor salió disparado hacia la cama. Curdy tuvo la impresión de que todos sus pelos estaban de punta. El animal saltó por la cama y huyó a esconderse debajo de ella, donde escarbó hasta desaparecer.

—¿Qué le has hecho?

—Nada grave. Lo que pasa es que independientemente del alma que habite en ella, no deja de tener un cuerpo de rata la mar de normal —respondió Asmodeo—. Yo juraría que han sido cientos las pulgas, garrapatas y otros polizontes que han fallecido a causa de mi conjuro. Y ahora te toca a ti. —Y, diciendo esto, la garra de Asmodeo provocó un efecto semejante en las mantas que envolvían a Curdy, quien sintió como si una ardiente y rasposa lengua de gato relamiese todo su cuerpo hasta que le ardió la piel.

—¡Ya basta!

El viejo encapuchado retrocedió a la silla. Los cabellos rojos de Curdy estaban encrespados a causa del vapor.

—Ya estás a salvo de muchas incomodidades.

—¡Cuéntame dónde estamos y qué ha pasado!

Mientras Curdy se vestía, Asmodeo respondió:

—Fui invocado por los templarios. A fin de cuentas, ellos me conocen bajo la forma de Bafomet. Soy su criatura de culto. Me consideran el oráculo de la sabiduría... y todo eso porque mi amo Salomón se comunica con ellos a través de mí. Supongo que Salomón accedió a que fuese invocado en el momento justo. Ya sabes que se le escapan pocas cosas. De modo que nos vino de maravilla: escapamos de Aquisgrán a tiempo.

—¿Y los templarios? ¿Dónde están?

—¿Recuerdas su viaje? Lograron acceder a la cámara del templo de Salomón, y una vez allí se llevaron, como yo les indiqué, el Arca de la Alianza, donde había sido escondido el Cáliz, así como los Setenta y Dos Amos. Y emprendieron la travesía por mar con tres barcos bastante cargados. Llegaron a Inglaterra. Todo fue un éxito hasta que tocaron tierra. Los bosques están llenos de espías. El ejército inquisitorial de los lores tenebrosos los localizó y les cortaron el paso hacia Hexmade: allí está el Laberinto de las Profecías, en cuyo centro volverá a depositarse el Arca de la Alianza, así como sus custodios, los Setenta y Dos Amos.

—Setenta y dos demonios…

—Setenta y dos demonios antiguos de increíble poder, furiosos con Salomón porque logró hacerles caer a todos en una trampa y encerrarlos en columnas de piedra en las que simplemente puede apreciarse el nombre de cada uno de ellos, inscrito en la piedra. Algo sumamente humillante para un espíritu de gran poder. Y llevan ahí dentro cerca de tres mil años. Imagínate lo que pasaría si se liberasen.

—Los lores tenebrosos los han localizado, y nosotros ahora estamos con ellos —dijo Curdy como para sí.

—Exacto, bienvenido al campamento de Godofredo. Los doce templarios dirigen a una compañía de trescientos ayudantes armados, en una procesión de más de cien carros.

—No se atreverán a atacarlos, los lores temen a los Setenta y Dos…

—Los Setenta y Dos carecen de poder si no están colocados en cierta posición. Las setenta y dos columnas son los cimientos del Templo de Salomón… Lo demás sólo era decoración. Aquel arquitecto egipcio de la Hermandad de las Estrellas sabía muy bien lo que se hacía, y Salomón también: lo importante era encerrar las fuerzas creando un perímetro mágico alrededor del Arca. La geometría es un elemento mágico más, sin el conjuro no tiene pleno poder. Los Setenta y Dos siguen encerrados y no pueden escapar, pero la protección no existe si ellos no están dispuestos alrededor como el plano de Salomón indica.

Curdy trataba de asimilar todo aquello.

—¿Quién más sabe eso?

—Nadie, aunque… no sería raro que alguien tan astuto como Aurnor lo haya supuesto. Me jugaría la barba a que lo imagina…

—Claro… tiene sentido. Eso significa que el Arca de la Alianza es vulnerable a un ataque.

Asmodeo extendió la mano de largas y mugrientas uñas.

—Por supuesto, y más aún teniendo en cuenta que estamos en un paraje de la solitaria ruta que conduce a las fronteras neblinosas de Hexmade, y que Ranulf de Flambard ha ordenado el ataque. El ejército de lord Malkmus está detrás de esas colinas, al norte. Las fuerzas de Durham se han unido. Esta vez el propio rey de Inglaterra ha enviado escuadrones y tropas para esclarecer el suceso; han dado el chivatazo en la corte para provocar la curiosidad del rey, persuadiéndolo de que se trata de alguna clase de importante contrabando...

—Era de esperar —sentenció Curdy, poniéndose el abrigo. Habría jurado que sus prendas estaban completamente limpias.

—Eso nos deja pocas opciones. Si los templarios esperan, el ejército al que se enfrentarán será mucho mayor. Lo lógico sería ir esta noche mismo contra las fuerzas de lord Malkmus.

—Y lord Malkmus. —Al oír aquello los ojos del mendigo parecieron encenderse—. Lord Makmus, ¿está vivo? —preguntó Curdy.

—¿Crees que el arrepentimiento tendría alguna clase de efecto en ese ser ominoso y despreciable? ¿Cuántas muertes en la hoguera ha provocado su veredicto? No tuvo efecto alguno el enfrentamiento que tuvisteis; ojo, no tuvo efecto alguno sobre él... pero al menos conseguiste liberar a tu madre. Es hora de que hablemos de lord Malkmus.

El chico se sintió incómodo. Era como si Asmodeo hubiese ocultado algún secreto o intención desde el principio.

—¿A qué te refieres?

—Me refiero a que yo también tengo mis razones para vengarme del Sumo Inquisidor. Deja que te lo cuente, no es demasiado tarde. Ya que hablas de él...

—No he hablado de él, has sido tú.

Asmodeo fingió no haber oído y siguió:

—Hasta ahora me ha sorprendido tu entereza, pero es momento de que te diga la verdad: me gustaría que la batalla que se avecina sirviese para acabar con ese conspirador...

Curdy frunció el entrecejo, algo sorprendido.

—Se suponía que eras tú el que se burlaba de mis debilidades, el que decía que sólo quiero protagonismo, que en realidad sólo quiero satisfacer la venganza.

—Exacto. A mí me pasa lo mismo y… no quiero desaprovechar la oportunidad.

—Pero no deberíamos centrarnos en lord Malkmus. —Curdy se miró las manos, que se retorcía confuso.

—Eso es lo que dices, pero sé perfectamente qué es lo que sientes, y deseas más que nadie acabar con él. Cuando ataquen a los Portadores del Arca será el momento de ir a por él. No sospechará que has logrado volver, y que lo haces con el Cetro de Carlomagno en tus manos. ¡Lo destruirás junto con buena parte de su ejército!

Curdy se miró el bolsillo, donde reposaba aquella arma prodigiosa, con cierto temor.

—¿A qué viene ese repentino cambio? —inquirió el chico con audacia, entornando los ojos.

—Tengo mis razones.

El mendigo adoptó una actitud como si se sintiese ofendido.

—Iba a contártelo… ejem… —Asmodeo dio unos pasos; ponía en orden sus pensamientos.

LA BATALLA DE HASTINGS

—Te pareces a tu abuelo Gaufrey. También tuve que trabajar para él durante algún tiempo. Eran órdenes de arriba... Del Monarca y la Reina del Alto Reino...

Curdy hizo un gesto de incomprensión.

—Ya sabes, el barbas.

—¿Dios?

—¡Qué palabra tan absurda! Si te vale como sinónimo...

—¿Es él quien manda allí?

—Nadie lo tiene demasiado claro. En el Alto Reino hay varias órdenes: está la Orden de los Poderes, la de las Virtudes, la más elevada es la Orden de los Tronos... Todas tienen que estar de acuerdo para llevar a cabo un cometido, por eso a menudo llegan tarde.

—¿Y los demonios?

—Demonios... qué palabra tan ridícula. Espíritus caídos, eso es más adecuado. Hubo una Caída, una rebelión en el Alto Reino, y se dice que cayeron los Doscientos. Fueron denominados «demonios» como castigo, desterrados al Abismo. También perdieron sus recuerdos, porque el abismo significa ignorancia... Ya conoces el Abismo, no es tan desagradable. Allí existían muchas más esencias y espíritus, pero los Doscientos fueron apartados de la Luz. Y allí, muchos fuimos condenados a servir para ocasionar... el bien.

—Eso es una contradicción.

—Desde luego. Pero así están las cosas... Sería muy complicado de explicar. No todos, desde luego, quisieron colaborar, pero algunos, sí.

—¿Cómo era mi abuelo? Tampoco llegué a conocerlo...

—Deja que te cuente lo que nos sucedió a tu abuelo, a lord Malkmus y a mí.

»Ocurrió en Hastings, el catorce de octubre del año 1066, hace exactamente treinta y tres años... Yo estuve allí cuando los normandos invadieron Inglaterra. Aurnor conocía los planes de la Orden del León Rojo...

Y en ese momento, a muchos miles de millas de aquel lugar, el pergamino mágico de Curdy, que él y su maestro habían encontrado en la abadía de Westminster, y gracias al cual (¿alguien se acuerda de eso?) Curdy había logrado acceder, junto a su elfo doméstico Kroter, a los sótanos de la catedral normanda de Old Sarum, ese mismo pergamino mágico que se había llamado la Mano Invisible, y que había sido el modo de comunicación entre Gaufrey, la Orden del León Rojo y Salomón, en fin, ese pergamino comenzó a centellear en la oscuridad con garabatos dorados que llenaron su superficie. Luitpirc había tenido la esperanza de que la Mano Invisible volviese a manifestarse para informale de algo importante, y al tiempo que Asmodeo relataba lo siguiente a Curdy, Luitpirc leía cuanto decía porque todo aparecía en la superficie del pergamino:

«Aunque el mundo considera que Inglaterra ha sido, es y será un gran reino a prueba de invasiones y guerras, que no habrá forma humana de tumbarlo en los muchos o pocos años de vida que le queden a este enfermo mundo, lamento tener que recordarles que Inglaterra fue sólo un pedregal fangoso antes que un reino cuyas fronteras estaban marcadas con zanjas y piedras, y en aquella época pasó por un momento especialmente peligroso, el año 1066, o, dicho de otro modo, el año en el que estuvo a punto de ser un reino despedazado en un pu-

ñado de terruños mucho más pequeños e insignificantes, separados por más piedras y zanjas.

»Y la culpa de que eso no ocurriese la tuve yo. Modestia aparte.

»En muchos aspectos algunos considerarán que fui un traidor, pero tenía mis razones... Claro, ¿quién quería esos pedazos de Inglaterra? Buena pregunta, pues había más de un candidato: un rey noruego, otro danés, el hijo del hombre más poderoso de Inglaterra, o sea, un anglosajón, y, sobre todo, un normando. Para no complicar más las cosas, nos quedamos sólo con los nombres del normando y del anglosajón: William y Harold. Ambos habían estado enfrentados por aquel interés. Harold era el hombre de Inglaterra y hablaba inglés, mientras que William era un hombre de Europa, el Duque de Normandía y, desde luego, hablaba francés. Este embrollo entre familias (a todo esto hay que decir que mucha gente en aquellos tiempos contraía matrimonio única y exclusivamente para garantizar alguna posición de poder más o menos ventajosa) se resume en una sola frase: todos aquellos pretendientes tenían ciertos derechos legítimos al trono de Inglaterra, especialmente Harold y William. Como Harold fuera finalmente coronado rey de Inglaterra tras la muerte de Eduardo el Confesor, William se cansó y decidió armarse lo más rápidamente posible para arrebatar la corona a Harold.

»Hasta ahí la historia pura y dura. Pero la verdad es que todo aquello, por extraño que parezca, escondía la pretensión de magos, hechiceros y alquimistas europeos de hacerse con el control de Inglaterra, un lugar especialmente poderoso en muchos aspectos, con gran variedad de riquezas muy llamativas, tesoros mágicos, reliquias y criaturas a las que esclavizar, pero sobre todo en posesión de un objeto altamente codiciado desde hacía varios siglos: la dichosa Corona de Hierro.

»No importaba cuántos hombres se dirigían hacia Hastings: ellos no lo sabían, pero aquélla sería la batalla más importante de la historia de Inglaterra.

»Cayó la noche y se encendieron más fuegos en la costa que en ninguna noche anterior. Gaufrey, mi amo, me envió a echar un vistazo. Los magos que combatían del lado normando habían seguido las órdenes de sus superiores, y ahora una flota de mil barcos ardía envuelta en llamas. ¿Por qué los barcos normandos habían sido incendiados por los propios normandos? Estaba clarísimo: William quería evitar desertores. Quería dejar claro a sus hombres que su propósito sólo tendría una alternativa: vencer o morir. Allí, entre las llamaradas, vimos revolotear un enjambre de espíritus malignos de toda condición, rostros descabellados y emanaciones monstruosas gobernados por los bastones de unos hechiceros de aspecto ruin y extraño, vestidos, eso sí, a la última moda de las cortes de París.

»Volvimos al campamento de los ingleses. Las tierras boscosas de los alrededores habían quedado desiertas, pero las llamas devoraban aldeas enteras. Se contaban increíbles barbaridades. Lo que pasaba era que los normandos querían provocar el orgullo de Harold, pues Harold era un Godwin, y los Godwin, a pesar de ser impacientes e impetuosos, eran verdaderos patriotas y amaban al pueblo anglosajón. No habían soportado que los normandos tratasen mal a la población y se decían verdaderas atrocidades sobre el ejército de los normandos, cometidas contra campesinos, mujeres y niños. Harold se enteró de todo lo que estaba pasando y, en lugar de esperar a estar preparado para la batalla, se precipitó.

»Para muchos es un misterio por qué decidió marchar contra William tan pronto, pero no para mí: en realidad fue traicionado. Aquel benedictino exageradamente pelirrojo era capaz, a pesar de parecer un monje devoto, de tener a su servicio a varios demonios y espíritus de dudosa reputación. La pinta de monje de ese aguafiestas era, en realidad, un disfraz que ocultaba al que posiblemente había sido el mago más influyente de Inglaterra desde el año 1000: Gaufrey Copperhair. Como consejero del rey de Inglaterra, había prometido a Harold Godwin lo imposible: que lograría bloquear las fuerzas de los normandos gracias a un poderoso conjuro, que varios dragones verdes intervendrían a su favor... pero para ello necesitaba más tiempo. Sin embargo, el que por aquel entonces era mi señor, no se dio cuenta de que alguien había decidido traicionarlo. Yo tenía mi propio plan.

»Harold había empezado a avanzar contra William precipitadamente, y fui al encuentro de los alquimistas y magos que respaldaban la ofensiva de los normandos. Me estremecí de arriba abajo como sólo un demonio puede hacerlo. Era de noche y Gaufrey había acordado ir en persona a negociar con un tal Malkmus. Extendí mis alas y aleteé sobre los bosques todo lo grácilmente que una gárgola de bronce puede hacerlo, dejando atrás la colina sobre la que acampaban los anglosajones. La luna había emergido entre nubes tormentosas, y me sentí delatado por su luz. No fue nada romántico: varias criaturas aladas de gran tamaño salieron de la nada y se situaron a corta distancia de mi vuelo. Eran espeluznantes, como buitres de talla gigantesca que hubiesen sido forrados con escamas de serpiente, en lugar de plumas de ave. Tenían los ojos rojos, como si, permanentemente, un párpado transparente y sanguinolento los protegiese del aire. Empezaba a comprender por qué mi amo, aquel astuto fraile que me daba tantos problemas, no había asistido en persona a la concurrida reunión.

»La sala, oculta en un pabellón solitario tras la empalizada de estacas del ejército normando, sólo contenía un fuego muy rojo que ardía en el centro. En las sombras, varias docenas de terribles emisarios de las tinieblas aguardaban la llegada de Gaufrey. Sólo él, mi amo, sabía lo que había conversado con aquel aquelarre de sanguinarios y tenebrosos poderes auspiciados por Aurnor, pero lo que yo me encontré al descender por el hueco del techo era para helarme la sangre o ponerme los pelos de punta (y eso que, en mi calidad de demonio, no tengo ni una cosa ni la otra). Me detuve junto al fuego rojo. Traté de encorvarme y extendí mis alas, arrugué las largas orejas y procuré que mis ojos fuesen lo más parecido a la maléfica mirada de un demonio perverso, maniatado por los poderes de un alquimista manipulador y asquerosamente bondadoso como Gaufrey Copperhair. Me di cuenta, al acostumbrarme a la luz, de que muchos de aquellos vampiros de gran tamaño venían a chupar algo más que la sangre de Inglaterra. Duques de las tinieblas, lores sanguinarios, condes de origen merovingio, muchos de ellos con rostros cubiertos con máscaras, me observaban desde la penumbra.

»Entonces conocí a lord Malkmus. Alto, silencioso, eficazmente malvado.

»—Aquí está el emisario... —Hablaba detrás de una máscara de plata en la que aparecía esbozada una sonrisa terrible. Si hubiese sido un hombre lo habría detectado, pero la magia negra que envolvía a aquel ser me echó para atrás como un tufo pestilente.

»—No quisiera ser despreciado por mis servicios a la Corona de Hierro, sino apreciado en mi elevada condición de demonio —dije con todo el coraje que pude fingir.

»—¿Dónde está Gaufrey? Dijo que vendría él mismo —insistió la voz de lord Malkmus.

»—¿Y quién se lo ha creído? —El tono de mi voz fue suficientemente perverso y burlón para estar a punto de costarme la milenaria existencia. Sentí el movimiento de aquellas sombras, el murmullo de su ira—. Mi amo es astuto, lo sé por experiencia, y tenéis que saber, noble señor de las sombras, que si por mí fuese no estaría aquí como mensajero de Gaufrey, sino como vuestro humilde servidor.

»—Los esclavos como tú siempre me han parecido despreciables —replicó lord Malkmus.

»—Estoy atado a este libro, milord, por muy poderosa que sea mi esencia —respondí—: debo cumplir los deseos de quien lo posee, así fui encerrado hace casi mil años. No puedo evitarlo. Bastaría con cambiar de dueño... para poder hacer lo que va más de acuerdo con mi naturaleza. ¡Llevo demasiado tiempo encerrado entre líneas! Estoy harto de hacer lo que me dicen, quiero escribir yo mismo las letras que marquen mi destino en esas páginas en blanco...

»Creí distinguir algo oscuro y enorme que entraba en la sala. Las sombras se apartaban a su paso. Aquello se ponía feo.

»Lord Malkmus caminó pensativamente alrededor del fuego, después elevó su rostro y vi sus ojos amarillentos escrutándome. Yo procuraba mantener mi dignidad, aparentemente concentrado en aquel lord, pero sin quitar ojo a la cosa que se aproximaba entre la multitud silenciosa.

»—Si me hubiesen atacado, tendría pocas posibilidades de sobrevivir. Gaufrey Copperhair me la había jugado, como siempre.

»—Pero en tu condición de esclavo... —empezó lord Malkmus.

»—Sirviente temporal —le interrumpí. Sabía que aquello era peligroso, pero tenía que mostrarme valiente.

»En ese momento, dos niñas de aspecto salvaje salieron corriendo y se plantaron ante mí. Tenían la estatura y constitución de unas mocosas enclenques, pero cualquiera que entienda un poco de estas cosas se habría dado cuenta de que no lo eran en absoluto, no sólo por el significativo detalle de que las niñas de aspecto adorable no van por ahí con dos guadañas larguísimas como si tal cosa, como era el caso de estas dos gemelas. Es posible que allí hubiese muchos chupasangres vampíricos reunidos, pero todos sabemos que a un demonio especialmente poderoso le pueden hacer poco o nada; sin embargo, aquellas dos niñas eran en verdad otros dos demonios. Cuesta imaginar gente tan perversa como esa pareja; ya había oído hablar de ellas, las hermanas Teodosia y Feodosia: eran capaces de absorber todo mi poder en cuestión de minutos, y elegían aquella apariencia inofensiva para disfrutar todavía más de su verdadera identidad y pasar desapercibidas. Sus guadañas podían trocear la esencia de un espíritu o de un demonio con tan sólo rozarla.

»—Como esclavo que eres —la voz de lord Malkmus me arrancó de aquellas cavilaciones—, no puedes traicionar a tu amo.

»—No puedo hacerlo conscientemente, pero podríais engañarme de tal modo que todo lo que debo hacer quedase inutilizado, sin necesidad de mentir al que me gobierna —aclaré—. Yo sé dónde se oculta la Corona de Hierro y de qué modo se puede acceder a ella. Para ello tenéis que ganar la batalla, y obtener el libro.

»—Necesito que hagas algo mañana, durante el combate; lo demás déjalo de mi parte. —No me gustó cómo sonaba aquello. No es que Harold me cayese especialmente bien, pero no era un mal rey, y parecía un digno portador de la Corona de Hierro. Estaba claro que no debía implicarme demasiado con asuntos humanos; tenía que sobrevivir, Gaufrey me ponía en peligro constantemente...

»—De acuerdo —respondí—, ¿qué es lo que debería hacer?

»Al menos así lograría salir con vida de aquel antro.

»—Mi mejor arquero lanzará una nube de flechas contra tu amo. Trata de protegerlo. Eso es todo.

»No lo entendí.

»—¿Defender a mi amo Gaufrey Copperhair de una nube de flechas?

»—Así es, pero especialmente de dos de ellas, pues una de esas dos irá directa hacia su corazón y, si no la detienes, morirá. Sólo una de esas dos.

»Debí de parecer "demasiado" perplejo. Me había propuesto traicionar a Gaufrey Copperhair para escapar de él, me había decidido a pasar totalmente de los anglos y de los sajones, y el resultado era que su peor enemigo, aquel lord tenebroso, me pedía que lo protegiese de una flecha que podría ser mortífera. Magos, alquimistas, hechiceros, ¿quién los entiende? Completamente tarados, pensé en ese momento.

»—Está bien, así lo haré, no os quepa duda, milord. Eso es a fin de cuentas lo que debo hacer, pues mientras Gaufrey esté en posesión de ese libro no puedo desobedecerle...

»—Precisamente por eso —me interrumpió— te pido que lo hagas: más tarde me ocuparé del libro, y de ti —susurró lord Malkmus.

»Yo tenía ganas de largarme.

»—¡Márchate! —me ordenó la voz.

»Hice una reverencia, extendí las alas ruidosamente y lancé una mirada desdeñosa a aquella pareja de mocosas diabólicas.

»—Otra vez será, muchachas —me atreví a decir mientras alzaba el vuelo. Y salí a la luz de la luna tan rápido como pude.

»Gaufrey me esperaba junto al fuego del campamento. Ya era tarde.

»—¿Qué ha sucedido?

»—¡Vaya gracia! Han estado a punto de aniquilarme, aunque supongo que eso te importa un comino —farfullé al aterrizar.

»—Le dije todo eso, le insinué que os traicionaría y que estaba deseando unirme a aquella cuadrilla de sanguinarios, que los llevaría hasta la Corona de Hierro... y nada, lord Malkmus es más astuto de lo que parece y se conoce la vieja treta de la doble traición. No ha funcionado.

»Gaufrey me miró con sus penetrantes ojos azules. Aquella noche los cabellos de su barba rojiza parecían más encrespados que nunca.

»—Pero ¿qué es lo que te ha propuesto?

»—Que os proteja de una flecha mortal mañana, durante el combate; eso mismo.

»—¿No tienes nada más que decir bajo juramento, Asmodeo?

»—Juro que no. Eso es lo que ha pasado.

»Tu abuelo pareció desilusionado.

»—Mañana se verá. La suerte de Inglaterra está echada. —Y, después de decir aquello, dio media vuelta y caminó hacia un círculo de alquimistas que murmuraban alrededor de una hoguera.

»La batalla tuvo lugar al día siguiente, cuando William se movilizó contra las posiciones de Harold.

»El viento sopló del este. Era una artimaña de nuestro enemigo. Sabían que eso desmoralizaría a todo el mundo. Lo que los hombres mortales veían no tenía nada que ver con lo que nosotros estábamos presenciando. Parecía sólo una nube, una nube inmensa cargada de lluvia y vetas relampagueantes, pero nosotros lo veíamos. Era una especie de garra gigantesca que ocupaba el cielo, de sus dedos nubosos brotaban rayos que descendían al agua, las olas se encrespaban a su sombra y los árboles se bamboleaban azotados por ráfagas furiosas. La Garra de Aurnor, lo llamaron muchos. La garra de los poderes mágicos continentales, que se dirigía, por fin, hacia el reino de Inglaterra.

»Cuando vi aquello no me cupo la menor duda: sabía que sería imposible lograr lo que los anglosajones de Harold se proponían. Hay cosas en este mundo que no se pueden detener. La Inglaterra que había resistido a los ataques de los daneses y los noruegos sería ultrajada por los normandos. Y entonces comenzó la Batalla de Hastings.

»Al principio fue bastante bien para los ingleses, gritando "Ut, ut",[3] y haciendo molinetes con sus hachas vikingas, estupendas para derribar de un solo golpe a un caballo y su correspondiente jinete. Se

3. «Ut», forma antigua de *out*, «fuera». Vamos, que los ingleses gritaban a los normandos que se largasen de allí, algo que tiene bastante sentido si consideramos que aquello era una invasión en toda regla.

formó un revuelo terrible y los hermanos de Harold, Gyrth y Leofwin contuvieron el ataque normando. Se daban tajos a diestro y siniestro, se repartían golpes por todas partes, los anglosajones arrojaban lluvias de piedras, los arqueros normandos enviaban lluvias de flechas. Eso era lo que se veía bajo las nubes tormentosas, pero a medida que la luz decrecía el combate de las criaturas mágicas se hacía más violento. Los estandartes de Harold eran los del Dragón Rojo, y el símbolo no era una casualidad. Fue Gaufrey Copperhair quien invocó una hoguera en la cual bullían toda clase de criaturas abrasadoras. El fuego estalló entre las filas de los bretones, que empezaron a huir, perseguidos por las hachas anglosajonas, muchos de ellos envueltos en llamas.

»Gyrth, hermano menor de Harold, se impuso en el ala derecha del frente, y Harold continuó resistiendo en el centro, cuando Gaufrey me invocó. Mi amo estaba protegiendo al rey de Inglaterra de un furioso embate. Gaufrey retrocedió y creó un escudo para evitar el ataque de dos horlas disfrazadas de bretones. No me cupo la menor duda y me lancé a por ellas. Entonces oí el silbido. Me acordé de las palabras de lord Malkmus. Desconfié, pero sentí que las flechas se aproximaban. Lancé un zarpazo y arranqué el brazo a una de las horlas; a la otra la hice estallar tras petrificarla. La nube de flechas se cernió alrededor, y evité muchas bajas al hacer estallar una fuerza expansiva que dejó sordo a todo el mundo en un radio de treinta pies, pero que también partió la mayor parte de las astas antes de que alcanzasen sus objetivos. Entonces vi cómo varias flechas volvían desde otra dirección. Me abalancé por encima de las hachas de combate, evité una lanza, seguí, extendí las alas y me precipité hacia donde estaba Gaufrey Copperhair. Vi que eran dos flechas las que se acercaban. A duras penas podría interceptar una de ellas. Estaba claro que no habían sido arrojadas por un arco común, tal era la velocidad con la que habían atravesado el campo de batalla. Entonces atrapé una de ellas, la que sin duda alguna estuvo a punto de alcanzar a Gaufrey a la altura del corazón. La garra se me abrasó hasta humear; sentí que mi esencia peligraba, pero resistí. Desprecié la otra, que iba a un palmo, pues me resultaba extremadamente difícil alcanzarla, y había estado muy pendiente de averiguar cuál de ellas podría asesinar a Gaufrey.

»Caí pesadamente entre las botas, la hierba y el barro, con la flecha atrapada en mi garra. Todos tendrían que felicitarme por mi hazaña. ¡Había salvado al consejero del rey! No acababa de entender la advertencia de lord Malkmus, pero ¿qué más daba?

»Entonces lo comprendí.

»En ese preciso momento oí aullidos a mis espaldas, lamentos y gritos de maldición. Me incorporé. Supuse que algunos hechiceros protestaban por la tardanza de los dragones del norte, que habían prometido acudir a echar una mano.

»Supuse mal.

»Vi cómo Gaufrey se inclinaba en medio de un grupo que retrocedía cargando con alguien. Algo se extendía por el campo de batalla como una sombra y la mayor parte de los guerreros anglosajones parecía perder el brío con el que habían luchado hasta entonces.

»Corrí para ver lo que había sucedido. Me hice invisible y abandoné aquellas estúpidas ropas de campesino. Salté por encima y aleteé, y mientras volaba arrojé un poderoso conjuro con el que reduje a simple polvo otro centenar de flechas. Aterricé junto al grupo de Gaufrey. Sólo tuve que acercarme un poco para darme cuenta de lo que había pasado: Harold, el valiente e impetuoso Harold, yacía inmóvil con una flecha clavada en el ojo derecho. Si no estaba muerto, le faltaba muy poco.

»No hay nada peor en un campo de batalla que la "maldición del rey". Es algo que casi se puede oler. Rara vez sucede, pero cuando llega es implacable: cuando un rey es herido gravemente o muerto, entonces cae la maldición y la batalla está perdida. Los guerreros se desmoralizan, los hechiceros salen corriendo, a los consejeros les entra terror.

»Un escuadrón de caballería normando nos asediaba. Extendí mis garras y eché a volar, furioso. Con sólo tocar la frente de algunos caballos logré que tuviesen un ataque de pánico. Los jinetes fueron arrojados al aire y muchos resultaron gravemente heridos a causa de *los hachazos. Aquello empezaba a convertirse en una matanza. Magos y reyes luchando por el poder, siempre la misma historia.*

»Duques, condes, lores, monjes, alquimistas y hechiceros ingleses corrieron a la desbandada para retirarse. Se supo que los hermanos de Harold, Leofwin y Gyrth también habían caído muertos, y los corazones de los ingleses se rindieron, pesados como plomo. Los bretones de Alan Fergant, los flamencos, gobernados por Eustaquio de Bolonia y William Fitzosbern, y los normandos de William habían ganado. A partir de aquel día, el nuevo rey de Inglaterra sería conocido como William el Conquistador.

»Fue patético ver cómo Harold perdía la Corona de Hierro, pero más patético aún sentirme absolutamente burlado por lord Malkmus.

»Tarde o temprano, me vengaría de él.

En ese momento Luitpirc acabó de leer y entendió algunas cosas: para empezar, que su alumno no estaba muerto, y en segundo lugar, que la Mano Invisible pertenecía a alguien dispuesto a ayudarles…

LA BATALLA DEL ARCA

—¿Y qué es lo que quieres demostrarme con todo ese rollo?

—¡Ingrato! Que esta vez no deberíamos fallar, que Aurnor es más astuto que fuerte, que acaba por darle mil vueltas a cualquier adolescente engreído... por ejemplo. ¡Debemos acabar con ese maldito lord Malkmus!

La rata saltó al hombro de Curdy. Parecía excitada por la conversación. Asmodeo la miró de reojo. Su pelaje continuaba de punta, todavía electrizado a causa de la desinfección mágica del demonio.

En ese momento un caballero bastante alto y cubierto de piezas de acero se asomó a la tienda.

—La compañía se pondrá en marcha —anunció.

—Está bien, el joven se ha recuperado —respondió el mendigo. Al ver la mirada de sorpresa del caballero, añadió—: La rata también, gracias.

El caballero se retiró, no sin un gesto de incredulidad.

Curdy fue conducido junto a otro encapuchado, mucho más bajo, que no era otro sino Gurlip, hasta el batallón de hombres que ayudaba a los templarios, para pasar desapercibido. El mendigo desapareció un rato.

El muchacho pudo comprobar que el movimiento escogido por la compañía era el más apropiado. Los bosquecillos crecían como tinieblas hostiles, confundiéndose con un enjambre de nubes que venían del norte. Los campos se despejaban y unas colinas se arrugaban por encima de la planicie. Los guerreros formaron a su pie, creando una barrera de batallones de unos doscientos hombres armados con arcos, espadas y otros utensilios bélicos sin ninguna fuerza mágica. Los templarios, todos ellos a caballo, se dispusieron en primera fila. Detrás plantaron las tiendas y más arriba los casi ochenta carros se apiñaron en una hendidura del terreno, por delante de la cual se elevaba la colina fundamental del paisaje desde donde se podía obtener una buena visión del enemigo. Curdy trató de ir en aquella dirección y, por encima de las cabezas de los mercenarios contratados por los templarios, escrutó la llanura.

El ocaso dejaba escapar su última luz, como si fuese un hachón rojo y mortecino, bajo un aplastante manto de nubes negras. El aire trajo el rumor de las maldiciones, confusión de voces que hablaban en una lengua extraña, y el ejército enemigo hizo al fin aparición. El sol desapareció y en ese momento centenares de fuegos se encendieron punteando el horizonte, como si una emanación mágica hubiese salido de las entrañas de la tierra, extendiendo al cielo una nube centelleante de gases pestilentes. Las hogueras avanzaron implacables. Entonces comenzó a soplar el aire, aullando y zumbando.

—¿Qué te parece? —El *bafomet* había aterrizado junto a ellos, como traído por el viento.

—Es imposible que repelan el ataque —dijo Curdy.

—Menos mal que hemos llegado con el Cetro. ¡Vaya sorpresa!

—¿Qué le has dicho a Godofredo? —inquirió Curdy. La rata saltó y se posó en su hombro. Oteaba el horizonte y oliscaba el horrible viento.

—Que tenga fe, lo de siempre. No le revelo los detalles, ¿sabes? Son las reglas.

—Te refieres a las reglas de Salomón.

—Exacto.

—¿Y cuáles son las reglas de Salomón para nosotros? —La pregunta de Curdy incomodó al *bafomet*, que se encogió de hombros; sacudió la cornamenta, desplegó las alas.

—¿Y yo qué sé? En principio, no habló nunca de usar el Cetro... en su máximo poder. Pero si se empeñó en que lo obtuvieras, será por algo.

Curdy sabía muy bien lo que Asmodeo estaba pensando: lord Malkmus.

—Pero es evidente que esos voluntariosos templarios van a necesitar algo más que fe para enfrentarse a... eso.

Las líneas enemigas avanzaron. Los batallones de guerreros humanos iban primero, pero por detrás ya se podía distinguir una tela de araña de velos cárdenos y emanaciones conjuradas de energía, cerniéndose hacia ellos como una trampa mortal. En el centro, grandes y pesados caballos negros portaban a poderosos señores. En el cielo, las columnas de niebla se propagaron a gran altura, como si se hubiesen desprendido de las nubes: se trataba sin lugar a dudas de vigilantes.

—¿Cuál es el plan?

—Caminar hacia ellos, detenerlos, dispersarlos.

El muchacho se miró el bolsillo: ¿sería capaz el Cetro de Carlomagno de algo semejante? ¿A qué precio? ¿Estaba él preparado para soportar el uso de tanta fuerza? Quizá ése era su destino: sacrificarse por los demás. No le agradaba la idea, ésa era la verdad. No, tenía que ser de otro modo; él sería capaz de dominar el Cetro de Poder del mismísimo Carlomagno llevando el arma de Aurnor contra sus propias fuerzas.

—De acuerdo, hay que intentarlo.

—No tienes por qué hacerlo —dijo Asmodeo.

Curdy le devolvió una mirada de sorpresa.

—Claro que no —insistió el *bafomet*—. Libre albedrío, ya sabes; siempre queda claro en los designios de allá arriba, es una regla que no hay por qué olvidar...

Pero el chico ya caminaba decididamente ladera abajo.

—Siempre dije que tiene talento —murmuró Gurlip.

Se internaron entre las líneas de mercenarios. Se estaba produciendo un espectáculo lamentable. Muchos de ellos huían.

—No pienso quedarme... —decía uno.

—Esto nunca estará bien pagado —añadió otro, uniéndose a ellos.

Asmodeo, disfrazado de mendigo otra vez, llevó a Curdy junto a uno de los carros que habían sido dispuestos a modo de barrera, donde se escondían los arqueros.

—Gurlip, tú te quedas; haz algo si éstos están en apuros. Nosotros nos vamos.

Sin dejar tiempo a que Gurlip replicara, el mendigo y Curdy ya corrían hacia la línea de caballos, donde en medio de la confusión una sombra de grandes alas agarró al muchacho por los hombros. Godofredo se volvió, amenazándolos con la espada. Pero ya era tarde: Curdy volaba hacia arriba en un gran círculo, y la sombra y los gritos del muchacho se perdían en medio del rugido del viento y la oscuridad de las nubes tormentosas.

—Se lo han creído, ¿no?

Curdy comprendió en ese momento que había sido el propio Asmodeo quien, en su forma de *bafomet*, había fingido su rapto y lo había alzado hacia lo alto.

—¡Muy convincente! La próxima vez podrías avisarme.

—En ese caso no gritarías con tanto entusiasmo.

El vuelo penetró en el viento enemigo y Curdy vio el frente, y el centro del frente, ante él. No tardaron en descubrirlo. Todavía estaban algo alejados de las colinas. Aterrizaron en la hierba. El muchacho extrajo el Cetro de Poder y lo empuñó con decisión. La rata salió asustada de su bolsillo y se mantuvo a una distancia que nunca podría considerarse prudente. Asmodeo se convirtió en el gran *bafomet*.

—Es una lástima que las colinas de alrededor no formen un pentáculo gigante —comentó—. Eso te habría dado alguna posibilidad de escapar.

—Supongo que no vienes conmigo.

—Yo estaré a una distancia prudencial, te ayudaré, pero no puedo encontrarme cerca cuando recurras al poder. Y esa rata tampoco...

La rata, por cierto, había desaparecido de su vista.

—Está bien, al menos lo ha entendido —dijo Curdy con cierta decepción. Había querido creer que la rata lo acompañaría hasta el último momento.

—El Cetro sólo garantiza la seguridad de quien lo empuña, y eso no en todos los casos...

—Está claro.

En ese momento el viento dejó de soplar y la atmósfera se quedó quieta, como si las nubes fuesen a caerse del cielo. La pequeña loma en cuya cima esperaban les daba una vista privilegiada del enemigo: estaban llegando a la ladera y en ese preciso instante los batallones parecieron romper filas y una mancha negra se extendió hacia ellos devorando la hierba. Los batallones de hombres corrieron hacia delante. Las auras de las criaturas hechizadas se elevaron como una tempestad de resplandores inconexos y los peligrosos fuegos crecieron por doquier. Curdy se volvió para comprobar que Asmodeo había desaparecido. A fin de cuentas, podría haberse transformado en cualquier cosa para pasar desapercibido... Oyó gritos. Lo habían descubierto. Cientos de miles de enormes ratas trepaban y se cernían a su alrededor. Se detuvieron no a mucha distancia. Quizá gracias al miedo, Curdy apresaba el Cetro del mismo modo como habría empuñado su varita de hueso. Una luz blanca se había encendido en él, como si concentrase la fuerza en una emanación energética de incalculable potencia mágica. Pudo oír los relinchos de los altos caballos y se dio cuenta de que los lores tenebrosos iban a su encuentro, escoltados por enormes espíritus cautivos creados para fines maléficos.

Curdy apretó con decisión el Cetro y lo agitó violentamente. Entonces sucedió lo inevitable: las nubes negras, estriadas de hebras violáceas, desataron sus rayos, que descendieron desde diferentes y distantes puntos del cielo para reunirse violentamente en la bola negra que empuñaba Curdy, en la esfera del Cetro de Carlomagno. El resplandor iluminó la colina, la llanura y el horizonte con una claridad diurna, para desaparecer de pronto con un fulminante fogonazo.

Curdy corrió hacia las filas enemigas, que trataron de dispersarse a su paso, cuando la energía que se había concentrado en su mano amenazó con fundírsela. Ahora no sólo veía a su alrededor de un modo que nunca antes había experimentado. No percibía los rastros de las auras, sino que podía ver con claridad espantosas figuras que crecían y se movían. Los siervos de los lores ya no eran maldiciones invisibles. Podía ver las almas torturadas en el interior de los cuerpos de aquellas enormes ratas. Nada era capaz de tocarlo y corría hacia el interior del ejército, abriendo una extraña brecha que absorbía la energía de todo lo que tocaba. Los cuerpos caían inanimados, los espectros eran atrapados por una potencia negra que succionaba y concentraba poder, pero a medida que eso sucedía la visión de Curdy se alteraba y cada vez veía más oscuridad. Parecía ser invulnerable y volverse ciego a la vez…

Los lores tenebrosos se elevaron frente a él; algunos se apartaron, otros quisieron defenderse. Un remolino de fuerza negra giraba a su alrededor. Curdy sentía que su mano se quemaba, tenía que descargar aquella fuerza inmensa.

Y estaba allí, frente a él: lord Malkmus. La máscara de plata, con su sádica sonrisa, había descendido del caballo. El Sumo Inquisidor extendió las manos, como si se cubriese de una visión espantosa o de una muerte segura. Ahora Curdy lo comprendía: por fin acabaría con él. Iba a arrojar toda aquella fuerza cuando delante de él, como si hubiese saltado de su bolsillo en el último momento, apareció la rata que le había guiado hasta el Cetro en el sepulcro de Carlmann. No resistiría la propagación de aquella fuerza, pero si no se desembarazaba de ella sería tarde para los dos. Trató de atraparla, al tiempo que su brazo derecho se disparaba hacia delante. Creyó coger la punta de la cola de su rata cuando una luz cegadora lo aplastó contra la tierra.

Godofredo se santiguó. La sospechosa caída de los rayos había sido sólo el preludio de la intervención del cielo; ahora parecía haber estallado el relámpago más bestial de la historia de las tormentas. Era grueso como un tronco de mil ramas engarfiadas, las cuales treparon hasta las nubes y después de tocarlas provocaron una devastadora lluvia de rayos a lo largo del frente. El viento sopló en todas direcciones, confuso. Godofredo ordenó que la columna se pusiese en marcha cuanto antes: las puertas del Laberinto de las Profecías estaban cerca, y ésa sólo podía ser la señal de que al fin el cielo decidía ayudarles.

Tercera parte

La Montaña Gótica

LA MANO BLANCA ENTRA EN HEXMADE

La niebla devoraba los colores, convirtiendo el paisaje en una incertidumbre borrosa. El aire no era capaz de moverse, quizá a causa de lo pesado que se había vuelto. El último rayo de luz de un crepúsculo mortecino se había extinguido raquíticamente por encima de aquella bruma que reptaba entre los árboles. Consecuentemente, no se veía nada, no se oía nada, no olía a nada.

Kroter se inclinó con cuidado, tratando de serenarse. Sus grandes orejas verdosas, atentas y agachadas, estaban desconcertadas ante aquella atmósfera. Su amo le había pedido que vigilase los accesos de Hexmade, pero él detestaba el camino del cementerio. Kreichel había tenido más suerte aquella noche: le había tocado el camino de la pradera. El elfo decidió desaparecer como medida cautelar ante el pánico, pero a pesar de todo aquella niebla parecía ser capaz de delatarlo, pues su transparencia cobraba forma y se movía, desplazándola. Pasó bajo la sombra del ominoso árbol: el verdadero y terrible guardián, el dueño del cementerio. Allí dentro habitaba un espíritu rencoroso. Kroter lo sabía. Algo atrajo su atención y agachó de nuevo las orejas, imaginando que una enorme garra de troll brotaría del barro y lo introduciría en las fauces de un sapo gigante...

Le pareció oír algo fantasmagórico y se sobresaltó: ¡había sido él mismo! «Falsa alarma. ¡Un momento...!»

Una enorme sombra encorvada descendía por el camino encantado en busca del pantano. Moviéndose durante la noche, había dejado un rastro de terrores inciertos desde la planicie en la que había tenido lugar la Batalla del Arca: los rumores ya habían llegado a Hexmade, donde los aldeanos hablaban de un horroroso espectro nocturno al que llamaron, con sabia ironía, Blancanieves Manosblancas.

Los ojos saltones de Kroter se abrieron, sus orejas enormes se alzaron audazmente. No había sonidos familiares alrededor; no se oía el monótono cacareo de aves en un corral, ni los reconfortantes mugidos de los bueyes, ni siquiera el canto de un pobre grillo, porque era un lugar solitario, abandonado y temido en las fronteras de Hexmade. La última granja de Ridleton Mayor quedó atrás; los perros de los campesinos habían huido de las verjas que lindaban con el camino, desconfiados ante lo que habían olisqueado. Les había bastado sentir su presencia para correr a esconderse. Sólo los más audaces se atrevieron a ladrar, y eso por poco tiempo, porque sintieron cómo una mano invisible les atenazaba los cuellos como un collar de acero y apretaba hasta que apenas podían respirar. Uno de ellos, el más viejo de todos, no pudo soportarlo y cayó muerto. Pero eso era algo que a aquella sombra le importaba muy poco.

Nadie frecuentaría aquel camino a la hora del crepúsculo, cualquier persona en su sano juicio se dedicaría a tareas domésticas junto al fuego de una buena chimenea, asuntos que pudiesen alejarle del fatídico cementerio... Nadie seguiría adelante cortando la niebla como un cuchillo, para desaparecer completamente un instante después en el tétrico pantano de Ridleton Mayor... Nadie podría presenciar aquello salvo Kroter: el abnegado elfo doméstico del amo Curdy...

Se restregó los ojos, incrédulo. Se trataba de un espectro de gran poder, percibía su aura detrás de aquel disfraz improvisado con mal gusto entre los despojos de una batalla.

Su sombra no se detuvo, sino que siguió avanzando y arrastrando una capa harapienta que colgaba a sus espaldas, hasta que llegó al lugar más lúgubre de toda la región. Al centro, por así decir, de todas las rarezas. A la encrucijada, para decirlo claramente, de los misterios: junto al enorme castaño que desplegaba sus ramas con el mismo vigor y amplitud con que extendía sus malévolas raíces bajo tierra, entre cientos de tumbas que habían quedado revueltas con el paso del tiempo. Las grandes losas de granito habían desaparecido y los altares de los druidas ya no estaban en pie, pero aquel árbol había presenciado numerosos sacrificios en otros tiempos muy lejanos, más de mil años atrás. Sus raíces estaban acostumbradas a la sangre con la que habían mojado la tierra sobre la que se erguía. Los pliegues de su rugoso tronco albergaban mil años de conjuros y otros tantos de encantamientos, dando cobijo a una magia antigua y poderosa, como una emanación que se había quedado adherida a él desde la mañana del mundo. Quizá era ésa la razón por la que se le atribuían numerosos poderes. Quizá por eso se pensaba que el árbol era capaz de hablar con los muertos. Quizá debido a ello numerosos fuegos fatuos se reunían en sus inmediaciones, después de vagar por las orillas del pantano, atrayendo a los viajeros extraviados hasta el cementerio. Quizá por eso se creía que el viejo castaño odiaba a los intrusos... Quizá por eso se contaban por docenas los nombres de quienes desaparecieron en las inmediaciones desde hacía generaciones, especialmente niños... Ese lugar era una de las Puertas de Hexmade, y el camino guardado por aquel castaño llevaba directamente hacia las faldas de la Montaña Gótica.

La niebla se movió alrededor del espectro. Kroter se fijó, aterrorizado: apenas visible, el cuerpo de un joven ahorcado se balanceaba levemente, colgado de una de las ramas más emblemáticas del castaño. Maldito como se le creía, ahora se hacía justicia a proscritos y a forajidos, a ladrones y a miserables, a la sombra del legendario castaño, ante su rostro inconmovible de leña y musgo, sumido en un sueño profundo que ningún sufrimiento humano, por injusto que fuese, parecía capaz de perturbar.

Kroter vio cómo la sombra se detenía debajo del ahorcado. La capucha negra se inclinó hacia delante como la garra de un buitre, el impenetrable y blanco rostro que ocultaba se elevó. El espectro de Brunilda de Worms extendió la huesuda mano derecha y aferró con fuerza la pierna del muerto. Había llegado tarde al campo de batalla, siguiendo un rastro infinitesimal perdido en la magia del tiempo, que Asmodeo había dejado tras de sí al escapar del cementerio subterráneo de Aquisgrán. Ella seguía el rastro, en busca del Cetro de Carlomagno. El espectro guardián seguía implacablemente su objetivo, y el rastro la conducía noche tras noche hacia una comarca neblinosa que la luz del sol jamás iluminaba completamente: Hexmade.

La mano izquierda de Brunilda extrajo un largo cuchillo de aspecto antiguo y noble, con el puño enjoyado. El filo se hundió y cortó limpiamente el pie del ahorcado, separándolo de la pierna. La mano blanca lo aferró y el pie se envolvió en una fosforescencia verde que, al contacto con el hielo plasmático del espectro, produjo una poderosa reacción: comenzó a fundirse al tiempo que se expandía por el aire como un gas pestilente plagado de espantosas apariciones. La mano derecha ocultó el ensangrentado cuchillo, no sin antes limpiar su hoja en la hierba.

Kroter vio asustado cómo la frontera mágica de Hexmade era vulnerada. La niebla mostró el conjuro que protegía el camino, como un escudo de pequeños hilos que se hacían visibles al contacto de la niebla verde y fosforescente. Entonces las luces se encendieron en las tinieblas, algunas en concurridos grupos vacilantes, otras tristemente aisladas y lejanas. Los fuegos fatuos brotaron de la tierra, restos de espíritus sin memoria, que acudían al encantamiento de la reina. Muchos de aquellos espíritus cobraron la forma de niños de aspecto envejecido que perseguían la tenebrosa silueta de Brunilda. Entonces el espectro avanzó hacia el camino y flotó hasta el escudo. La niebla verdosa parecía ser capaz de destruir la niebla gris. Brunilda avanzó y Kroter la vio pasar no muy lejos.

El elfo retrocedió ante el poder del encantamiento: docenas de espectros abandonaban sus sepulcros y emergían de la tierra para fundirse en aquella niebla verdosa y pestilente que había logrado romper el hechizo de las fronteras. Al darse la vuelta, la capa de Brunilda dibujó un remolino gigantesco que se elevó entre las ramas del castaño; después desapareció en medio de la más absoluta oscuridad, como un fragmento de ella que volvía a su guarida infinita.

El elfo huyó hacia lo profundo del bosque todo lo rápido que era capaz.

YLKE Y LUITPIRC

—Pero… ¿quién ha escrito esto? —preguntó la chica al leer la última frase—. «Tarde o temprano me vengaría de él…» —repitió en voz alta, pensativa y a la vez perpleja. Era Ylke, y acababa de leer la transcripción del texto que Luitpirc había descubierto unos días atrás en el pergamino de la Mano Invisible.

Sus cabellos largos y negros le caían a ambos lados de la cara como dos cortinas casi cerradas: sus ojos azules parecían brillar con luz propia al moverse rápidamente de un lado a otro, hasta que se detuvieron en el rostro de su maestro.

Luitpirc seguía deprimido: casi siempre que Ylke iba a visitarlo —y lo había hecho casi todos los días desde que se establecieron en la Montaña—, lo encontraba derrumbado en su gran sillón, rodeado de una montaña de libros revueltos, papeles garabateados y plumas resecas. Pero entre todos aquellos pergaminos el único que parecía obsesionarle era el de la Mano Invisible. Luitpirc tenía los pelos revueltos y los ojos tristes, parecía ajeno a todo y ni siquiera deseaba atender los asuntos de Hexmade, pues había otorgado poderes administrativos al recientemente nombrado sir Whylom Plumbeus. La universidad ya no le interesaba. Ylke se preguntaba si estaba siendo víctima de alguna clase de encantamiento melancólico, pues la depresión parecía cada vez más profunda. Inactivo, ésa era la palabra, y esa actitud no encajaba del todo con Luitpirc, aunque la verdad es que nadie lo conocía demasiado bien. Había pasado largas temporadas en su torre a las afueras de Wilton, pero también había desaparecido durante años. Ella lo conocía como instructor de su amigo Curdy, y después porque se supo de su autoridad y poder durante la batalla y en el ordenamiento de la Comarca de Hexmade. Pero nada más. Poco después de la Batalla de los Lagos Escoceses, donde Curdy había desaparecido para enfrentarse en duelo mortal con lord Malkmus, Luitpirc había cambiado. La chica tenía la sensación de que estaba sentado en aquel sillón desde entonces, esperando alguna señal que no venía de ninguna parte.

Y la señal parecía haber llegado justo el día antes de que tuviese lugar aquella gran tormenta no muy lejos, una tormenta devastadora que había castigado los ejércitos de la Inquisición. Había sido un golpe de efecto, la gente lo celebraba por todo lo alto, y el Consejo de la universidad se atribuía los méritos con disimulo... Pero Luitpirc no levantaba cabeza, lo que llevó a Ylke a pensar que detrás de todo aquello no había una explicación tan sencilla como la que daban las autoridades.

Las tostadas, frágiles como hojas secas, se amontonaban a la derecha; un estornudo del maestro hizo que la taza que acababa de coger derramase algo de su contenido sobre el mantel y que la torre de tostadas se derrumbase aparatosamente. Sus cabellos blancos se levantaron todavía más desordenados de lo que habitualmente los llevaba.

—Estas malditas plagas de duendecillos me tienen fatal... —protestó el Cuentacuentos, malhumorado.

En ese momento alguien golpeó uno de los ventanucos de la torre rodeada de nubes. La puertecilla se abrió cuando Ylke chasqueó los dedos. Un cuervo negro asomó la cabeza, echó un vistazo y entró volando en la habitación hasta posarse en la mesa, al lado de su amo.

—¡Clawhoofs! Al menos podrías cerrar la ventana después de entrar... —protestó el anciano, desganado—. ¿No ves que soy alérgico a esos duendecillos de Cornualles?

La ventana se cerró.

—¿Duendecillos de Cornualles? Que yo sepa, son demasiado grandes para meterse en la nariz de alguien... —se burló Ylke, tratando de animarlo.

—Ya sabes que entran especialmente con los vientos del cambio de estación, y la verdad, son capaces de provocar alergias sin necesidad de meterse directamente en tu nariz... —replicó Luitpirc, fastidiado—. Y, por si no lo sabes, las alergias están llenas de duendecillos todavía más pequeños y que *sí* que son capaces de meterse en tu nariz...

El té emitió un pitido entre las llamas. Ylke acercó una urna con forma de león, el pitón sobresalía entre las fauces de plata de la pequeña bestia. Un cuenco de estaño con una cucharilla ofrecía mermelada de fresa. Clawhoofs cogió la cucharilla con el pico y le pidió a Ylke con un sonoro graznido que le preparase una tostada. Mientras la chica se ponía manos a la obra, interrogó a su maestro sobre lo que realmente quería saber.

—¿Qué es eso que acabo de leer?

Luitpirc pareció hacer un tremendo esfuerzo por abandonar su nube de pensamientos negativos y melancólica culpa.

—Lo acabas de leer: el propio Asmodeo se declara autor de ese texto. Habla del abuelo de Curdy, Gaufrey Copperhair, y de la muerte de Harold de Inglaterra. Ya sabes, el día en que ganaron los normandos en la Batalla de Hastings. Fue un desastre...

Apenas había untado la mermelada, cuando el ágil pico de Clawhoofs apresó la tostada.

—No entiendo nada —insistió Ylke, tratando de parecer educada, aunque le costaba ser paciente—. ¿Quién se supone que ha escrito eso?

—Está clarísimo —respondió Luitpirc—: se trata de un testimonio de la Batalla de Hastings escrito por alguien que estuvo allí...

—¡Eso sí!, pero ése es el pergamino mágico de Curdy. —Ylke se fijó en las hileras de signos centelleantes que parpadeaban en la superficie del pergamino. El texto se había quedado allí, reluciente en letras minúsculas.

—Bueno. —Luitpirc pareció incómodo. Era como si el solo hecho de que hubiese mencionado el nombre de su alumno desaparecido hubiese producido en él un profundísimo vacío—. En realidad, perteneció a su abuelo, de modo que no era exactamente suyo, y cuando se lo pedí ya sabes que él era sospechoso de asesinato... de modo que según las leyes de Hexmade estaba técnica y mágicamente desheredado...

El rostro de Ylke adquirió una expresión acusadora que hundió todavía más a Luitpirc. Podía acordarse de aquella noche como si hubiese sido unos días atrás, y del lamentable error que todos cometieron al culpar a Curdy del asesinato de su amigo Hathel Plumbeus, cuando en realidad estaba dormido y había sido atacado por alguna clase de vampiro, para despertar algunos días después. Pero Curdy había sido expulsado con todos los honores, para ser después el artífice de la victoria contra los ejércitos inquisitoriales.

Ylke continuaba algo confusa y, como miraba de un modo extraño hacia la ventana, Luitpirc le dijo:

—Ylke, ya sé que me culpáis todos por lo que sucedió... pero tuve que seguir las reglas de Hexmade. —El alquimista hablaba lentamente, como si quisiese convencerse de lo que decía—. No lo hice adrede. Ya sé que le di la espalda a mi alumno favorito y en realidad al alquimista favorito de Inglaterra, al mismísimo nieto de Gaufrey Copperhair, sí, pero no pude hacerlo mejor, y hago todo lo posible para ayudarle, esté donde esté... aunque realmente no consigo nada y estoy empezando a perder toda esperanza.

Ylke se resignó.

—Tenemos que proceder con disimulo, sin que nadie se entere de nuestros planes, ya sabes, tú, algunos amigos de Curdy y yo. Necesito que me traigas más libros, tengo que hacer unas consultas... —explicó el maestro.

—Ya lo sé. —El tono de Ylke fue casi duro. Estaba harta de los libros: ella y sus amigos sabían que tenían que pasar a la acción, de un modo u otro, y que la respuesta a todo aquel problema no podía hallarse sólo en los libros. Eso en realidad era una huida, una lamentable huida de la realidad. ¿Qué se había creído? ¿Que Curdy andaría escondido en uno de aquellos viejos grimorios?

Clawhoofs había vuelto y solicitaba otra tostada. Ylke se armó de paciencia. A fin de cuentas, todos lo sabían menos él: Luitpirc estaba enfermo, alguna clase de enfermedad del ánimo. Cogió la cucharilla de la mermelada. Se preguntaba por qué Luitpirc no se ocupaba de su propio cuervo... Otra vez se exigió paciencia.

—Lo que quería decirte es que ese Asmodeo nos envió esa parte del texto por alguna razón... o alguien que controla a Asmodeo quiso que nos enterásemos —siguió el Cuentacuentos.

—Lo que no entiendo es por qué alguien debería escribir en él algo tan indigno como que fue el traidor de Harold de Inglaterra —protestó Ylke.

—Eso tiene su explicación: lo hace para dejar claro que el verdadero traidor fue lord Malkmus, el Sumo Inquisidor.

—Pero eso no aclara por qué ha aparecido ese texto en el pergamino —protestó Ylke. Tenía la sensación de que la cabeza de Luitpirc se había detenido en un punto y que sería incapaz de salir de él.

—Estuvo en blanco durante mucho tiempo. —Luitpirc pareció hacer un gran esfuerzo por concentrarse—. Siempre permanecí atento, porque podría comunicarnos con Curdy de algún modo; tenía esa esperanza. Pero ese texto apareció hace poco tiempo, de golpe, y decidí investigar.

Se quedó callado. Ylke no lo soportó y dijo:

—Creo que Curdy está vivo, creo que el que controla la Orden del León Rojo nos ha enviado una señal, nos ha hablado del dueño de la Mano Invisible, que es el propio Asmodeo, pues habla de sí mismo en el mensaje. —Ylke pareció reanimada al escucharlo, y añadió—: ¿Y por qué no nos envió algo suyo? ¿Por qué no nos dice nada?

—Eso habría sido lo más conveniente —respondió Luitpirc, incómodo; en realidad le habría gustado responderle que él no era adivino—, pero la lógica nos obliga a pensar que si no lo ha hecho es, sencillamente, porque no puede. Así de fácil. Alguien ha querido informarnos, nada más.

Ylke pareció desilusionada.

—Y todo ha ocurrido casi el mismo día en que tuvo lugar esa increíble tormenta...

Ylke imaginaba a su mejor amigo encerrado en un pozo muy profundo y húmedo, rodeado de barro, raíces y ranas, y leyendo aquel patético texto de su difunto abuelo.

—Pero... —lo interrumpió Ylke.

En ese momento la puerta de entrada del estudio sonó abajo. La luz del fuego se debilitó.

—Iré a abrir.

Ylke sorteó las pilas de libros y descendió la escalera de caracol de la torre hasta el vestíbulo. Abrió con precaución y descubrió el rostro de un desconocido.

—Lord Randolph —dijo escuetamente.

Ylke no estaba para ceremonias. Le molestaban los estirados lores de Oxford. Lo acompañó en presencia de Luitpirc. El maestro apenas se alegró de verlo; simplemente levantó la vista de las llamas, vagamente distraído.

—Bienvenido, lord...

—Lord Randolph.

—De acuerdo. —Luitpirc ni siquiera se levantó para saludarlo con los honores.

—Sabe por qué he venido, ¿verdad?

—Al parecer, aquello está plagado de fantasmas y necesitan ayuda... Ylke, ¿no has oído hablar de Blancanieves?

—Sí...

—Tiene a todo el condado atemorizado —protestó lord Randolph.

—Encontraremos alguna solución. Hay que investigar a fondo ese suceso fantasmagórico...

—Disculpad, Luitpirc —lo interrumpió Ylke—. Debo marcharme.

—Sí, hija, seguro que tienes mucho que estudiar. Hablaremos pronto.

La despedida de lord Randolph fue seca y distante, pero Ylke no le hizo el menor caso. Tenía cientos de preguntas en su cabeza.

Llevaba mucho tiempo haciendo cosas que estaban prohibidas para poder ponerse en contacto con su mejor amigo. Estaba convencida de que seguía vivo.

En ese momento Clawhoofs se posó en su hombro, alargó el pico y le robó su tostada. Disimuladamente, el cuervo le entregó un mensaje a Ylke. Luitpirc y lord Randolph se habían quedado atrás. Descendió la escalera de caracol. Llegó al vestíbulo. Abrió la nota, pero era un pergamino enorme, escrito por una mano enorme: Teofobus Bombastus, el Gran Chef de Hexmade, le pedía que reuniese a algunos de sus mejores amigos en las Cocinas del nivel inferior, y la razón casi la fulmina: lord Curdy deseaba encontrarse con sus amigos.

Escribió una nota rápidamente sin especificar los detalles y se la entregó al cuervo. Le susurró al oído los nombres de quienes debían leerla y Clawhoofs voló raudo hacia la ventana.

LA MONTAÑA GÓTICA

Un momento. Hexmade, la Montaña Gótica.

Ese lugar merece una breve descripción.

Complicadas y empinadas callejuelas, largos pasadizos, arcos vertiginosos, cámaras de toda clase, grandes y pequeñas, formando un complejo descomunal y laberíntico, palacios, mansiones, posadas, cementerios: una montaña esculpida que clavaba buena parte de su cuerpo almenado y del enjambre de construcciones y ventanas apuntadas en el conjuro de nubes que, eternamente, la ocultaba de toda visión para no ser descubierta desde ningún horizonte. Desgastados relieves de escudos, volutas y divisas legendarias tatuaban los altos muros hasta desvanecerse en aquella niebla sempiterna. Cabezas de hierro raídas por mil tormentas, vigilantes gárgolas de bronce con las caras estriadas de verdín y enredaderas a modo de barbas, miraban ciegamente hacia las cuatro esquinas del mundo, entre párpados rotos. Sobre las techumbres irregulares caían sombras de contrafuertes raídos por el tiempo. Torreones quebrantados y altivos ocultaban las nuevas mansiones de los lores, y sobre todo la enorme sombra de la Torre de las Estrellas. Esta torre, irregularmente moteada de yedra negra, se alzaba por entre los muros de la mampostería almenada señalando al cielo. De noche, los búhos la convertían en una garganta resonante; de día, callaba y proyectaba una larga sombra a pesar de estar siempre nublado. La Montaña Gótica de Hexmade parecía haber sido extraída de la tierra por un acto de brujería. Las nubes solían arracimarse en lo alto incluso en los días más hermosos, cuando el resto del cielo estaba despejado, y era común ver las alturas azotadas por tempestades, envolviendo la mitad superior, mientras la luz del sol se paseaba por el paisaje de los alrededores o incluso por las pendientes de más abajo.

Los lores siempre han tenido extravagantes gustos arquitectónicos, sin duda alguna, sobre todo si su fuente de poder proviene de riquezas alquímicas y ancestrales familias de magos. En aquellos tiempos muchas de sus ideas habían cambiado: ahora vivían en los nuevos palacios que pululaban por las laderas de la Montaña, disponían de sirvientes, podían prosperar otra vez en Inglaterra. Por ello Hexmade tenía que disponer de plataformas entre las nubes, para albergar un puerto al que pudiesen quedar amarradas las naves de los tempestarios; necesitaba torres altísimas, palacios, cámaras subterráneas en las que dar cobijo a cientos de extrañas criaturas, y profundísimas mazmorras. Los secretos que albergaba Hexmade empezaban a exceder en mucho a lo que cualquiera de sus moradores más corrientes pudiese imaginar; cualquier alquimista podía encontrar el camino hacia la Montaña, había curiosas y secretas formas de acceder a su comarca a los pies de las Montañas Negras, siempre y cuando se tratase de alquimistas anglosajones perseguidos por normandos, y siempre y cuando los nuevos inventarios albergasen informes positivos acerca de la familia del alquimista en cuestión. Pero había algo más que, según se decía, cambiaría mucho las cosas: el Laberinto de las Profecías. Estaba allí abajo, debajo de las colinas, y Hexmade vigilaba sus puertas. La Montaña había quedado rodeada por un pesado anillo de roca, detrás del cual la campiña y los bosques volvían a recobrar su habitual protagonismo, donde habían sido fundadas nuevas y curiosas aldeas de tejados pajizos entre las ondulantes colinas verdes.

Es necesario decir que durante aquel tiempo, tras la desaparición de Curdy, Ylke Lewander fue testigo de los vertiginosos cambios que habían tenido lugar en Hexmade. Con la depresión de

Luitpirc, sir Whylom Plumbeus había acaparado las influencias. Los consejeros de la Cámara Alta habían decidido formar a sus alumnos de la manera más seria posible y para ello se organizó un año de estudios, porque, lo crean o no algunos, el hecho de que haya escuelas es una lamentable consecuencia de la fundación de la Universidad de Oxford, allá por el año 1096.

Poco tiempo después, los alumnos se enteraron de que las nuevas exigencias habían sido culpa de un alquimista de aspecto insignificante y horribles intenciones llamado Conradus Pidwig, que se había mudado desde Oxford, acusado de varias herejías. Quema de libros, copia de grimorios, falsificaciones diversas, fueron los argumentos de algunos supersticiosos normandos.

No conforme con haber abandonado el ambiente estudiantil de Oxford, dio un gran discurso ante los lores y les impresionó. Argumentando que en Oriente existía la Escuela Superior Imperial de Shangyang desde el período Yu —lo que para una persona normal quiere decir más de dos mil años antes de Cristo—, dijo que algo parecido había ocurrido en Persia y en Arabia, y por último añadió que la primera universidad de Inglaterra y en realidad la primera universidad fundada en toda Europa se había creado en Oxford hacía tan sólo tres años... Contundente argumentación. Eso bastó para que se decidiese crear la honorable Universidad de Hexmade. Su discurso fue aplaudido cuando se enteraron de que la Universidad de Oxford había sido fundada gracias a la influencia normanda, con lo que estaba claro que era necesario organizarse frente a esa nueva amenaza y rivalizar con los conocimientos tenebrosos de sus enemigos.

Ylke no se sorprendió de que sir Whylom Plumbeus se convirtiese en el coordinador de Filosofía y Tinieblas, Estudio General Sobre los Enemigos de la Alquimia. Teoría de la Alquimia quedó en manos de lord Máximus, y lady Viatrix, que había estado a cargo del primitivo Bestiario, también asumió responsabilidad sobre las criaturas huérfanas. Luitpirc protestó cuando varios brujos del clan MacDuffy le llevaron un pequeño dragón de Oarkney, mas con la llegada de caballos de razas nunca vistas que tenían extraños poderes decidió cuidarlos en un lugar especial, fuera de las murallas. Criptografía y Runología eran bastante teóricas, pero lo peor llegó con Venenología.

Whylom Plumbeus decidió que algunos de aquellos alquimistas que habían renegado de las tinieblas tenían derecho a ser rehabilitados y propuso a la Cámara Alta no marginarlos, aunque algunos no pudiesen abandonar el extraño hábito de comer hígado crudo tres veces al día, lo que al parecer calmaba una ansiedad incurable. Uno de ellos fue el que se encargó de la asignatura de Venenología. Era la única clase en la que se hacía el silencio entre los aprendices sin necesidad de pedirlo tan pronto como Adelbrandt Wendel entraba en la sala, vestido siempre de negro y cubierto con un pasamontañas. Parecía jadear y repasaba los inventarios de venenos y sus combinaciones con minuciosa terquedad. Aunque se reprimía, era evidente que no soportaba las interrupciones y, si sorprendía a alguien hablando, imponía severos castigos. El peor de todos era, como podéis imaginar, quedarse al final de clase a solas con él. Varios de los infortunados parecían tristes y decaídos días después del castigo. Desde luego, Adelbrandt Wendel no despertaba la confianza de nadie.

Augustus Jungius, que era bastante viejo, se ocupaba de la inmensa biblioteca y les enseñaba Historia y Latín, tenía dos ayudantes llamados Tom y Gob; Conradus Pidwig asumió el cargo de la Sala de Encantamientos, donde se ponían a prueba conjuros, encantamientos y hechizos, y Rufus Waffling se ocupó de la importantísima Sustanciación Alquímica, en la que se extendió en tediosas explicaciones simbólicas sobre el arsénico, el sulfuro y la sal.

En las inmediaciones de la Montaña llovía muy a menudo, por no decir a las claras que llovía siempre, y eso explicaría muy bien por qué Ylke caminaba aquella mañana cubierta con una capa de cuero, ocultando su rostro bajo una capucha ceñida, apresurándose por una de las serpenteantes espirales empedradas que trepaban hasta el Quinto Anillo. Había abandonado la morada de piedra de su maestro. La torre de Luitpirc estaba vigilada por dos enormes gárgolas, un angosto puentecito sorteaba el abismo hasta el muro enorme de la Montaña. Lo recorrió, nerviosa. Llovía. (Ya lo he dicho. Pero es que llovía bastante.) Ylke se apartó la capucha de cuero, animada. Algo tenía que cambiar. Estaba segura de que esta vez lo conseguirían. Miró hacia arriba. Algunos árboles habían logrado enraizarse entre los resquicios arenosos que dejaban las enormes piedras. Ventanas tenuemente iluminadas se asomaban en la niebla como ojos de fantasmas insomnes que vigilaran la tenebrosa mañana. Caminó hasta el punto de encuentro y, tras rodear dos grandes mansiones, se encontró con su hermano Aiken. Clawhoofs lo había encontrado rápidamente.

—Ese cuervo tuyo de poco me saca los ojos al posarse en mi hombro... ¿A qué viene tanta prisa? —protestó Aiken, que cargaba con cinco pesados libros.

Ylke no quiso responderle e imaginó una respuesta disuasoria.

—¿Y eso? —preguntó a su hermano. Señaló un libro en el que aparecía claramente escrito: *Escobas voladoras alemanas: la verdadera historia. Cómo, cuándo y dónde. Por Johannes Glühscherenscheneidfrischbutterschmelzend.*[1]

—Bueno, ya sabes que el tema me interesa —respondió él, pretendiendo no darle más importancia.

—Luego nos reuniremos en las Cocinas. Espero que Clawhoofs haya avisado a Angus y a Allan.

El rostro de Aiken pareció palidecer.

—Seguro que lo ha hecho —respondió él—. Aunque deberíamos saber todos a qué se debe tanta urgencia.

—No se trata de ninguna invocación —lo tranquilizó Ylke. Habían intentado en varias ocasiones comunicarse con Curdy mediante algún espíritu.

1. Apellido alemán que significa «Filo de tijeras incandescente fundiendo mantequilla fresca». Esto se debe a que algunos alquimistas germanos habían adoptado la costumbre de convertir ciertas fórmulas mágicas en sus propios apellidos o en emblemas familiares. Una idea tan descabellada como otra cualquiera.

—Ya... —Aiken recordaba la última invocación. Lo malo del asunto era que después de hacerlo le sobrevenía un terrible mareo.

—Sí... porque después he quedado con ellos en los campos de calabazas. Y no nos gustaría tener otra vez ese dolor de cabeza.

—¿En los campos de calabazas? ¿Hoy? ¿Con esta lluvia?

Aiken echó a caminar. Ylke recogió sus cosas y se marchó detrás de él. No tenía tiempo para averiguar qué se traía su hermano entre manos, pero sin lugar a dudas estaba haciendo algo prohibido a las afueras de Hexmade.

La pendiente dio una vuelta rodeando una gran construcción. Un enorme arco con desgastados relieves anunciaba la llegada al barrio del mercado. Estaba ubicado en las cercanías del Quinto Anillo, la muralla que daba acceso a las estancias oficiales, los órganos de gobierno y, por supuesto, el nuevo Reino de los Aprendices. El mercado siempre estaba lleno de rarísimos personajes y cada vez era mayor el número de criaturas nunca vistas y que, sin embargo, pasaban acompañando a algunos alquimistas. Ylke se cruzó con varias docenas de enanos malhumorados, un barbudo hechicero celta sentado sobre un ancho escudo lleno de runas que era portado por cuatro elfos ataviados con túnicas grises, varias brujas de altos sombreros de hebilla plateada, un alquimista que invitaba a todo el mundo a pasar a un laboratorio aledaño en el que aseguraba haber encerrado fantasmas en toda clase de frascos, y dos brujas de aspecto tenebroso que se cubrían el rostro con pasamontañas de lana. Pero lo habitual era la venta de comida, incluyendo toda clase de extraños ingredientes.

En ese momento algo zumbó por encima de su cabeza. Un joven de cabellos amarillos había doblado la esquina subido a una escoba voladora. Ésa era otra de las maravillosas novedades de Hexmade. La imaginación de los alquimistas y brujos se había disparado gracias a aquellos profundos cambios en el mundo mágico. El joven sonreía ampliamente a la multitud que se quedaba mirándolo allá por donde pasase. Llevaba un curioso sombrero de fieltro, mallas azules y una librea bien ajustada en la que se destacaban unos botones rojos muy brillantes. Otro amigo suyo le seguía, pero o bien su escoba no era tan buena o no sabía cómo manejarla, pues no hacía otra cosa que subir y bajar peligrosamente y pasar rozando los muros del callejón.

—¡Los hay con suerte! —murmuró la voz de su hermano con profundo rencor.

—No deberías hablar así —lo reprendió Ylke.

—Recibí un mensaje de lady Viatrix y me dijo que visitase su despacho y que pasase por el Bosque Retorcido y le llevase... una mata de estramonio trepador. ¡Ya ves! ¡Madrugar para llevar una mata de estramonio! Mi vida es un asco... —Aiken no dejaba de mirar al joven larguirucho subido a la escoba, totalmente embobado—. ¿No es maravilloso? Me gustaría ser tan rico como ese Vick Vitrius... Yo también quiero una escoba voladora. Es el mayor invento de la historia desde que se descubrió el fuego mágico en las cavernas...

—No te pases —dijo Ylke, echando a caminar—. No es tan útil como el fuego mágico, y además no es verdad que las hayan inventado en Hexmade.

—¡Vaya! —protestó Aiken, caminando detrás de ella con dificultad, pues cargaba con un fardo lleno de aquellas hierbas trepadoras. Algunas habían logrado extender sus raíces por encima y trataban de enredarlas a su manto para escapar de una cocción segura—. ¡Claro que sí!

—Claro que no, Aiken. —Ylke se detuvo—. En algunas provincias alemanas las brujas vuelan sobre palos desde hace varios siglos, lo que pasa es que siempre ha sido una rareza, debido a la dificultad de preparar las escobas, algo que últimamente parece más sencillo.

—Dicen que se trata de encerrar y gobernar espíritus del aire en un palo encantado, y que si el palo es de fresno entonces sí que puedes volar rápido... sobre todo si es de un fresno cortado en mayo y si, además... bueno... no me acuerdo... ¡Ah, sí! Y entonces...

Ylke se detuvo en seco sin prestar demasiada atención a su hermano. Habían rodeado a un corro de gente que admiraba un huevo de dracontópodo, cuando de pronto casi se dio de bruces con un viejo brujo al que todos rechazaban. La gente se apartaba a su paso. Ahora estaba frente a ella: era un hombre encorvado, completamente vestido de negro, con el rostro cubierto por un pasamontañas. Sus ojos parecían tristes y a la vez malvados en los agujeros de la tela.

Aiken cogió a su hermana por la mano y tiró de ella. Pronto el brujo siguió adelante, intimidado por la mirada de Aiken, y desapareció.

—Elohim —saludó Aiken al chico que se plantó frente a ellos—. ¿Cómo te va?

—Más o menos como a Ylke —respondió Elohim.

—¿Y tu golem?[2] —le preguntó ella.

—Vengo de hablar con lord Máximus y por fin se lo ha quedado.

—¡Me alegro! Esa criatura era realmente molesta —exclamó ella—. Tenemos que seguir o llegaremos tarde, Elohim.

—¡Nos vemos mañana! —dijo Elohim despidiéndose.

Aiken se acercó a su hermana y la miró a los ojos.

—¿Has visto eso?

—¿Te refieres a ese brujo de antes?

—A ese renegado.

—No me gusta que hables así, Aiken —le reprendió ella.

—¿Por qué? Circula el rumor de que las brujas y hechiceros que se cubren con pasamontañas lo hacen para ocultar extrañas deformidades en el rostro, como verrugas o cicatrices que jamás se cierran. ¿Te lo imaginas? Cicatrices que nunca dejan de sangrar... Son alquimistas que en algún momento han colaborado con la Gran Inquisición de lord Malkmus: al arrepentirse y buscar amparo en la Comarca Secreta y cruzar las Puertas de Hexmade, sus rostros se han visto deformados por una maldición contra la que no se ha encontrado remedio alguno. ¡Se lo tienen bien merecido!

2. Golem (a veces pronunciado «goilem»): pequeña criatura azulada de orejas desproporcionadamente grandes que los alquimistas judíos son capaces de crear a partir de materia inanimada. Parecido al homúnculo, no siempre resulta tan pernicioso, y puede ser bastante útil en las tareas domésticas si no es absolutamente perverso de nacimiento, en cuyo caso se opta por eliminarlo inmediatamente.

—Yo no estoy tan segura...

Aiken siguió, interesado en el tema.

—Se llama la Maldición de los Renegados: primero traicionaron a los alquimistas anglosajones, después traicionaron a la Cámara de los Lores... y el resultado es ése.

—Pues no me parece del todo justo. A fin de cuentas, se supone que se han arrepentido, ¿no? ¿De qué sirve arrepentirse de algo si luego tienes que sufrir un castigo tan horrible?

—Muchos inocentes han acabado abrasados en la hoguera por culpa de esa clase de... *magos*[3] —exclamó Aiken—. Es increíble, parece que te pones de parte de ellos...

—Piensa en Curdy. —Ylke se detuvo y miró fijamente a los ojos de su hermano. Estaba tan decidida que Aiken se conformó con hacer una de sus muecas que querían decir «Si mantengo cerrada la boca por mucho tiempo explotaré»—. Lo culparon de un asesinato que no cometió, y ahora fíjate cómo se comporta ese idiota de Hathel.

Aiken logró controlarse. Reanudaron la marcha.

—El caso de Curdy no tiene nada que ver con el de esos renegados... Si es inocente, al entrar en Hexmade la Maldición no le alcanzará y no presentará síntoma alguno.

—Tiene mucho que ver, porque siempre hay gente que carga injustamente con un castigo que no se merece.

Aiken, que caminaba detrás de ella, gesticuló confundido en silencio, le sacó la lengua a su hermana aprovechando que no le veía, y se arrancó con frenesí varias de aquellas finas raíces que empezaban a rodear disimuladamente la mano con que sostenía el tiesto de estramonio.

El mercado había quedado atrás. Aiken se volvió para ver cómo aquel rubio pasaba otra vez sobre su escoba a toda velocidad y desa-

3. Entre los alquimistas que pertenecían a linajes muy antiguos y que poseían apellidos reconocidos por órdenes y gremios, el término «mago» era absolutamente despectivo. Si alguien deseaba provocar una pelea, no tenía más que llamar «mago» a un alquimista en plena calle. El espectáculo estaba servido.

parecía en otro callejón, perseguido por dos torpes escobas voladoras que estuvieron a punto de enviar al suelo a sus chillones pilotos.

—Y de esos vidrieros holandeses, ¿qué me dices? El gremio más rico de Hexmade... —comentó Aiken, mientras sus ojos seguían el movimiento de las escobas hasta que desaparecieron.

—Parece que tienes envidia de ellos.

—¿Envidia? ¿Yo? Bueno... no es envidia, simplemente me parece injusto.

—¿Qué es lo que te parece injusto?

—Que una mata de estramonio cultivada por los Lewander no valga nada y que un espejo mágico que ofrece un aspecto juvenil a cualquier abuela vanidosa valga una auténtica fortuna en La Haya o en Londres... O que el padre de Vick Vitrius, maestro de los vidrieros holandeses asentados en Hexmade, esté colocando todas las vidrieras, cristalerías y espejos de la Montaña a cambio de una montaña de oro.

—Sabes que el trabajo del cristal no es sencillo —dijo Ylke.

—Ya, como si no fuesen necesarias multitud de plantas para crear filtros y películas de finos cristales que luego producen esos efectos tan llamativos... Lo que pasa es que los holandeses se saben vender muy bien, son grandes comerciantes.

Las nubes estaban muy cerca y se amontonaban como una bruma impenetrable en la que los altos muros del Quinto Anillo desaparecían misteriosamente. Estaban ante los Centinelas del Anillo; dos cabezas de demonios raídas por mil tormentas, en lo alto de dos cuerpos con forma de gallos de pelea, que miraban ciegamente hacia ellos, custodiaban la Quinta Puerta.

Aiken tragó saliva. Los Centinelas le ponían nervioso.

Aprisionada entre pesados puños de mampostería, la enorme puerta fue recorrida por ruidos siniestros al oír la contraseña de Ylke, después pivotó y cedió hacia dentro, como la boca bostezante de una cueva. Los hermanos Lewander echaron a caminar por la gran penumbra hacia el Laberinto de los Pasadizos de Piedra, que se extendía por los niveles inferiores de la Montaña.

Apenas las puertas se habían cerrado cuando se acostumbraron a la vaga claridad que desprendían las enormes cristaleras, suspendidas a diversas alturas en las techumbres exteriores. La luz las atravesaba y creaba una proyección fabulosa de lo que sucedía en el exterior, como una imagen paralela al otro lado. Uno de los haces de luz que cortaba su camino caía desde una altura descomunal y al cruzar las sombras, en medio de un solitario corredor, creaba a gran altura, por encima de sus cabezas, la nebulosa de una nube tormentosa que parecía deslizarse entre los pilares, dejando caer una tenue lluvia que no era en absoluto cierta. Aiken suspiró al comprobar que entre las nubes, por un momento, se creó la figura de Vick Vitrius para desaparecer rápida y borrosamente. Se deslizaron por un mundo en sombras, entre ordenadas hileras de pilares que se elevaban vertiginosamente para reunirse al pie de unas bóvedas apuntadas. Aunque parezca increíble, ruidosas bandadas de cuervos aleteaban en las alturas. Muchos de aquellos mensajeros contaban con pajareras abiertas que les ofrecían cobijo en las laderas de la Montaña.

—Lo que no entiendo es por qué Luitpirc ha concedido cobijo a los renegados —murmuró Aiken, cabizbajo.

—Esas decisiones no dependen sólo de Luitpirc —dijo Ylke—. Ya sabes que él no se encuentra demasiado bien últimamente...

—Ya, pero Luitpirc es quien más mandaba; no debió abandonar el Consejo. Ahora sir Whylom Plumbeus tiene demasiado poder en la Cámara Alta, donde les importa un comino lo que opinemos en la Cámara Baja —protestó Aiken.

—Se supone que los aprendices tienen ciertos derechos en su Cámara, pero no esperarás que gobiernen cuando no están todavía preparados para nada...

—¡Preparados para nada! —exclamó Aiken con un fuerte susurro—. Todo el mundo sabe que esos renegados fueron admitidos gracias a sir Whylom Plumbeus... —Aiken pronunció el nombre de aquel mago con un deje sumamente burlón.

—Lo que se cree es que fue un acto misericordioso —pensó Ylke en voz alta.

—¿Acto misericordioso? ¿Llenar Hexmade y toda la comarca de espías, fugitivos, renegados, ladrones, traidores, criadores clandestinos de criaturas mágicas...? ¿De cuántas muertes son responsables todos esos «vestidos de negro»? Ellos son los responsables de que las fronteras no sean seguras.

—No podemos saberlo, pero lo que está clarísimo es que no habrían podido entrar sin un profundo arrepentimiento...

—No lo tengo tan claro, la verdad —continuó Aiken con terquedad—. El conjuro de la Montaña no es tan poderoso todavía. Ya sabes todo lo que se cuenta de Blancanieves Manosblancas... Es un espectro terrible, y no me extrañaría que hubiese logrado entrar en Hexmade, y como ése hay muchos otros males. Eso es lo que espera lord Malkmus de Mordrec, a que le abran las Puertas de Hexmade desde dentro.

Abandonaron la inmensa sala, no sin fijarse en algo interesante.

—¡Mira eso!

Ylke se volvió a la entusiasta petición de su hermano y se quedó mirando las obras. Los grandes pasillos de la zona más alta de Hexmade, adonde accedían las cuatro puertas orientadas a los cuatro puntos cardinales, confluían en un patio despejado en el que desde hacía algunas semanas los gremios del cristal construían una inmensa vidriera multicolor que lo cubriría, para convertirlo en un espectacular salón de actos.

—¡Otro despilfarro inútil! —murmuró Aiken.

—A mí me parece que va a quedar muy bonito.

—Los vidrieros holandeses se van a hacer todavía más ricos de lo que ya son gracias a las ventanas de todo Hexmade... y nosotros seguiremos siendo pobres con nuestros viveros de plantas raras... ¡Apártate de una vez! —protestó el muchacho, quitándose de nuevo unas raíces que trataban de introducirse en sus bolsillos—. El destino de los Lewander[4] es dedicarse al Herbolario, de modo que jamás podré comprar una de esas escobas voladoras...

4. Tanto Ilke como Aiken son hijos de Corgan Lewander. Los Lewander se dedicaban desde hacía siglos a la recolección, cultivo y estudio de las propiedades de ciertas plantas, como muchas familias cuyos apellidos procedían del nombre de alguna planta. Lewander es una palabra anglosajona antigua que significa «lavanda».

—Escúchame —dijo Ylke—. ¿Crees que vendrán todos?

—Pues… sí.

—Entonces, es hora de que vayamos a las Cocinas.

Aiken parecía molesto.

—¿Por qué tanto misterio con las Cocinas? Es un lugar que nadie frecuenta, ¿no podía ser en una sala de lectura, en una cámara retirada, o en la Cámara de Fuego?

—¿Crees que ha sido idea mía?

—Se supone.

—Pues no, hermanito.

Aiken pareció impaciente.

—Entonces, ¿de quién?

Ylke titubeó.

—De alguien muy importante para todos nosotros.

Algo en el tono de la respuesta puso en guardia a Aiken. Pero Ylke se puso en marcha y no se detuvo hasta que las mugrientas puertas de las Cocinas dejaron escapar ante ellos una espesa nube de vapor.

MISTERIO EN LAS COCINAS

Varias sombras de niebla y vaho los esperaban en el vestíbulo de las Cocinas.

—Creíamos que no llegaríais nunca —dijo una voz.

Un joven bastante alto, rubio, de hombros estrechos y brazos largos, se apoyaba contra la pared. Era Cormac MacKinley. Detrás aparecieron Gretel, Angus y Alan, y los gemelos Cleod y Leod.

—Parece que el desayuno con Luitpirc ha sido muy interesante —murmuró Cleod—. No me ha dado tiempo a hacer nada…

—¿Estás segura de que no os ha seguido nadie? —preguntó Leod, algo acobardado.

—La última vez estuvieron a punto de pillarnos —añadió su hermano Cleod.

—Tonterías —se burló Aiken.

—Tendremos que llevar cuidado —dijo Cormac.

—No se trata de una invocación, tampoco es idea de Luitpirc. Está cada vez peor… ¡Fue Clawhoofs! Su cuervo me trajo un mensaje de… Teofobus Bombastus.

—¿El cocinero? —preguntaron todos a la vez.

—Cuida que no te oiga decir semejante cosa —advirtió Leod a Gretel—. Los lores le han nombrado Gran Chef de la Montaña. Está a cargo de las Cocinas, lo que significa que controla la comida de la universidad, aprendices incluidos... Pero hay más: sé que él en realidad cocina para los lores y elabora un menú específico para cada uno de ellos.

—¡Otro despilfarro! —protestó Aiken—. Coles y otras verduras les harían mejor efecto a esos señoritos...

—Sabéis que está prohibido entrar en las Cocinas, ¿verdad? De modo que habrá que llevar cuidado. ¿Estás segura de que la carta es del propio Bombastus? —apuntó Leod—. Una vez prometió filetear al primero que rompiese las reglas de la Cocina.

—Tenemos la excusa perfecta... ¿No habéis visto mi saco de coles? —Aiken señaló un saco bastante abultado.

—¿No se suponía que llevabas una mata de estramonio?

—La mata de estramonio es para lord Máximus. ¿Y qué tienen de malo las coles? —inquirió Aiken, incómodo—. Bombastus me pidió ayer que le trajese un saco entero con las más tiernas...

—¿Te las pidió a ti?

Aiken se encogió de hombros y cruzó una mirada muy extraña con Leod.

—Pues sí, al parecer me he convertido en uno de los repartidores del Herbolario de Willmark; ¿qué quieres que le haga?

Poco tiempo después estaban ante un pasillo cuyo techo desaparecía en una espesa bruma. Más adelante llegaron a un lugar oscuro en el que ardían docenas de antorchas rojas. Dos criaturas enormes velaban las verdaderas Puertas del Reino Humeante.

Los trolls eran trolls de las cavernas, enormes y estúpidos, pero muy obedientes ante su señor, el Sumo Cocinero.

—¿Cómo le han dado permiso para tener trolls al servicio de las Cocinas? —se preguntó Ylke.

Dos formas achaparradas y debidamente encadenadas a las paredes, de tal modo que sólo podían controlar la entrada, abriendo y cerrando las puertas, se movieron en la bruma. Tenían enormes orejas deformadas por el calor, narices verrugosas y brazos largos con manos de tres dedos. Sólo al estar junto a sus robustas piernas comprobaron que eran de la especie ciclópea, porque tenían un solo ojo saltón en el centro de la cara. Uno de ellos emitió un ruido espantoso.

Aiken le mostró el saco. Otro se aproximó y se inclinó, olisqueando en las sombras. Tocó la puerta con la punta del dedo y eso bastó para que se abriese rápidamente, dejando escapar otra bocanada de sofocante vapor, tan espesa que esta vez no vieron absolutamente nada.

Teofobus Bombastus, que se hacía llamar Gran Chef de la Montaña y Sumo Cocinero, salió a su encuentro: era un ser desproporcionado y redondo, sudoroso, que, en contra de lo que pudiera esperarse de un personaje tan obeso y grande, avanzaba con la ligereza de un bailarín en medio de los torbellinos de vapor. A pesar de su gordura, todo el mundo sabía que Bombastus era un semigigante, un extraño híbrido aparecido entre los muchos y misteriosos personajes que escogían la Comarca Secreta como lugar de residencia. Los lores habían saboreado algunos de sus platos y, tras mostrarse servicial y adulador, decidieron dejarle al cargo de una de las áreas que nadie deseaba visitar: la Gran Cocina de la Montaña.

—¡Apartaos, aprendices desvergonzados, si no queréis que os corte en filetes! —bramó su voz profunda y lívida, y cuando quisieron darse cuenta alzó una mano y se la restregó por el rostro y la papada recién afeitados, por donde resbalaban regueros de sudor, sin dejar de sostener delicadamente un larguísimo cuchillo de hoja ancha. Su traje era blanco, pero honorable. Del pecho colgaban algunas medallas que le habían sido otorgadas con gran pompa. Un delantal atado a la espalda mostraba, bordado con hilo de oro, el escudo de las Cocinas de Hexmade, con la siguiente divisa, que el maestro pretendía hacer legendaria: «IGNIS CORONAT OPUS».[5] Sin embargo, lo más impresionante era su sombrero: era la contradicción de todos los sombreros que hubiesen visto. Si la mayoría son anchos en su base y se estrechan hacia la punta, para resultar útiles ante el viento o la lluvia, el sombrero ceremonial del Gran Chef era lo contrario: estrecho en su base y ancho por encima, con varias ti-

5. «El fuego corona la obra». Tratándose de un cocinero, el sentido de la frase parece evidente, aunque quizá oculte alguna otra intención no tan evidente…

ras de fieltro magenta, paño de oro y paños blancos, y además no disponía de ningún ala.

—Vaya, vaya, vaya, aquí tenemos al joven recadero de los Lewander. ¿Me has traído esas coles deliciosas y los rabanillos de Ruizmund[6] y la mandrágora disecada y el opopónaco de la India? Las probaré y, si son amargas, me veré obligado a... —Bombastus pasó suavemente un grueso dedo por la hoja de su cuchillo.

Pero Aiken estaba familiarizado con las siniestras bromas de aquel extraño personaje y decidió no hacerle demasiado caso.

—Son las mejores coles que habéis probado en toda vuestra vida, Bombastus.

—Sir Bombastus, por favor. —El maestro pareció ofendido. Sus ojos, algo pequeños en el gran rostro, parecieron aplastados por la carne que se posaba en sus pómulos arrebolados, la cual se elevó gracias a la cínica sonrisa que esbozó.

El semigigante parecía complacido por el nuevo rango que le había sido concedido.

—Veo muchas caras conocidas, ¡qué rostros tan interesantes...! Los amigos del lord secreto se reúnen en el rincón más brumoso de Hexmade... Seguidme —ordenó el cocinero—. ¿Qué precisa una buena sopa, Aiken Lewander?

—Una olla gigante.

—¿Y qué más, Ylke Lewander?

—Un fuego constante.

—¿Y dejaría esa olla en el fuego de manera permanente, Angus Wallace?

—Ha dicho constante, sir, no permanente.

—¡Bien! Mis amiguitos aprenden rápido.

En fila, seguían los pasos del gigantesco cocinero. Los torbellinos de vapor se aclararon débilmente. Ylke creía respirar toda clase de platos a la vez. Bombastus se inclinaba y elevaba una tapa, olisqueaba, relamía una cuchara, pasaba el dedo por un cuchillo y, sin cor-

6. Más tarde se verá que ésta es la madre de Richard Ruizmund, el idiota más grande de Hexmade y alrededores.

tarse, murmuraba algo incomprensible. La voz del cocinero se abrió paso hasta ellos, canturreando extrañas palabras como éstas, mientras se sumergían en el humeante reino de las Cocinas de Hexmade:

Me he quedado a solas en profundas mazmorras
donde duermen solitarias tinieblas;
he dormido diez años en montañosas alcobas
por las que rondan espectros y nieblas.

Pero de todas las brumas pegajosas,
de todos los cuartos llenos de arañas,
entre las sábanas andrajosas,
de todos los suelos resbaladizos de grasa
que mis pies blandos amasaban,
de todas las flatulencias viscosas
que mi memoria relame gustosa,
de todos los chorreantes calderos
que hirvieron gibosos huesos,
de todos los cocidos de ranas y cuervos,
de todos esos reinos siempre me quedo
con la gran Cocina Sin Heredero:
¡aquí Bombastus es el Cocinero!

Largos rayos de luz entraban por altos ventanales como los tentáculos de un pulpo que intentaba atrapar algún manjar oculto en el fondo de aquella sala. Al final su canto fue convirtiéndose en un coro, y cuando acabó los jóvenes se vieron rodeados por docenas de criaturas de pequeño tamaño, sucias y sudorosas, que esgrimían trapos y cucharones, que cargaban con bandejas, que trinchaban pollos y desplumaban patos muertos, y todos se habían quedado mirándolos a través de la bruma con grandes ojos y atentas orejas de murciélago. Eran elfos, una extraña raza de elfos de un aspecto increíblemente envejecido, unidos de un modo especial al Gran Cocinero. Obedecían ciegamente cualquiera de sus órdenes. No era raro verlos entrar y salir de los enormes hornos en los que Bombastus, a patadas, empujaba cuartos y cuartos traseros de carne.

Otros, más viejos, que miraban a Bombastus con cara de odio y resentimiento, se dedicaban a fregar permanentemente las anchas losas resbaladizas con las que los enanos habían tapizado las altísimas paredes de la Gran Cocina. Era durísimo, e Ylke sospechaba que muchos de aquellos elfos detestaban el trabajo que les había asignado Bombastus, pero éste disponía sobre ellos de un poder especial e inapelable. La gran mayoría parecía pertenecerle, porque se decía que la noche en que accedieron a Hexmade viajeros solitarios habían presenciado cómo Bombastus avanzaba por las colinas cantando extrañas canciones en busca de la Montaña Gótica, seguido por una larga muchedumbre a la que él llamaba «sus Señorías Sirvientes». Nadie sabía muy bien qué o quién era Bombastus, pero los lores habían aceptado sus servicios sin hacer demasiadas preguntas, y la servidumbre de sus elfos era una cuestión que no parecía ya importarle a nadie. Además, la Maldición de los Renegados no le afectó al entrar en la comarca, de modo que se descartó la posibilidad de que hubiese servido a los lores tenebrosos.

—¡Venga, fregones! —exclamó de pronto el Gran Chef—. ¡Quiero ver mi rostro reflejado en los azulejos de las paredes! ¡A pelar cebollas, patanes de tres pies! ¡Disfrutad de esta bienoliente cocina! ¡No dudéis ni un momento en blandir los cucharones! ¡Removed los calderos! ¡Los aprendices de los lores pronto irán al comedor y entonces... ¿qué comerán nuestros hambrientos jovenzuelos?! Ellos jamás preguntan quién cocina ni quién limpia, sólo comen... Pero fijaos. Aquí tenemos a algunos de ellos...

Su rostro brilló como una superficie esgrafiada; Bombastus les abrió la puerta de una sala aledaña. Ése era el santuario del Sumo Cocinero. Ylke estaba segura de que todos los utensilios eran de plata, para ahuyentar a los malos espíritus. El vapor era menos denso y vieron varias bandejas sobre las que reposaban abombados sombreros de metal. Las manos hábiles de Bombastus tomaron una de ellas y la destaparon ante los ojos de Ylke.

—He aquí la comida de lord Luitpirc: deliciosas verduras rebozadas levemente, con taquitos de almendra y queso de cabra a la ceniza, así como un aceite mejorado con limaduras de alcionita, la piedra mágica que se forma en el riñón de las golondrinas y que anima los pensamientos de la melancolía.

El cocinero tomó otra bandeja en vilo y la pasó por delante de los ojos de Cormac y Aiken, dejando que un fuerte aroma ascendiese hasta sus olfatos:

—¡Aquí! ¡Mirad! Prestad atención a esta maravilla: carrilladas de corzo lechal cazado por águilas salvajes en las laderas de las Montañas Negras, condimentadas con una salsa de sangre de buey pasada por la plancha, unas gotas de vinagre y mantequilla y restos de alectoria, la piedra mágica que se da a los enfermos y heridos para rectificar las hemorragias, pequeños lores... Ésa es la comida del maltrecho sir Whylom Plumbeus.

—¿Está Whylom Plumbeus enfermo?

—¡*Sir* Whylom Plumbeus! —la corrigió el Gran Chef—. Enfermo... sí, gravemente —respondió el cocinero sin prestar demasiada atención: sus ojos ya se posaban en la siguiente bandeja, como si de una obra de arte se tratase.

—¿Qué le ha pasado?

—¿Hace preguntas un lord a otro? —Bombastus se irguió, fascinado con la idea de convertirse en un prestigioso lord—. No las hace. Sir Bombastus tampoco. Pero sir Whylom Plumbeus está encerrado en su mansión y allí recibe a los hombres importantes de Hexmade, postrado; muy pocos le han visto, y entre esos pocos está el Gran Chef de la Montaña.

Ylke se quedó pensativa e intercambió miradas con sus amigos.

—¡Y aquí está! —El cocinero esgrimió la tercera bandeja—. Hígados de pato carrillón resuflados con magra de pichón y bolitas de polvorón endulzado con unas migajas de nata salada y polvo de bufonita...[7] La joya del día, para el profesor Adelbrandt Wendel.

—Ése seguro que seguirá enfermo durante mucho tiempo, y no me extraña que coma hígados crudos tres veces al día —musitó Aiken. Bombastus se volvió hacia él y pasó la enorme badeja por debajo de sus narices.

7. Desconocemos las cualidades de esta piedra de origen animágico...

—¿Ha dicho algo el deslenguado repartidor de coles?

—¡Alababa el delicioso aroma de la bandeja, sir Bombastus! —mintió Aiken.

—Me alegro de que sea así. Por menos otros han sido fileteados —lo amenazó el Gran Chef con una enorme sonrisa.

Dejó la bandeja, se enderezó el sombrero y se sentó, y en ese momento les pareció que una flácida montaña de carne se había desparramdo sobre el banco de mármol. La luz entró débilmente por encima, desde las ventanas del techo. La brumosa atmósfera quedó partida al bies por delgadas columnas de luz gris.

Aunque nadie lo vio, uno de los elfos se deslizó en la bruma y prestó atención a la reunión, oculto detrás de una pila de ollas. Esas mismas ollas hervían, sus vapores ascendían, las volutas de vapor se perdían en el techo y allá arriba, donde nadie habría sido capaz de ver nada, entre las vigas de madera de la techumbre, una rata con un mechón de pelo rojo saltó ágilmente confiando en no perder el equilibrio, miró hacia abajo y prestó minuciosa atención a cuanto sucedía.

Los amigos de Curdy se situaron expectantes frente al Cocinero. Aiken miró a Ylke de reojo, y ésta se decidió:

—Me habéis enviado este mensaje a través de un cuervo llamado Clawhoofs, ¿verdad?

—Es cierto. Soy discreto y sé guardar secretos, guardo muchos... —Se pasó la mano blanda por el rostro carnoso—. Alguien... desea hablar con vosotros.

—¿Es Curdy? ¿Es él?

—¿Está vivo?

—Vamos, vamos. —Bombastus parecía incómodo ante la popularidad de aquel joven mago—. No es necesario que me hagáis preguntas a mí. ¿Qué sentido tendría eso? No sé nada más porque no he hecho preguntas... Bombastus es cocinero y desea seguir siéndolo. Podrían fallecer todos los lores de la Montaña, pero Bombastus querría seguir siendo el Cocinero, y para eso debe ser discreto con todos.

—¿Entonces?

—Alguien… debería responder esas preguntas. Yo cerraré esa puerta y me marcharé. Cuando venga, le haré entrar y volveré a marcharme, por supuesto, a mis fogones. ¡Pero no lo olvidéis: no toleraré que se maltrate ninguno de mis utensilios! Éste es mi taller de alquimia culinaria… —Bombastus se levantó con sorprendente ligereza, como si en realidad estuviese hinchado sólo de aire, y se dirigió hacia la puerta. Antes tiró de unas cuerdas y la luz directa de los tragaluces superiores desapareció. Los fogones se convirtieron en la única iluminación de la sala. Sus sombras danzaron en el vapor de las ollas.

Bombastus al fin cerró la puerta, no sin antes dirigirles una extraña mirada.

—Si esto fuese una trampa de Hathel Plumbeus y su pandilla, le habría salido perfecto —protestó Aiken.

—No creo que Bombastus se hubiese prestado a eso.

—Desde que Hathel Plumbeus despertó de su aparente muerte nos odia a todos, y sus nuevos amigos no son mejores.

—¡Déjalo ya, hermanito! —protestó Ylke con desdén.

—Y Whylom Plumbeus enfermo, eso sí que es extraño —comentó Cormac—. Ha coincidido casi con los rumores de la Gran Tormenta y la marcha de los ejércitos inquisitoriales.

—¡Eh, mirad el suelo! —exclamó Gretel.

Allí había un gran círculo de invocación con pentagramas y hexagramas.

—Creo que lo han dibujado hace poco tiempo…

—Y yo creo que estáis todos encerrados en mi círculo —dijo una extraña voz.

Se miraron unos a otros. Los cuatro pentagramas fueron unidos por un halo de niebla que comenzó a girar y rodeó el primer círculo, dentro del cual estaban todos ellos.

El elfo que vigilaba entre las cacerolas parpadeó, sorprendido. Se había formado un espeso muro de niebla y ya no podía ver ni oír absolutamente nada: era como si los muchachos hubiesen desaparecido. La rata se movió inquieta en lo alto, paseándose por las vigas. Nada, tampoco ella podía ver ni oír.

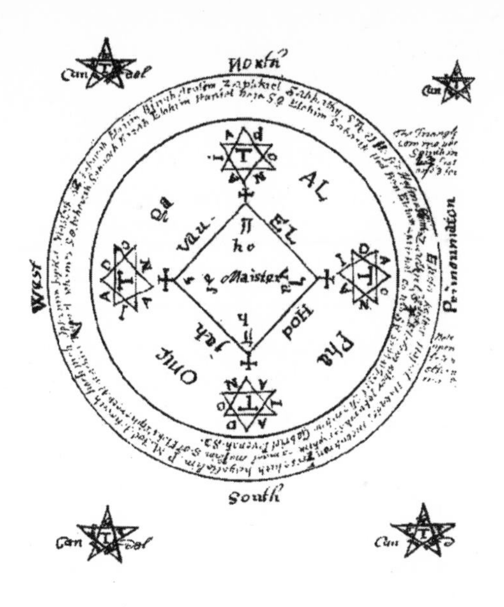

En el centro de los cuatro pentagramas se encendieron unas llamas rojas que ardieron y flotaron sobre las losas de piedra. Unos hilos de niebla se enroscaron en el resplandor como garras. Después se oyó un chasquido y la criatura apareció sentada frente a ellos: un dracontófago de pequeño tamaño. Macizo, negro, de orejas puntiagudas, cabeza ancha, toro supraorbital marcado, nariz acorde con las proporciones de la cabeza, ojos rasgados, achinados y cerrados. Cuando aquellos ojos hubieron atraído la atención necesaria —lo cual no fue, como podéis imaginaros, demasiado difícil—, comenzaron a abrirse lentamente. Los ojos del dracontófago son grandes e impersonales, como dos esferas amarillas y relucientes. Sus orejas se agacharon y sus alas membranosas se extendieron ominosamente a ambos lados, ocupando casi todo el espacio; además, movió la cola, pues el dracontófago posee una cola parecida a un escorpión, larga y ágil, capaz de producir auténticos estragos mágicos.

Cormac trató de coger su varita, pero una mano invisible le retuvo.

—No es necesario defenderse cuando uno no ha sido atacado —dijo la criatura. Replegó las alas, se sentó en cuclillas sobre las ágiles piernas y movió los brazos rodeándolas.

Ylke estaba demasiado perpleja. No era una experta en el tema, pero los dracontófagos no eran capaces de hablar...

—Supongo que sabéis que el dracontófago es la criatura mágica más peligrosa conocida, la más venenosa de todas, la más imprevisible y la más violenta... Sólo el dracontófago es capaz de envenenar la sangre de un gran dragón, causándole la muerte al cabo de algunos días... Yo de vosotros no intentaría nada sospechoso.

—Los dracontófagos no hablan... Son criaturas...

—¿Conocéis a todos los dracontófagos?

—No...

—Yo no tentaría la suerte.

—Un dracontófago no nos encerraría en un círculo de invocación —añadió Cormac con decisión, forcejeando con la mano invisible que le impedía hacerse con su varita—. Y tampoco nos habría enviado una nota a través de Bombastus, ni se habría aparecido en las Cocinas aislándonos de todo mediante un conjuro. Si alguien nos hubiese enviado un dracontófago, éste nos habría atacado sin mediar palabra en cualquier pasillo.

—Estamos encantados de conoceros, Asmodeo —dijo Ylke con una gran sonrisa, a pesar del terror que le despertaba la apariencia de la criatura—. Leí la transcripción de Luitpirc en el pergamino de la Mano Invisible...

—¿Y no nos dijiste nada? —preguntó Gretel, algo ofendida.

—¡Me he enterado esta mañana! Y un instante después, Clawhoofs me dio la nota de Bombastus.

—Así que aquí tenemos a la obstinada lady Lewander —dijo el dracontófago, y sus ojos brillaron con un intenso y terrorífico amarillo—. No pensaba que mi amo hubiese enviado alguna información a la Mano Invisible.

—¿Quién es tu amo?

—Alto secreto —respondió Asmodeo con un gesto fulminante de su garra derecha—. Y ahora, vayamos al grano.

—¿Dónde está Curdy? —inquirió Ylke—. ¿Es él tu amo?

—Vuestro querido amiguito es ciertamente un joven con agallas, pero ni por asomo tiene categoría para ser mi amo. Y por cierto, eso sí que es ir al quid de la cuestión: no tengo ni idea de dónde está.

Por un momento todos creyeron que no mentía.

—Ni idea... Se enfrentó a lord Malkmus hace unos días, en esa emboscada al sur de Worcestershire. Una compañía venía en secreto hacia Hexmade, pero los espías la localizaron cuando desembarcó en Cornualles. La Inquisición se movilizó junto con varios destacamentos de William el Rojo para saquearlos... cuando Curdy y yo, yo y Curdy, llegamos al teatro de operaciones. Gracias a un arma de cuyo nombre no puedo acordarme, Curdy tomó la determinación de adelantarse y enfrentarse a la Gran Inquisición, a los lores tenebrosos, al ejército de hombres rata y, sobre todo, a lord Malkmus de Mordrec. Pero juraría que la sonrisa de su máscara de plata no habrá quedado intacta. ¿Nadie sabe nada de la gigantesca tormenta?

—Por supuesto —respondieron los chicos a la vez, anonadados con cuanto oían.

—La madre de las tormentas vino al encuentro del ejército negro, el Quinto Lord empuñó un arma de altísimo poder y se lanzó, tras absorber toda la energía de las nubes, contra el Sumo Inquisidor, abriendo una brecha de fuego en las tinieblas del frente. El rayo se desplegó por el cielo y se derrumbó como un árbol de luz que tocaba el cielo y caía abatido a lo largo de millas y millas... El ejército de los inquisidores se fragmentó, hubo una lengua de fuego blanco y todo acabó. Fueron dispersados. En ese momento perdí de vista a Curdy.

—Otra vez... —musitó Ylke.

—Pero ¿dónde había estado? —continuó la criatura—. ¿Adónde fue a parar después de la batalla a la que asistimos con las naves de los tempestarios? Se batió en duelo con lord Malkmus, mas... evidentemente no logró acabar con él. Se trasladó a la Cámara de los Lores, adonde el lord tenebroso pretendía huir solo, pero allí Curdy le exigió que liberase a su madre. Ella estaba encerrada en una prisión de energía, en una Puerta al Abismo, la caldera en la que los vampiros habían depositado la esencia de los alquimistas a los que habían succionado, antes de quemar sus restos mortales... Curdy logró hacerse con la Corona de Hierro, pues él era el único que podía tocarla, y en lugar de entregarse a lord Malkmus, trató de matarlo con fatal resultado: un monje llamado Clodoveo apareció en el último momento y resultó calcinado por el furioso ataque del fénix... Después Curdy saltó al pozo, liberó a su madre y la arrastró, pero Grendel, al acecho en las fronteras del no-tiempo, logró hacerse con la Corona de Hierro. Poco después, Curdy y su madre ascendieron por el Abismo, y lo que pasó luego es altísimo secreto.

—Tenemos derecho a saberlo —insistió Ylke—. Nosotros nos hemos preocupado muchísimo por él, le admirábamos y le comprendíamos.

—Ah, ¿sí? —el dracontófago se cruzó de brazos y alzó las alas negras, que brillaban, como las alas de ciertos insectos muy venenosos, con un ligero tornasol azulado—. ¿Confiabais en él cuando todo el mundo creía que había atacado a Hathel Plumbeus en Hexmade, pues decían que él era un vampiro?

—Yo sí —dijo Ylke con decisión, enfrentando la mirada amarilla de la criatura.

—No entraré en discusiones. La cuestión es que os he informado. Después la madre de Curdy quedó a salvo, pero él... digamos... decidió colaborar con mi amo, que es en realidad el artífice de toda esta historia.

—¿¿¿El León Rojo???

—¿Lord Leubrandt? No, por supuesto que no, y no insistáis, no os diré su nombre. Lord Leubrandt es un entusiasta colaborador, máximo responsable de la Orden del León Rojo, pero nada más. Esa orden es una orden terrenal, poderosa y útil, pero terrenal. Fue creada para vigilar ciertos objetos mágicos y para ayudar a nuestros mejores agentes en la tierra, especialmente a los pelirrojos de origen franco, la estirpe de Curdy. Los antepasados de Curdy forjaron y repararon la Corona de Hierro, por eso sólo él podía tocarla en ciertas circunstancias. Lo mismo sucede con otros objetos de gran poder...

—Como eso que llevaba Curdy en la última batalla —dedujo Gretel.

—Muy lista. —Asmodeo no parecía darse por aludido—. Puedo responderte que sí, pero no puedo decirte qué era.

—¡De acuerdo! —añadió Gretel, irritada.

—Y volviendo al asunto, Curdy desapareció en el ataque. Caben varias posibilidades. Que se desintegrase en el ataque (muy probable, aunque me inclino hacia otras hipótesis), con lo que estaría técnicamente muerto. Que quedase exhausto o inerte, y que su cuerpo fuese capturado por el enemigo (tampoco demasiado probable). Que escapase y decidiese desaparecer para no dar explicaciones (ésta es la más acertada).

—¿Por qué haría algo así...? —preguntó Cormac, desconcertado.

—El hecho de que lord Malkmus se salvase y esté gravemente herido me hace pensar que Curdy escapó.

—¿Cómo sabes que lord Malkmus escapó? Los ejércitos se replegaron en una espantosa huida, perdieron el control y se desperdigaron de nuevo como bestias hechizadas —intervino Alan—. O al menos, eso hemos oído.

—Se dicen muchas cosas, pero yo estaba allí, chaval —respondió el dracontófago—. Sin embargo, no es ésa la razón por la cual yo sé que lord Malkmus escapó.

Asmodeo deseaba darse importancia. Ellos estaban ansiosos por conocer la respuesta.

—En realidad, lo sé porque lord Malkmus está aquí.

—¿¿¿Qué???

Todos preguntaron algo parecido a la vez. Ylke sintió un escalofrío recorriendo su espalda.

—Sir Whylom Plumbeus es lord Malkmus de Mordrec.

Las palabras de Asmodeo los golpearon como un trueno.

—¿Quién, si no? Sir Whylom Plumbeus.

—¿Él fingió el ataque contra su hijo? —preguntó Aiken.

—Le echó la culpa a Curdy para expulsarlo, y en realidad todo era una farsa porque Hathel despertó como nuevo al poco tiempo

—explicó Ylke, mientras recordaba lo ocurrido—. No fue atacado por un vampiro…

—Y eso explica que sir Whylom haya caído repentina y gravemente enfermo: ¡fue herido por Curdy!

—¡Tres hurras por Curdy! —exclamó Aiken enérgicamente.

—A lo mejor el deseo de venganza le ha costado demasiado caro, y quizá ya no le sirvan de nada tus hurras —le recriminó su hermana, triste—. No debió ir solo contra lord Malkmus… o Whylom. —Ylke conocía a Whylom y a su familia desde hacía muchos años, recordaba los tiempos de Wilton; no podía creerlo. Pero esa fascinación por las criaturas de las tinieblas… Todo tenía relación, ahora lo entendía.

—Es fácil no desear venganza cuando no han enviado a la hoguera a tu padre y cuando no han asesinado a tu abuelo. Lord Malkmus es el responsable de esos crímenes —explicó Asmodeo—. Se la estaba buscando.

—Y ahora, ¿qué hacemos? Tenemos que buscar a Curdy —insistió Ylke.

—De eso se trata. No me habría molestado en venir sólo para dar unas cuantas explicaciones a media docena de mocosos —respondió el demonio—. Para empezar, hay que situarse. Luitpirc padece una depresión de gigante, con lo que está fuera de combate…

—¡Deberíamos informarle!

—¡Estás loca! —El dracontófago se echó las garras a la cabeza—. Esto es alto secreto, somos una familia, esto es un plan importante, tenemos que seguir las órdenes de mi amo.

—No nos creería, Ylke, reconozcámoslo… Asmodeo tiene razón —pensó Cormac.

—Nadie os creería, os someterían a juicio, os vigilarían… Dentro de Hexmade hay muchos… muchos espías. Es un lugar grande, con rincones y rendijas, con cámaras secretas; ya hay demasiadas cosas peligrosas ocultas en sus mazmorras. El enemigo ya ha entrado, pero espera el momento para manifestarse. Lord Malkmus les está abriendo las puertas desde dentro, y debemos ser sumamente cautelosos y prudentes, nada de llamar la atención —insistió el dracontófago—. Gracias a la depresión de Luitpirc, sir Whylom ha acaparado mucho más poder en el Consejo de la Cámara Alta de Hexmade, es cierto; pero si viesen que Luitpirc cambia de parecer, entonces se alarmarían y no podríamos cogerlos desprevenidos.

—De acuerdo —reconoció Ylke con gran esfuerzo. Le costaba tener que ocultarle todo aquello precisamente a Luitpirc, quien tanto sufría a causa de la desaparición de Curdy.

—En segundo lugar: el Laberinto de las Profecías.

—Existe... —dijo Angus Wallace como embobado. No podía salir de su asombro.

—Claro que existe, y es mucho más grande que la Montaña. Se extiende alrededor por debajo de la tierra, ocupando todo Hexmade, y muchas de las grutas salvajes del entorno desembocan en él. Pero la Montaña esconde las Cinco Puertas. Ahora los templarios tendrán que introducirse hasta el centro y, una vez allí, habrá que preparar el Templo.

—¿Qué templo?

—El Templo del Arca, el Arca de la Alianza, y lo que ella oculta. Y el Templo requiere ubicar setenta y dos columnas muy especiales de las que no puedo hablaros —siguió Asmodeo—. La cuestión es que, con o sin Curdy, tenemos que ayudarnos los unos a los otros. El hecho de que Curdy haya desaparecido empeora bastante los planes, pero no queda más remedio que seguir adelante. Lo buscaremos, pero trataremos de lograr que la obra llegue a buen fin. ¿Qué os parece?

Ylke se había quedado muy pensativa. La niebla continuaba alrededor, separándolos de todo.

—¿Cómo pudiste perder a Curdy de vista en esa batalla? —inquirió la chica.

—Menos mal que no soy un oráculo... Los germanos cobraban un ojo de la cara por cada pregunta sobre el destino. Ya estaríais todos tuertos. Excepto Ylke: ella estaría ciega. —El dracontófago hizo brillar sus ojos amarillos y saltones—. Haces preguntas que no tienen respuesta, estimada amiga. ¿Crees que lo dejé allí tirado con eso en la mano así porque sí? Oye, empuñaba un... un amuleto de increíble poder, y creo que se le fue de las manos. Cuando vi cómo lo cogía, me eché las garras a la cabeza y pensé: «Esto no puede acabar bien», pero ya era tarde; él quería acabar con lord Malkmus.

—Y no lo consiguió.

—Tenemos que ser constructivos, ¿vale? —Asmodeo parecía algo impaciente—. No podéis desmoralizaros.

—De acuerdo, ¿qué propones? —Ylke estaba tan decidida que parecía capaz de estamparle un puñetazo en la cara al primero que se le cruzase en el camino.

—En primer lugar, que juréis dentro de este círculo de poder e invocación que nada de lo que hablemos saldrá del cerco de vuestros dientes…

—¿Qué?

—Es una expresión árabe… escapar del cerco de los dientes, salir de la boca… olvídalo: que no diréis una palabra, y que si lo hacéis aceptaréis la madición inscrita en el círculo con todas sus consecuencias.

—¿Qué pone?

—Es arameo. Y no lo pienso traducir. Vosotros jurad que no diréis nada y ya está.

Ylke y Cormac se miraron. Asmodeo sabía lo que se hacía. No era ningún novato.

—De acuerdo, lo juro, colaboraré contigo —dijo Cormac.

—Yo también —juró Ylke—. Lo juro.

—Y yo.

—Por favor, por favor… ¿qué clase de aprendices de qué sé yo qué estáis hechos? Hay que repetir el juramento palabra por palabra, uno por uno, poniendo la mano con los cinco dedos abiertos en el suelo, encima de las letras, de este modo: «Yo (decís vuestro nombre), juro por todas las maldiciones del tiempo y de la tierra que no traicionaré el pacto contraído en este círculo, aceptando las consecuencias escritas, a las que doy fe y efecto, palabra y espíritu, sangre, carne y aliento…».

Ylke tuvo la esperanza de que Asmodeo, pretendiendo mostrarles cómo se hacía, añadiese su nombre y pronunciase antes que ellos el juramento… pero era evidentemente demasiado listo para caer en un truco tan viejo. Se agacharon uno a uno, no del todo convencidos, y repitireron el juramento de Asmodeo.

—Bien, es una odiosa formalidad, lo reconozco, pero las circunstancias lo requieren —dijo el demonio.

—Y ahora, ¿puedes decirnos lo que pone? —exigió Aiken.

—¿Seguro que quieres saberlo?

—Claro que sí.

—Pone algo así como que… «Un rayo te hará caer fulminado si rompes el pacto de Asmodeo y su amo», algo así como que… «Enfermarás hasta morir si faltas a tu palabra, nacerá un nido de víboras en tu estómago…»; y una larga retahíla de monsergas al estilo antiguo, eso sí, todas ellas rigurosamente ciertas.

—¡Gracias! —protestó Aiken.

—De nada. Y como el tiempo es oro, ahora me toca preguntar a mí: el gremio de los vidrieros, los fabricantes de cristal, de espejos, de lámparas, muchos de ellos son holandeses.

Los ojos de Aiken se iluminaron.

—Son muy sospechosos, y excesivamente ricos —dijo el chico—. Su maestro es lord Hubert van der Weeen, un poderoso alquimista venido de La Haya junto a su familia y varios de sus ayudantes. Lord Hubert ya pertenece al Consejo.

—Deberíamos hacer algunas averiguaciones —propuso Asmodeo—. Tú te encargarás de eso. Y preparad una lista con los lores dignos de espionaje en Hexmade.

—¡Adelbrandt Wendel a la cabeza de la lista! —exclamó Cormac.

—De acuerdo, en tal caso…

Un ruido ensordecedor los sobrecogió. Los ojos del dracontófago se rasgaron amenazadoramente como lámparas de sulfuro.

—Bombastus se inquieta. Volveremos a encontrarnos dentro de dos noches, más o menos.

—Pero ¿dónde?

—Ya os lo diré… No nos reuniremos siempre en el mismo sitio. Para mayor seguridad, tengo que empezar a conocer la Montaña a fondo —respondió Asmodeo—. Van a inaugurar la Gran Vidriera, será una buena ocasión para echar un vistazo. —En ese momento chasqueó las uñas de su garra derecha y levantó el vuelo. Cuando miraron hacia arriba, no vieron otra cosa que no fuese vaho, un espeso vaho que rompió filas y penetró entre sus siluetas entenebreciendo la atmósfera.

La voz de Bombastus llegó hasta ellos. La puerta se abrió. Detrás del semigigante llegaban agazapadas las siluetas de varios de sus elfos sirvientes.

—Ya he terminado con quince golosos pasteles, veinte bizcochos condensados y doce hornadas de galletas esponjosas... y vuestro amigo sigue sin venir. Me temo que...

—¡Sir Bombastus! Por supuesto, no podemos ocupar por más tiempo su cocina personal —respondió Ylke rápidamente. Estaba clarísimo que Asmodeo no se había aparecido ante Bombastus con la apariencia de un feroz dracontófago—. Volveremos en otro momento. De todos modos, ¿quién fue la persona que le pidió que nos avisase?

—¿Revela un lord los planes de otro lord? —preguntó la gruesa sonrisa de Bombastus, revisando con sus manos una de las bandejas—. Claro que no. Ésa es mi divisa. Un sir nunca será menos que un lord. No hay que perder la clase en ninguna ocasión.

—Lo comprendemos.

—Ahora, seguidme. —Bombastus tomó sobre las yemas de sus dedos una de las bandejas—. Es hora de que vosotros abandonéis las Cocinas y de que sir Whylom Plumbeus reciba esta excelente comida templada para reanimar sus graves heridas.

La puerta se cerró. El elfo que había estado espiando detrás de las ollas abandonó su escondite con precaución. Nada. Eso es lo que había logrado ver u oír. Aquella niebla fantasmagórica había ocupado la cámara culinaria y él no había sido capaz de ver absolutamente nada... pero al abandonar su rincón oyó levemente algo en el techo. Se quedó quieto como una piedra encantada. La luz de los fogones era tenue y las ventanas continuaban cubiertas en lo alto. Prestó atención. La sombra descendió ágilmente por la pared. No le costó darse cuenta: era una rata. No tenía por qué darle demasiada importancia. A fin de cuentas, las ratas frecuentan las despensas y las cocinas, si pueden, y, si lo hacen, lo hacen con mucha prudencia. Pero Kroter abrió los ojos y percibió algo extraño en ella, algo que no podía explicar, y se quedó quieto, desaparecido. La rata husmeó curiosamente y se levantó sobre sus patas traseras. Oteó por la rendija de la puerta y un instante después corrió hacia las Cocinas. Kroter se movió hacia la rendija de la puerta y miró con precaución: nada nuevo. La rata había desaparecido.

EL ESPEJO DE LOS SUEÑOS

Era noche cerrada. Todavía no brillaba la luna, pero ella estaba allí: había llegado a las murallas de la Montaña Gótica. Los fuegos fatuos puntearon el camino. Los árboles suspiraron misteriosamente. Un jirón de niebla húmeda acompañó su figura a medida que avanzaba. Algunos espectros emergieron de las brumas, arrastrados por la brisa. Los muros de Hexmade no eran como la piedra convencional. Envuelta en los pliegues de su espesa túnica, la capucha se inclinó y la mano blanca del espectro brilló difusamente. Alzó el extraño farol con que alumbraba el camino. Allí dentro, atrapada entre los cristales, una llama verdosa y fosforescente ardía alimentada por los restos necromágicos del pie cortado hacía sólo algunos días a aquel joven ahorcado que colgaba del castaño, en el cementerio de Ridleton Mayor. La mano blanca alzó el espantoso farol y, al iluminar una puerta, la llama verdosa se transformó en un rostro burlón. Una de las largas uñas de la mano giró un pestillo. El cristal del farolillo cedió. El rostro burlón se deformó mientras se deslizaba por la cerradura, atravesando los intersticios de la puerta mágica y todos sus hechizos defensivos.

Al otro lado, la cerradura dejó escapar un humo verdoso que inmediatamente empezó a cobrar la forma de un extraño muchacho. El espectro de luz parecía exhibir miembros descompuestos, y además le faltaba un pie, lo que no le ocasionaba demasiada dificultad para caminar, porque se movía con agilidad y sin cojear. Su rostro, sin embargo, parecía muy envejecido y, aunque realmente estaba muerto, no se percataba de ello. Subió la escalera de la torre hasta la cámara de los centinelas. Oyó los ronquidos de dos magos profundamente dormidos. Rebuscó en un cajón. Volvió abajo con una llave. Abrió la puerta. Los hechizos de la puerta se doblegaron ante la llave mágica de los centinelas.

La luna se asomó y flotó errante entre las brumas. La espantosa sombra encapuchada de Brunilda de Worms cruzó el umbral. La gélida mano blanca pareció querer acariciar el rostro demacrado de aquel muchacho espectral y verdoso, que se inclinó ante ella como si de su propia madre se tratase.

—Has sido buen chico —dijo una voz inusitadamente joven y hermosa—. Te quedarás aquí, con ellos, libre, y esperarás mi llamada.

Alguien se deslizó rápidamente por la puerta, hacia dentro, pero ni siquiera aquellos fantasmas fueron capaces de detectar su presencia. Kroter, aterrorizado, pero fiel a su cometido, se ocultó en un rincón de la sala.

El espectro del muchacho se esfumó en el aire, pero la puerta mágica volvió a cerrarse y la llave volvió a su sitio, en el piso superior de la torre. El espectro avanzó y su sombra pareció crecer ominosamente al tiempo que la luz del farolillo la proyectaba por el corredor.

Se detuvo un instante. Dio unos pasos. Muy lentamente. Alguien se acercaba al fondo, con la misma parsimoniosa seguridad con la que ella avanzaba. Le hacía señales con un farolillo espantoso, al tiempo que ella balanceaba el suyo. Aminoró el paso. Por fin se detuvo ante sí misma.

Era un espejo. Un espejo enorme que cerraba el pasillo y en el que se había reflejado mientras se aproximaba. Levantó la mano blanca y las uñas de ectoplasma helado acariciaron la superficie sólida, pulida y oscura del espejo. Entonces allí apareció, como flotando en un reflejo aislado: la imagen de una joven que se movía en sueños. El espectro untó sus dedos en la fosforescente grasa necromágica que rebañaba las paredes interiores de su farolillo y trazó un signo en la superficie del espejo. La imagen de la joven creció. Brunilda extendió entonces la mano en un gesto imperioso: se apartó la capucha y la capa harapienta cayó al suelo. El espectro de la Reina del Este apareció en todo su esplendor, desprendiendo una luz tenue como el claro de luna envuelta en un gas etérico, y sus vestimentas y su capa se extendieron detrás, como arrastradas por un viento mágico. La superficie del espejo reflejó el rostro de la anciana, cadavérico y de duras facciones; luego se convulsionó, convertida en un líquido espeso y plateado que cedía ante su presencia. Se cubrió de un resplandor azul que desprendía gotas de un plasma gélido y relampagueante antes de propagar jirones de niebla negra. Y así sucedió, hasta que el espectro se sumergió totalmente en el espejo.

Kroter se aseguró de que nada se movía allí, aunque estaba seguro de que el espectro de aquel muchacho ahorcado se había quedado dentro. Caminó con toda la magia del silencio de la que puede ser capaz un elfo doméstico educado durante generaciones para ser silencioso. Llegó hasta el pasillo. El resplandor del espectro se había desvanecido en el espejo. Se acercó al espejo. Como caminaba desaparecido, esperaba no verse reflejado en él… pero aquel espejo no era un espejo normal y corriente. Ocultaba algo: al menos era capaz de reflejar su silueta, recortándola contra las sombras de su entorno, ¡a pesar de que iba completamente desaparecido! Acarició el espejo: frío y duro; y tras unos toquecitos se aseguró de que no lo atravesaría sin hacerlo pedazos, pues detrás sólo había una dura pared.

Retrocedió silenciosamente y desapareció en la oscuridad, donde se ocultó hasta que alguien abriese las puertas interiores.

Al otro lado del espejo, en un lugar muy alejado de la Montaña, Brunilda sacó su mano lentamente; después entró poco a poco en la cámara. Adelbrandt Wendel, que dormía en la alcoba, se inquietó en sueños. Pero lo que allí apareció no fue un espectro pálido y cadavérico. La anciana emergió y sus brazos eran otra vez jóvenes, su rostro era hermoso y terso, aunque frío como el claro de luna; sus labios se recortaban grácilmente y sus cabellos se habían vuelto negros y densos como la noche, pero sus ojos continuaban ocultando una profunda oscuridad. Brunilda se acercó a la alcoba. Las cortinas flotaban agitadas por la brisa nocturna, la luna brillaba, el mundo era perfecto para ella. Miró a Adelbrandt, quien incluso al dormir se cubría con un pasamontañas negro para ocultar las horribles deformidades que la Maldición de los Renegados producía en ellos. La hermosa Brunilda se inclinó sobre su rostro y susurró unas palabras. Inconfesables sueños se apoderaron de la torturada mente del renegado. Después ella abrió la puerta y desapareció en un largo y tenebroso corredor.

Adelbrandt se movió, inquieto, en sueños, pronunciando el nombre de una amada mujer que había desaparecido de su vida mucho tiempo atrás. Ahora soñaba con ella, soñaba que había vuelto, que estaba allí, que al despertar la encontraría de nuevo...

Mientras todo eso sucedía, Ylke daba vueltas en la cama como tantos otros días. Le costaba mucho dormirse, hasta que aquellas extrañas imágenes la visitaban de nuevo. Las noticias de Asmodeo la habían agitado muchísimo, estaba más ansiosa que nunca por encontrar a Curdy, temía por su destino, no soportaba la idea de que estuviese... muerto.

Pero aquella noche fue diferente.

Convencida de que ahora había entrado en su propio reino de las pesadillas, estaba segura de que los pasadizos de la Montaña habían quedado atrás: las raíces del castillo se abrieron ante ella. Había oído los gritos de Hathel perdiéndose en las mazmorras, las llamaradas de la gran antorcha se habían vuelto azules. Todo el mundo había señalado a Curdy: Hathel estaba aparentemente muerto entre sus brazos. Whylom Plumbeus gritaba su nombre y lo llamaba «asesino».

El extraño recuerdo de aquella noche se desvaneció y se vio a sí misma entre la multitud que culpaba a Curdy. Lo vio retroceder ante las acusaciones de asesinato. Luitpirc, el benévolo maestro de los aprendices, le pedía que aceptase el castigo. Pero todo se volvió borroso y la imagen de aquel terrible recuerdo que tan a menudo la visitaba en sueños se evaporó en su mente para dar paso a un lugar mucho más tranquilo y silencioso.

Se hallaba en alguna de las infinitas galerías que se sumergían en las raíces de la Montaña. Las mazmorras y los altos pilares, sus bóvedas de misterio, todo había quedado atrás, y empezó a vagar por el comienzo de lo que no podía ser sino una profunda mina. La cueva se retorcía sobre sí misma como el intestino de un viejo dragón en busca de horribles profundidades. Un resplandor verde se reflejó por fin en los rebordes de piedra, dobló el último recodo y descubrió la tenebrosa fragua.

Estaba en un lago subterráneo, rodeada de agua por todas partes…

Un ser extraño, alto y fuerte, sin rostro, blandía las largas tenazas, apresando un pesado crisol. De sus anchas espaldas colgaba una gran capa negra hecha con algún tejido tan misterioso como él, porque el aire caliente que emanaba de la hoguera era capaz de batirla y ondearla como si de un estandarte se tratase, velando y confundiendo continuamente la imagen de su portador. Así, visto de espaldas, todo en él parecía humano, excepto sus orejas: eran largas y puntiagudas, como afilados ramilletes de muérdago.

Al poco, el alquimista retiró el crisol y vació su contenido en un molde que empezó a humear. Después las llamas decrecieron en la fragua y su resplandor se debilitó en el reflejo que ondulaba por las aguas. Ella trató de acercarse al misterioso ser, y al hacerlo se dio cuenta de que su talla era más que humana, no tanto como para ser un gigante, pero sí como para sentirse superior entre la mayor parte de los hombres mortales. Retiró las piezas del molde y con otras pinzas más delicadas apresó el contenido. Su brazo enguantado y negro alzó lentamente una pieza de cristal semiesférica y candente.

Oyó palabras en una lengua desconocida que no logró recordar al despertar, pero vio cómo sumergía la máscara de cristal en un recipiente colmado de un líquido que brillaba fríamente como si fuese plata y que desprendía un vapor iridiscente.

Se desprendió un penacho de humo; el fuego verde lima se acobardó en la fragua. El herrero alzó de nuevo la máscara, sacándola del cubo: ahora brillaba como si se tratase de un espejo deformado con la forma de una máscara esférica. Ella necesitaba saber quién era aquel alquimista. Ése no podía ser otro sino el verdadero traidor en el que tantas veces había pensado. Se acercó un poco más a su espalda. Los jirones flotantes de la capa negra la envolvieron como un torbellino para apartarse otra vez, y entonces, por un instante, se vio a sí misma reflejada en la superficie semiesférica de la máscara-espejo. Él la había visto, a pesar de estar detrás.

Oyó una risa despiadada, una risa que atravesaba todos los intersticios de su alma, paralizándola.

Quiso huir, pero estaba siendo atraída hacia aquel ser de manera irrefrenable, como si tuviese un poder sobrenatural sobre ella. La gran sombra alzó la máscara con ambas manos y la encajó en su rostro. Se cubrió con la capucha, se volvió lentamente hacia ella, y el torbellino de su túnica se expandió, como si ocupase la inmensa caverna del lago subterráneo.

La figura se volvía más pequeña de estatura y más estrecha de hombros. Al girar completamente, vio aquel espejo en forma de esfera que de pronto comenzó a reflejar el rostro de Curdy, del mismo Curdy que ella buscaba desde hacía meses, después de que todos lo hubiesen dado por muerto. El reflejo cambiaba hasta que la propia máscara se transformó realmente en el rostro vivo e inconfundible de su mejor amigo.

Pero Ylke se vio sumergida en el lago cuando unas manos viscosas y medio podridas la apresaron. Al entrar en el agua, vio una profundidad negra bajo sus pies, donde aparecían docenas de rostros nauseabundos. Trató de gritar, pero fue inútil. Curdy se aproximó a la superficie del lago y en lugar de atraparla para rescatarla, sonrió, metió la mano en el agua y empujó su cabeza hacia abajo, tratando de ahogarla.

Ylke despertó sofocando un grito de terror. Estaba en su alcoba. Sus hermanas estaban dormidas. ¡No había sucedido nada de aquello! Sólo eran sueños… y esperaba que en modo alguno se tratase de sueños proféticos.

Aquella mañana fue distinta a muchas otras. Ahora sabían algo, se habían puesto en marcha, tenían un plan. Ylke se unió a sus hermanas y no asistió al comedor de Hexmade. Visitó a Luitpirc, para comprobar que seguía tan melancólico como de costumbre… Tenía la esperanza de que Clawhoofs volviese a darle un sorprendente mensaje, pero el cuervo no le hizo demasiado caso. Volvió a la entrada del Quinto Anillo. Había más agitación de la habitual. A mediodía tendría lugar la inauguración de la Gran Vidriera.

Cuarta parte

Laberinto de Cristal

EL ANTÍMACO

Cientos de aprendices tuvieron que mirar hacia lo alto y no dejaron de hacerlo durante un buen rato. La Universidad de Hexmade convocó a sus lores, maestros y alumnos para la gran ocasión. Allá arriba brillaba una gigantesca y espectacular vidriera cubriendo todo el patio de armas, cuyos complicados polígonos se abrían y fragmentaban en docenas, cientos, miles de formas caprichosas, creando la superficie más hermosa que pudiera haberse visto jamás. Los colores resultaban densos y la luz del día, todavía algo tímida debido al mal tiempo, mostraba el dibujo de las complicadas líneas y curvas negras, dentro de las cuales parpadeaban superficies de cristal de todos los colores.

La Leyenda Alquímica, eso era lo que representaba. No era otra cosa sino la exposición de todos los pasos de la materia hasta alcanzar el estado final más puro y elevado, y se había dispuesto de modo circular y no de modo lineal, con lo que Ylke se dio cuenta de que el ciclo que empezaba en las tinieblas de un estado llamado Nigreus[1]

1. Nigreus o Nigredo: es la primera de las tres fases en la transmutación de la materia, según las doctrinas alquimistas. Semejante a la putrefacción, involucra una disolución en la materia prima. Los alquimistas han asociado el Nigredo al planeta Saturno y al elemento plomo... Qué casualidad. Supongo que nadie estará pensando en sir Whylom *Plumbeus*, claro.

acababa con el oro de los filósofos, para volver de nuevo a las tinieblas.

El símbolo del oro de los filósofos era un sol, rodeado de apuntadas coronas de rayos amarillos que invadían espacios azules, el cual volvía a enlazarse con el estado tenebroso de la materia, convirtiendo el ciclo de la superación alquímica en un círculo sin principio ni fin. En una de las partes, un círculo de cristales grises llenos de ceniza, casi negros, aparecían encerrados junto a numerosos símbolos adversos al alquimista. Ylke descubrió, sorprendida, murciélagos angulosos que aleteaban en medio de la oscuridad, así como gusanos y pares de ojos sin cabeza. Supuso que se trataba de una representación muy fiel de la oscuridad del alma y de los peligros que la asedian, pero también se dio cuenta de que la iconografía de las tinieblas había logrado abrirse paso hasta el corazón mismo de la universidad. De aquel enorme mosaico brotaban unos cristales como tubos de una retorta, y esas pistas de cristal pasaban a través de algunos de los más conocidos símbolos alquímicos: el Dragón Mercurial y el León Rojo, con las grandes fauces abiertas, que custodiaba el estado opuesto en el que la oscuridad se fundía con las entrañas de la tierra para dar lugar a una gran llamarada. Del aliento de fuego del León Rojo brotaba un pájaro enorme que enroscaba sus alas en el centro de la vidriera, donde ardía el disco amarillo cuyas piezas de cristal habían sido ensambladas con varillas de oro, y en el centro del disco aparecía el único cristal blanco de la vidriera: un espejo circular, insertado en el centro del sol.

Un espejo en el centro del sol... Ylke se quedó pensando en esa coincidencia. No parecía tener demasiado sentido.

Aiken no dejaba de bromear sobre la nueva vidriera, sacando todo tipo de faltas al trabajo de los cristaleros, hasta que apareció un grupo de muchachos ante los cuales tanto Aiken como sus amigos parecieron formar una barrera infranqueable.

Al frente de aquel grupo iba Hathel Plumbeus, su ex amigo y también el ex amigo de Curdy. Junto a Hathel iba un joven de aspecto rarísimo, extraordinariamente pálido y bastante delgado, con un sombrero de ala ancha. Tenía ojeras muy pronunciadas de un tono verdoso y una incipiente barba que evidentemente no quería afeitarse para aparentar ser más mayor de lo que era.

Ylke miró con franqueza y cierta compasión a su ex amigo Hathel. Parecía mayor, aunque los granos que empezaban a tatuar su cara no le daban buen aspecto. Sus hábitos, como los de su familia, habían cambiado mucho: ahora vestía una capa muy arrogante, cuyas solapas se levantaban envolviendo su grueso cuello, y un sombrero con las insignias del gremio de los plomeros (del cual su padre era presidente de honor), y miraba permanentemente con ojos inquisidores a su alrededor, como si fuese alguien realmente muy importante.

—Tenía ganas de verte, Hathel... —Y, diciendo eso, Aiken dio unos pasos hacia delante, a la espera de su reacción. Algo en el rostro del que fuera su compañero de juegos cambió y, a pesar de que había una gran melancolía en sus ojos, pareció impertérrito como un bloque de hielo.

—Ylke Lewander, os saludo —respondió Hathel Plumbeus con inusitada acritud, volviéndose hacia ella. Alrededor de ellos el corro cada vez era mayor. No hacía demasiado tiempo que había tenido lugar una pelea entre Aiken y Hathel, y no se hablaba de otra cosa que no fuera la creciente rivalidad entre los pelirrojos escoceses y los extraños nuevos miembros de la Cámara de Tierra, especialmente los hijos de los vidrieros.

—Bueno, ¿cómo estás? —preguntó ella—. He oído que tu salud ha mejorado mucho. Supongo que tu padre te ha proporcionado algún antídoto contra el veneno de los vampiros.

Vaciló al pronunciar las últimas palabras, porque el rostro de Hathel cada vez parecía más hosco. ¿Acaso estaría pensando que ella, quien había sido su mejor amiga, trataba de burlarse de lo que le había pasado? ¡No podía ser! Pero decidió olvidar aquello y trató de ser comprensiva... Aunque, pensó ella, ¿cómo ser comprensiva si el padre de Hathel era en realidad el mismísimo Sumo Inquisidor de Inglaterra? A fin de cuentas, Hathel había sufrido el ataque del vampiro, que lo había dejado aletargado como un murciélago, padeciendo las más increíbles pesadillas durante días interminables... Estaba totalmente segura de que Hathel no tenía ni idea de las vinculaciones de su padre con los poderes de las tinieblas.

—No creo que eso realmente te importe demasiado —le respondió él con la frialdad de una oca—, pero has de saber que desde que abandoné algunas compañías me encuentro mucho mejor. No puedes imaginar lo mal que me he llegado a sentir cerca de personas asquerosas, como, por ejemplo, esa calabaza que tienes por hermano... —Ylke no supo qué responder. Además, las risas de todas aquellas caras nuevas corearon la respuesta. Tenía ganas de darle un puñetazo, y a la vez habría estado a punto de llorar.

Entonces Aiken caminó decididamente hacia delante, con las mandíbulas apretadas y los labios entreabiertos. Alan lo detuvo a tiempo, pero el nuevo y extraño amigo de Hathel, aquel holandés tan alto, avanzó con una mordaz sonrisa en la cara y se retiró el sombrero para mostrar unos cabellos tan rubios que casi parecían blancos.

—No nos han presentado, pero creo que deberíamos conocernos —dijo éste con marcado acento holandés, mirando los ojos azules de Ylke. A pesar de su desgarbada apariencia, sus movimientos parecían elegantes y bien estudiados.

—Ante todo deja que te presente —dijo Hathel con suficiencia— a Victus van der Weeen, mi mejor, único e inseparable amigo, el hijo de lord Hubert van der Weeen.

—¡Estoy a vuestro servicio! —los saludó Victus, haciendo una reverencia con el sombrero—. No hay cristal más hermoso en los talleres de mi padre que aquel con el que fueron forjados vuestros ojos, Ylke Lewander...

Ylke se sintió incómoda, y no fueron pocos los que se rieron de los modales cortesanos de Victus.

—Ya veo que haces amigos muy pronto, Hathel, y que en días olvidas años enteros... —le reprochó Ylke secamente.

—Deja que te presente también —insistió Hathel con indiferencia— a Fransien, Hindrik, Derk y Broer.

—He oído que tu padre está gravemente enfermo —intervino Angus. Ylke se mordió el labio; suplicaba al cielo que no dijese nada de lo que había revelado Asmodeo—. Lo lamentamos tanto…

Hathel entendió el comentario.

—Mi padre se recupera rápidamente y lo más probable es que hoy os dé una gran sorpresa, porque vendrá a inaugurar la Gran Vidriera junto a los miembros de la Cámara Alta.

Cormac e Ylke se miraron furtivamente. Eso no era posible, a no ser que Asmodeo y Bombastus hubiesen mentido sobre la gravedad de las heridas de Whylom Plumbeus.

—El que no se levantará jamás de la cama es Luitpirc. —Hathel se volvió e intercambió una risa burlona con Broer e Hindrik—. Pero… ¿qué es la melancolía? Una enfermedad de cobardes… Los líderes de Hexmade son hombres como mi padre, hombres que luchan con todas sus fuerzas, no unos debiluchos que se vienen abajo porque se sienten melancólicos…

—Melancólico, ¿por qué? —preguntó Vick con teatralidad.

—Porque su alumno favorito mintió, fracasó y se alió con las tinieblas —respondió Hathel.

—¡Maldito granuja imbécil! —Aiken estaba a punto de saltar sobre Hathel.

—¿No es ese vampiro? ¿Cómo se llama? ¿Curdyto? —preguntó Broer.

—Para ser un holandés hablas demasiado bien mi idioma —comentó Angus—. Pero no sabes hablarlo correctamente: se llama Curdy, y es el Quinto Lord.

Broer tenía los cabellos largos hasta los hombros, como cortinas negras que tenía que apartar constantemente para poder ver bien con sus ojos azules casi violeta.

—El Quinto Lord… Otro de esos lores cuyo título ha salido de ninguna parte —se burló Hindrik.

En ese momento la hermana pequeña de Ylke, Lyte, fue al encuentro del grupo. Era una niña vivaz y hermosa, y aprendía muy rápido. Ylke la adoraba.

—Apartaos, apartaos —dijo Hathel con desprecio—. Otra de esos numerosos Lewander viene al encuentro de sus hermanos...

Los ojos de Lyte, inocentes y hermosos, miraron hacia Hathel sin comprender lo que había dicho.

—Ya basta —murmuró de pronto Aiken, que no soportaba el trato que les dispensaba Hathel, y mucho menos que se metiese con su hermana pequeña. Eso era demasiado. Esquivó las manos de Alan y de Angus Wallace y logró apartar a Victus de un empujón. Después disparó el puño y golpeó la cara de Hathel con gran contundencia. Hathel cayó hacia atrás en manos de Broer. La respuesta fue inmediata: varios de aquellos holandeses se arrojaron sobre Aiken, y algunos de los primos de Hathel, los Plumbeus de Worcestershire, se unieron a la pelea. Se respiró un olor pestilente y en medio del tumulto de estudiantes Aiken parecía que se asfixiaba. Ylke no podía ver bien a su hermano. La confusión creció: una voz invisible maldijo en latín y pronunció el nombre de algún emperador romano, un puño invisible golpeó a Hindrik en el trasero, éste se volvió y quiso iniciar una pelea con otro chico holandés, un brazo invisible apresó a Vick van der Weeen por los tobillos, le hizo perder el equilibrio y lo arrojó al suelo.

Entonces se vio una luz pálida y un relámpago, y todos se detuvieron. Y allí en medio apareció lord Cormac, empuñando con su inusitada maestría la varita de bronce.

—Se acabó —dijo, sin apartar los ojos de la mirada rabiosa de Victus Vitrius, tumbado en el suelo—. No es la primera vez que esto sucede, Victus. Escobas voladoras, pestilencias maléficas... todo eso está prohibido. Como lord electo de los aprendices de la Cámara de Fuego, te denunciaré ante el Consejo.

—Es cierto —replicó el holandés—, no es la primera vez que Aiken Lewander se merece un juicio inquisitorial por sus amenazas contra otros aprendices, ¿verdad, Audatrix?

Audatrix Logan era la cabecilla de los aprendices de la Cámara de Tierra. Era una chica alta, rubia, de ojos hermosos y verdes, cuya presencia intimidaba mucho a los chicos. Lord Cormac no le hizo ni caso. Alzó la varita.

—Habrá que escuchar a ambas partes —dijo Audatrix.

—Yo mismo he sido testigo —replicó Cormac con una contundencia fulminante.

En ese momento, lord Máximus se interpuso entre los jóvenes.

—Estoy un poco harto de las rivalidades entre los aprendices de las cámaras; esto no puede volver a repetirse —dijo severamente—. Hathel Plumbeus y Aiken Lewander, quiero que os evitéis.

—¡Ha insultado a mis hermanas y se queda tan tranquilo!

—Lo he visto, milord.

—¡No importa! —protestó lord Máximus. Se volvió y miró por encima de las cabezas de los estudiantes—. Va a empezar la ceremonia; separaos y marchaos hacia las escaleras, donde aguardan la mayoría de vuestros clanes. No me gustaría tener que proponer una expulsión para ninguno de vosotros…

—¡La culpa ha sido de Ylke Lewander! —exclamó de pronto Hathel con determinación—. ¡Tendríais que haber oído cómo se burlaba de mis pesadillas y cómo se atrevía a reírse del ataque del vampiro!

Cormac no supo qué decir, pero un coro de voces airadas comenzó a negar lo que Hathel afirmaba con tanto descaro. Ylke se había quedado muda de asombro. Varios de los ayudantes de lord Cormac se aproximaron, así como el ecuánime lord Máximus.

—¡Se acabó la discusión, Hathel Plumbeus! Ser el hijo de sir Whylom no te da derecho a hablar de ese modo —dijo lord Máximus. Hathel miró al suelo y buscó las puntas de sus botas, avergonzado y con gran rencor. Se volvió junto a Audatrix y caminó en medio de su pandilla. Junto a él, Victus van der Weeen se ponía el sombrero de ala ancha y pasaba su mano sobre el hombro de Hathel, para volverse por última vez y lanzar una mirada perversa hacia Ylke, cuando lord Máximus se marchaba.

—Es posible que os libréis de ésta, ¡pero alguien me ha sujetado los tobillos y era invisible! —los amenazó Victus.

—No le hagas ni caso —le recomendó Gretel, quien se apresuró a animar a Ylke.

—¿A qué se refería? —preguntó Alan a Cormac.

—Ni idea… —respondió aquél, guardando su varita.

—¡Pero qué imbécil que se ha vuelto! —exclamó Aiken—. No sabía que las picaduras de murciélago tuviesen resultados tan raros. ¡Me pregunto si también le ha dado por dormir boca abajo colgado del techo!

Aquello conquistó un buen coro de risas. Cleod fue a saludar a Ylke y dijo:

—Bien, ¡acabas de conocer con todos los honores a Sick Vicious!

Ylke sonrió por vez primera al escuchar aquel sobrenombre.

—¿No te parece un poco exagerado? —preguntó ella.

—¿Exagerado? Apropiado, muy apropiado —comentó Gretel.

—¿No has visto esas ojeras verdosas? —preguntó Gertrud.

—Hemos oído algunas cosas —continuó Alan.

—Todavía no está claro, pero al parecer Sick Vicious y varios de sus amigos tienen su propia destilería escondida en el Reino de los Aprendices...

—¿Cerveza? —preguntó Ylke, perpleja—. Que yo sepa, no está tan castigada...

—Beben algo más peligroso; no tardaremos en averiguar qué es y entonces ya veremos quién va a ser llevado ante la Cámara Alta para dar explicaciones... —replicó Aiken, cabreado.

Ylke estaba deseando hacer más preguntas cuando el silencio comenzó a imponerse a su alrededor. Se encontró con los ojos de Cormac y se dio cuenta de que ya no era momento ni lugar para conversaciones. Allí delante, al pie de la gran escultura, una solemne comitiva ocupó los peldaños que se elevaban sobre el gran laberinto de roca dibujado en el suelo por losas de mármol de diferentes colores. Los aprendices abrieron paso a un hombre que caminaba algo cabizbajo, cubierto con una túnica negra y una capa plomiza y pesada. Sus cabellos colgaban por la espalda y su rostro pálido y anguloso, el delgado tabique de su nariz, la sonrisa de sus labios, eran inconfundibles: sir Whylom Plumbeus avanzaba con esa extraña simpatía que a nadie dejaba indiferente hacia el centro de la gran reunión. Los alumnos se apartaron, guardaron silencio. El Consejo llegó hasta el centro de la explanada del patio de armas, situándose justo debajo del centro de la vidriera.

Pero ¿cómo demonios podía estar allí? ¿Mentía Asmodeo? Y esa pregunta no sólo se la hizo Ylke, también sus amigos... No parecía enfermo de gravedad; cojeaba y se mostraba débil, pero nada más. Aiken se sintió especialmente defraudado.

Sir Whylom Plumbeus saludó a los lores y estrechó las manos de un hombre vestido de un modo extraño. Parecía un comerciante venido del continente, con un sombrero parecido al de Victus Vitrius y altas botas de piel, aunque llevaba una capa encapuchada amplia y verde, remendada cuidadosamente con docenas de pequeños recuadros de tela de diferentes colores, como si fuese una vidriera tejida hilo a hilo por manos expertas. No muy lejos, detrás de ellos, estaba el oscuro profesor de Venenología, Adelbrandt Wendel.

—¿Es ése lord Hubert van der Weeen? —susurró Ylke al oído derecho de Gretel—. ¿El padre de Vick Vitrius?

—El mismo —respondió su amiga.

—Ya decía yo que me recordaba a alguien —comentó ella sin quitarle ojo.

Sir Whylom Plumbeus se volvió hacia la multitud, dispuesto a pronunciar alguna clase de discurso. La mayoría volvió a clavar sus ojos en la enorme vidriera.

Ylke se preguntó si realmente la inauguración de la Gran Vidriera no significaría algo mucho más importante para las manos invisibles que fisgoneaban en las tinieblas de Hexmade. Se fijó en Plumbeus, y vio que el medallón de la Hermandad de Wilton todavía pendía de su cuello.

—Aprendices, compañeros y maestros: la Universidad de Hexmade acoge a numerosos hombres ilustres —se hizo oír la voz de Whylom—. En este día tan señalado por los calendarios de los astrólogos, debemos saludar con especial respeto a lord Hubert van der Weeen, Gran Maestro de la Logia de Alquimistas de La Haya y Portavoz de la Hermandad de Vidrieros. La hermandad dedicada al noble elemento cristalino ha demostrado ser una de las mejor organizadas del continente en los duros tiempos de las persecuciones, ¡he aquí su gran trabajo, regalado a la Universidad de Hexmade!

Hubo un aplauso no demasiado largo.

—Es una de las nobles casas de familias de nacidos-alquimistas que se han unido fraternalmente a las Hermandades de Hexmade para apoyarnos en nuestra lucha —continuó Whylom—, y tanto Luitpirc como todos los miembros del Consejo hemos coincidido en darles la más cálida de las bienvenidas. No conformes con ello, los trabajadores vidrieros han instalado algunos de sus mejores laboratorios entre las cámaras inferiores de esta fortaleza, desarrollando con nosotros el conocimiento que nos llevará a nuevas armas de increíble valor frente a las artimañas del Sumo Inquisidor de Inglaterra. Como muestra de su colaboración y gratitud, mirad hacia arriba y ved lo que se extiende por encima de vosotros.

»¡Es la Gran Vidriera de Hexmade! ¡Más de un millón de cristales han sido ensamblados en la mayor construcción que se haya visto hasta la fecha para mostrar la Leyenda Alquímica en todo su esplendor y gloria! Nadie podrá negar que ninguna catedral normanda en Inglaterra pueda rivalizar con esta extraordinaria obra de arte que se convierte en el símbolo de nuestra universidad...

Y mientras Whylom Plumbeus insistía e insistía (e insistía), Ylke perseguía los complicados retoques que los cristaleros habían dado a todas aquellas piezas para lograr forjar tantos fragmentos con los más variados matices de color. Lord Hubert alzó su bastón dando alguna clase de orden, y entonces el encantamiento de la Gran Vidriera cayó sobre la multitud como un hechizo: la luz que atravesaba los cristales comenzó a crear increíbles y hermosas imágenes que se desplazaban unas dentro de otras y que cambiaban de sitio, todas ellas imágenes oníricas semitransparentes que se ponían en mudo movimiento y que arrojaban destellos, provocando láminas de luz que se deshacían como polvo de cristal incendiado antes de tocar sus cabezas. Ylke vio caballos alados galopando hacia un cielo muy elevado, paisajes esféricos dentro de los cuales brotaban nuevos paisajes, de los que salían nubes enormes; los rayos dorados entraban en los torbellinos y recorrían los ángulos oscuros de las bóvedas antes de apagarse y simular relámpagos devastadores. Empezaba a darse cuenta de que no sólo los vidrieros habían tenido una importancia enorme en aquella obra, cuando la voz de Whylom volvió a atraer sus pensamientos, como si hubiesen coincidido en el mismo punto por una misteriosa casualidad:

—... pero nada de esto habría sido posible sin la valiosísima ayuda del Gremio de Plomeros de Hexmade, que ha colaborado en fraternal amistad con los vidrieros para poner en marcha este magno proyecto. Me enorgullece poder decir, siendo como soy un *Plumbeus*...

—Pues claro que eres un plomo... y de los más pesados —murmuró Aiken, haciendo sonreír a más de uno a su alrededor.

—... que los de nuestras familias hayamos sido honrados con semejante alarde de creación frente a todos los alquimistas. Y eso me lleva a hacer una reflexión pública que ningún aprendiz debería olvidar... Ejem... Y es que, como todos pueden ver, nada hay más importante en esta Leyenda Alquímica que el Sol, el Ojo del Monarca, la transmutación de los metales gracias al amparo de la naturaleza y de los procesos de los elementos, pasando por el león, el dragón y el caos de las tinieblas.

Hubo un clamor inmediato en las primeras filas y, al parecer por cortesía y en gran parte por desconocimiento, muchos otros secundaron el aplauso que se prolongó durante algunos minutos. Finalmente, Whylom cedió la palabra al Gran Maestro de los Vidrieros, pero éste hizo un gesto amanerado y cortés (que a Ylke le recordó bastante al que había hecho su hijo Sick Vicious) retirándose el gran sombrero, y después, acariciándose un atusado bigote, se limitó a agradecer la ovación que se le dedicaba, y dijo brevemente:

—El hechizo de la vidriera es el más hermoso que hayamos creado —explicó—. ¡Es el Teatro de los Sueños! La Gran Vidriera atrae y proyecta muchas de las imágenes que los moradores de Hexmade han soñado, lores y aprendices por igual, y criaturas mágicas que nos acompañan. La Gran Vidriera es el crisol de los sueños, y todos los que se acerquen a ella serán tocados por su magia.

Y mientras el discurso seguía, Ylke hizo una señal a Cormac y se apartó del grupo fingiendo ir en busca de los lavabos. La multitud seguía embobada, sonriendo ante las increíbles y deslumbrantes imágenes que la vidriera era capaz de invocar en el gran espacio esférico que quedaba debajo de ella. Una vez allí, decidió ir en busca de la Sala Octogonal y así se lo dijo a Cormac, que la había acompañado.

—¿La Sala Octogonal? ¿Para qué?

—Le prometimos a Asmodeo que vigilaríamos a los vidrieros. Todos ellos están aquí presentes; es el momento ideal para dar un paseo tranquilamente por sus talleres, ¿no te parece?

Cormac no quiso responder que no se lo parecía, pero decidió acompañarla. Una extraña premonición se apoderó de su corazón y no quiso dejarla sola. Ylke parecía demasiado decidida a asumir riesgos. Los ojos de la joven se fijaron en la esfera de imágenes, y allí descubrió el rastro luminoso, teñido de rojo, de un ser que se cubría con una máscara... y eso era algo que ella había soñado. Esperaba que aquello no tuviese consecuencias, que nadie se enterase de nada... pero quizá el hechizo que ocultaba la Gran Vidriera era en realidad una increíble y bien disimulada arma de vigilancia, capaz de penetrar en sus sueños, vigilando a todos y a cada uno de los moradores de Hexmade.

Habían estado en la Sala Octogonal al menos dos veces. Espejos por todas partes, puertas cerradas, otras entornadas. De pronto, todo lo que había delante de ellos era un pasillo demasiado largo que no tenía nada que ver con lo que recordaban de aquella parte del castillo.

El ruido se alejó poco a poco y, superponiéndose, oyeron un sonido muy extraño que venía de algún lugar cercano. Dieron los pasos con tanto sigilo que pudieron contarlos. Ylke empezó a mirar los pilares que sobresalían de los muros y, sin saber por qué, pensó que debía arrimarse a ellos, por si alguien los observaba. Aquel sonido iba acercándose, o más bien Ylke se dio cuenta de que era ella la que se acercaba a él... hasta que sus pasos se detuvieron cerca de una puerta. Oía el crepitar de las llamas, también una especie de fuelle. Desde luego, si era un fuelle se trataba de un fuelle poco común.

La puerta estaba casi cerrada. Cormac empujó levemente la hoja y ésta cedió unas pulgadas. Tras otro empellón, pudo asomar un ojo. Ylke le siguió y vio una cámara en la que un alquimista encapuchado, de espaldas a ella, hacía un extraño ruido al soplar por un tubo. En el extremo de aquel rarísimo artefacto sostenía un globo rojo, perfectamente circular y candente como un hierro sacado de las entrañas de la tierra. Soplaba y soplaba, hasta que el globo adquirió el tamaño de una cabeza normal. El alquimista cogió unas tenazas doradas y empezó a efectuar complicados cortes en el pastoso cristal. Después extrajo un gran caldero que barbotaba sobre las llamas y vertió todo su contenido en una pila de mármol blanco. Allí echó líquidos procedentes de matraces y retortas que a Ylke no le parecieron demasiado densos. Cada pócima despedía un penacho de vapor. Éste se alzaba creando formas fantasmales que se superponían las unas a las otras como en el caso de las imágenes creadas por la Gran Vidriera; después se desvanecían rápidamente en las sombrías bóvedas.

Por fin el misterioso alquimista se inclinó, aferró la mitad de aquella esfera de cristal y la puso una vez más al calor de las llamas. Ahora las pinzas la extrajeron al rojo, como si fuese un ascua abrasadora. Tras un sonoro soplo del alquimista, el cristal comenzó a arder. Ylke trató de averiguar quién era aquel hombre, pero estaba de espaldas, y encapuchado, y en ningún momento se volvió hacia la puerta. No supo por qué, pero abandonó la idea de presentarse y preguntarle qué estaba haciendo. Tenía la sensación de que había algo peligroso en aquella escena.

Por fin el alquimista alzó el cristal llameante. Sacó lentamente algo de su bolsillo. Ella habría jurado que se trataba de un mechón de pelo algo oscurecido. Después vio cómo un botellín plateado dejaba caer unas gotas en el agua de la pila de mármol. Una extraordinaria reacción debió de obrarse en la pócima. Oyó gritos y voces que empezaban a arrastrarse por las paredes. Aun indecisa, continuó espiando lo que sucedía. Cormac no salía de su asombro. El alquimista susurró unas palabras y sumergió de pronto el cristal llameante en la pila.

Una lengua de niebla trepó de pronto, densa como una nube de tormenta, y la sala entera se entenebreció. El alquimista tomó el cristal y, como si fuese una máscara perfectamente ovalada, se cubrió con ella el rostro. Giró sobre sus talones para mirarse en un gran espejo que colgaba de la pared, a su derecha, y avanzó hacia él.

Incluso desde aquella distancia, Ylke pudo ver la extraña apariencia de aquel rostro que se había convertido en un espejo ovalado capaz de reflejarlo todo a su alrededor, un rostro impenetrable bajo los pliegues de la capucha. El espejo ovalado de la portentosa máscara empezaba a transformarse en otra cosa, pero Ylke retrocedió y empujó la puerta de nuevo hacia sí. Antes de que se cerrase, soltó la anilla, y ella y Cormac corrieron con gran decisión hacia el fondo del corredor. Ylke empezó a experimentar una extraña sensación de pánico, ¡ya había soñado con aquel alquimista la noche anterior en un sueño profético...! Los pasos sigilosos de aquel alquimista podrían dirigirse hacia la puerta de un momento a otro y descubrirla huyendo a toda velocidad. Le pareció que sus botas hacían un ruido de elefante. Miró hacia atrás: nada. No había nadie observándola, aquella puerta era indistinguible en la larga sucesión geométrica de puertas, pilares, muros, arcos... puertas, pilares, muros, arcos... puertas...

De modo que corrió y corrió hasta que al fin pareció que iba a suceder algo espantoso, y entonces se dio cuenta de que corría hacia un enorme espejo que reflejaba el pasillo a su espalda. Se había apresurado hacia ninguna parte. ¿Dónde estaba Cormac? Le entró angustia como nunca al ver que su figura minúscula crecía en el espejo a medida que se aproximaba a él. Por más que gritase nadie la oiría. Miró a ambos lados, y el final del corredor no parecía ofrecer ninguna salida. Estaba atrapada y Cormac había desaparecido.

Giró sobre sus talones, con el corazón latiendo a toda pastilla.

En medio del pasillo, a gran distancia sobre el mármol blanco y brillante, la imagen de un alquimista encapuchado observándola le puso los pelos de punta. No tenía rostro, sólo aquella esfera especular que reflejaba todo lo que existía a su alrededor. Ylke retrocedió, a pesar de todo. El alquimista la perseguía.

—¿A qué estás esperando? —era la voz de Cormac—. ¡Ven! Hay una escalera.

Corrió desesperadamente hasta el espejo para darse cuenta de que, pese a que dos espejos enfrentados a izquierda y derecha reflejaban los planos laterales del pasillo, una escalera ubicada inmediatamente al pie del gran espejo frontal descendía a otro corredor inferior. Antes de descender vio su propia imagen reflejada en todos los espejos, mirase donde mirase.

Bajó la escalera y Cormac tiró de su mano. Corrieron.

Aquel lugar les era más conocido. Subieron otra escalera, doblaron a la derecha y se cruzaron con dos o tres alquimistas que se volvieron hacia ellos, sorprendidos.

Miraron hacia atrás y se dieron cuenta de que nadie los seguía.

12
SETAS, SAPOS Y VENENOLOGÍA

¿Qué significaba lo que habían presenciado? ¿Quién era aquel alquimista que se cubría con una máscara especular? Había soñado algo parecido la noche anterior. ¿Y por qué había tantos espejos enormes en Hexmade desde que los vidrieros holandeses se habían vuelto tan influyentes entre los lores?

La multitud se dispersaba. Las imágenes del Teatro de los Sueños cambiaban y se volvían más melancólicas. Muchos de los lores se habían marchado. Se oyó el lejano rumor de los truenos. Cormac miró a Ylke.

—No estaría mal que nos reuniésemos en la biblioteca.

—De acuerdo, así nos ponemos al día para la clase de Adelbrandt.

No hubo noticias de Asmodeo, de quien Ylke esperaba obtener importantes respuestas. Mientras todo aquello daba vueltas en su cabeza, llegó la hora de la primera prueba de Venenología, y eso les recordó a todos que Adelbrandt Wendel, el profesor del pasamontañas, era otro de sus objetivos.

Una hora más tarde, llovía a cántaros y las ventanas apuntadas de los pasadizos aparecían más grises que cualquier otro día. Los terrenos y campos de alrededor se encharcaban bajo el aguacero, hasta las inmediaciones de Ridleton Mayor, la aldea del pantano. Docenas de aprendices, en grupos o en solitario, se dirigían a sus diferentes clases, agobiados por el peso de sus libros.[2] Aunque la corriente de estudiantes seguía moviéndose, Ylke no pudo evitar quedarse como pasmada mirando hacia arriba. Una de las altas ventanas, golpeada por la lluvia, fue sacudida por una repentina ráfaga. Era como si el viento tratase de entrar en la fortaleza a cualquier precio. «Qué día tan oscuro...», pensó.

Al darse la vuelta, se dio cuenta de que muchos de los aprendices habían desaparecido y se encontró de cara con Bombastus, el Gran Chef de la Montaña, que avanzaba hacia ella rumbo a los pasillos que llevaban a las Cocinas. Como era costumbre en él, a pesar de la lentitud con la que se movía, debido a su tamaño y a su condición de semigigante, muy pronto estuvo frente a ella, inclinándose a cámara lenta como si se tratase de una extraña criatura de enormes manos sudorosas y mejillas tan profundamente rasuradas que parecían la piel de un bebé.

Ylke Lewander pensativa
medita en cuervos y ciervos...
¿Qué querrá la joven entrometida?

Agitó la mano lánguidamente. La chica no tardó en darse cuenta de que detrás de él venían varias docenas de elfos domésticos de aspecto increíblemente envejecido, que cargaban con pesados fardos de verdura y pollos muertos recién desplumados. Bombastus caminaba delante como una inmensa masa de carne blanda y ojos suspicaces, su enorme sombrero de Maestro Cocinero ligeramente ladeado sobre la ceja derecha.

El Banquete de los Lores
se prepara con esmero

2. Sólo los más afortunados contaban con la ayuda de algún elfo doméstico, homúnculo o golem que sirviese a su familia y que cargase con los tomos de *Historia antigua*, *Transmutación* o *Criaturas de las sombras*.

en los sótanos de hierro.
Allí duermen héroes sin miedo
a maldiciones y funestos horrores...

A Ylke le habría gustado interrogar a Bombastus acerca del estado de salud de sir Whylom, pero estaba segura de que no le revelaría ni una sola palabra. Trató de no pensar demasiado en lo que decía el Maestro Cocinero, que tenía la extraña costumbre de pasearse por Hexmade canturreando esa clase de adivinanzas sin sentido. Ylke siguió andando, no sin antes observar la triste comitiva de elfos domésticos que avanzaba penosamente rumbo a las Cocinas. Ya se había dado por vencida y se había girado cuando uno de aquellos elfos grises, en realidad el último de los que caminaban detrás de Bombastus, asomó su cara entre los pollos desplumados y la miró largamente, hasta que ella desapareció a la vuelta de una esquina.

Lo que pocos podrían saber es que aquel elfo no era un elfo cualquiera. Al menos fue capaz de hacer algo inconcebible entre los de su familia, servidores de Bombastus desde años inmemoriales: dejó caer los pollos en la espalda de otro de sus compañeros al que le hizo una señal. Su colega levantó la cabeza que mantenía invariablemente vuelta al suelo. Desobedecer podía ser mortal en la mayor parte de los casos. Los ojos bulbosos se desorbitaron. Las pesadas orejas descendieron como si se tratase de un perro a punto de ser apaleado. El elfo más viejo (y causante de aquel estado de ansiedad en su compañero) se puso un dedo en los labios y al volver una esquina... desapareció.

Ylke caminaba hacia el Portal de la Biblioteca por una inmensa sala de losas irregulares que se habían cubierto de pesadas alfombras llenas de polvo. La escalera, suntuosa e incitante, se retorcía custodiada por dos enormes esculturas que honraban a dos alquimistas de Oxfordshire que habían muerto en desigual combate frente a las hordas de lord Malkmus. Estaban esculpidos en piedra a tamaño natural y se apuntaban uno al otro con sus varitas. Uno era bajito y rechoncho, y sostenía una pequeña jaula en la que estaba encerrado un gato salvaje. La otra era una hechicera cubierta con una túnica: sonreía y tiraba de una cadena a la que iba enganchado un enorme sapo de ojos saltones. Ylke se preguntó a qué se debería aquella elección, pero los miembros de la Cámara Alta escogían el mobiliario honorífico de Hexmade según extraños criterios. Si las cosas seguían ese rumbo, se decía ella, tarde o temprano los lores tenebrosos volverían a dominar las islas, y Hexmade sería invadida.

Subió la escalera y el extraño olor de las puertas no la dejó indiferente al entrar en la Torre de la Biblioteca. Detrás de un espacio casi desértico en el que cuchicheaban algunos grupos de aprendices, las mesas se alejaban y se introducían en un laberinto de pasillos. La biblioteca contaba con varias plantas, y no estaba permitido entrar en todas ellas. Al menos nadie tenía ganas de subir tantos escalones para llegar a las plantas superiores. Los arquitectos de Luitpirc la habían diseñado de tal modo que los peldaños de cada escalera eran cada vez más altos y las espirales, más prolongadas. Los libros eran cada vez más gruesos en cada planta, y no todos se dejaban abrir de par en par por cualquier curioso que desease consultarlos.

Augustus Jungius leía en una especie de trono harapiento en medio de aquel espacio expectante y solitario. El tamborileo de la lluvia repiqueteaba en las cristaleras apuntadas. Un par de chicas a las que apenas conocía levantaron los ojos y después volvieron a sus estudios. Las hermanas Murdow: tenían fama de sabérselo todo de memoria con tal perfección que parecía rayar la locura.

Ylke no se atrevió a saludar a Jungius, por miedo a que le recriminase una violación de la estricta Norma de Silencio Absoluto. Augustus, un anciano recientemente nombrado Guardián de los Enmohecidos Libros de Hexmade, detestaba los grupos de alumnos chismorreantes, y había propuesto a la Cámara Alta una severa Maldición de Silencio Absoluto que pesase sobre la planta principal de la Torre de la Biblioteca para disuadir a los que más incordiaban. La ley mágica estaba en proyecto, pero de la ley a la maldición aún quedaba un largo camino de reuniones, votaciones y otras pérdidas de tiempo, por lo que se hacía necesario un cartel de advertencia, que colgaba de las puertas. Enormes lámparas con forma de araña abrían docenas de patas en cuyas puntas sostenían pesadas velas de cera de las que chorreaban, solidificadas, estalactitas larguísimas que casi tocaban el suelo o que fluían entre los armarios. Ylke atravesó el espacio, se metió en un pasillo y subió al segundo nivel.

La luz escaseaba. Había menos lámparas encendidas y la escalera desembocaba en una especie de rotonda de la que partían varios pasillos. Como se sabía el camino al dedillo, siguió junto a los libros de historia y una larga hilera de *Leyes y maldiciones en la antigua Roma*, hasta que llegó a la siguiente escalera, o al menos eso fue lo que creyó. Ascendió los peldaños con cierta impaciencia y llegó a la tercera planta. Sin embargo, al encontrarse en el centro de la rotonda, se dio cuenta de que uno de los pasillos, en los que, al parecer, nunca había reparado, desembocaba en otra rotonda de la que ascendía otra escalera a la cuarta planta. Era tentador. Se quedó abstraída y creyó percibir el sonido de una voz.

Que una mano se posara en su hombro y que ella estuviera a punto de dar un grito de muerte fueron dos acontecimientos tan inmediatos que no merece la pena separarlos con un punto y seguido.

—Eres idiota, ¿no? —Los ojos de Ylke echaban chispas, casi le parecía que sudaba y se le había puesto la piel de gallina.

Cormac la miró como un perrito al que están a punto de propinar una patada en el trasero.

—Yo... no quería asustarte.

Ylke pareció volver en sí.

—Lo siento... es que me has dado un susto de muerte. ¿No podrías haberme dicho algo?

—Iba a decirte algo, pero como no quería darte un susto...

—... vas y me colocas la mano en el hombro como si fueses un fantasma. Ya entiendo.

Cormac dejó de tener mirada de perrito y frunció el entrecejo.

—Últimamente tienes un humor insoportable, la verdad.
—Te digo que lo siento.
—Vale.
—Pues vamos.

Eso fue todo. Un gran diálogo de adolescentes enfurruñados. Cormac estaba realmente desconcertado. Si lo que había pretendido era sorprenderla como suelen intentar a veces los jovencitos poco experimentados, esperando obtener de ella una reacción romántica o algo por el estilo, el caso es que había metido la pata hasta el fondo. Ella tampoco es que estuviese demasiado contenta con su propia reacción, pero no entendía lo que Cormac había pretendido.

—¿Vamos? ¿Adónde? —La confusión del chico no acababa ahí.

—¿No has visto esa escalera? —inquirió Ylke, señalando el pasillo atestado de libros.

—Pues... ahora sí —balbució Cormac, tratando de seguir pareciendo ofendido. (En realidad, lo estaba.)

—Deberíamos echar un vistazo —insistió ella.

—Bien.

Algo en el tono y la actitud de Cormac rezumaban desafío masculino. Ylke se sintió provocada y empezó a caminar rápidamente para sacarle ventaja. No habían tenido tiempo de analizar su experiencia en busca de la Sala Octogonal cuando ya iniciaban una nueva expedición.

Aquella escalera era más larga que las anteriores, los peldaños más altos, y el espacio de acceso más estrecho. Una vez arriba, se dieron cuenta de que no había ninguna luz atrapada en el interior de alguna lámpara de cristal, ni tampoco velas colgantes en lugares estratégicos. Sin embargo, un resplandor blanquecino se escapaba entre hileras de gruesos tomos... y ambos pensaron en lo mismo.

Nada como un fantasma en una biblioteca. Suelen abundar en esos lugares; nadie debería extrañarse en cualquier cámara llena de libros si presta atención y tiene alguna capacidad para verlos. Pero aquello fue diferente.

El pasillo se volvía más estrecho. La pila de libros crecía y dejaba una especie de desfiladero sobrecogedor por cuya garganta Ylke y Cormac caminaban hacia la extraña luz. Ahora sólo podía oír aquella voz agradable que leía en voz baja un cuento infantil.

Parecía una anciana dulce y a la vez noble, la voz de un aya que, aburrida en la cámara de las doncellas de una importante corte europea, leyese una historia a niños aburridos.

Allí estaba. Era otra vez ella. No había libros a su alrededor, sino docenas de tarros de cristal que centelleaban al encontrarse con su luz. Los cabellos de la anciana flotaban en un éter pesado y ectoplasmático. Consecuentemente, hacía un frío terrible. Ylke tardó en darse cuenta, pero parecía que alrededor de aquella visión todo estuviese sumergido en agua. Como si una burbuja de agua la acompañase y todo lo que entraba en contacto con la burbuja (o, en su defecto, se encontraba dentro de ella) se transformaba: los libros eran esferas alargadas que destellaban, el aire parecía cargado de pequeñas esferas de plasma que vagaban a la deriva merced a unas corrientes de convección mágicas que superaban lo que habían visto hasta entonces, como látigos que se retorcían lentamente, y la oscuridad verdosa se volvía más profunda alrededor.

No importaba demasiado lo que pensasen o dijesen. La anciana se había vuelto hacia ellos y el encanto que pesaba sobre ella ya los envolvía. Sólo vieron una figura fantasmal que flotaba en aquella sublimación mágica y expansiva, que se arrastraba hacia ellos acompañada de un sutil sonido de cientos de arpas desafinadas. Era una fuerza incontenible, la maravillosa obertura de una ópera de fantasmas.

El espectro de Brunilda de Worms comenzó a avanzar. La antigua reina se elevó y tendió su mano huesuda hacia delante. Ylke no lograba ver su rostro todavía. Los libros se convertían en esferas de conocimiento que rutilaban con el resplandor de mil profecías. La mano blanca comenzó a alzarse.

El elfo estaba tan aterrado como podáis imaginar. Por supuesto, había seguido a Ylke en el máximo silencio posible que puede alcanzar un elfo doméstico educado durante generaciones para ser extremadamente servicial y silencioso. No le había costado escabullirse entre los libros, subir la escalera e incluso desaparecer en un par de ocasiones, a pesar de que ya estaba viejo para esos trotes. Pero tenía que hablar con ella. Se lo había pedido alguien y tenía que hacerlo. ¿Y qué se encontraba? Un mal compromiso. No sólo aparecía aquel amiguito del susto, Cormac, sino que se encontraban cara a cara con un ente de altísimo poder.

El elfo gris, desbordado por las circunstancias, se abotonó la grasienta túnica y echó un último vistazo antes de coger carrerilla. Tenía que romper el encantamiento o llegaría tarde. Acto seguido, comenzaron sus problemas.

Algo abandonó la estantería de libros que ya empezaba a brillar en contacto con el aura mágica de Brunilda. Se estampó contra las rodillas de Ylke y la arrojó contra los libros del otro lado. Fue como si un bólido hubiese irrumpido en el pasillo con tal ímpetu que el aura retrocedió confundida. Ylke volvió en sí. Cormac apuntó hacia delante con su varita. Brunilda había desaparecido y en su lugar apareció una calavera blanca cuyos brazos se abrieron de par en par, derribando varias de las esferas, que estallaron en pedazos, dejando escapar voces que gritaban frases inconexas unas sobre otras. La horrible imagen que había suplantado a Blancanieves se estremeció y el aura retrocedió sobre sí misma, dejando a su alrededor una imagen distorsionada de cuanto había tocado, antes de extinguirse rápidamente en un punto de luz que se desvaneció muy despacio.

Ylke y Cormac huyeron a la escalera tan rápido como pudieron. El viejo elfo se arrastró entre los libros y los siguió tan de cerca como pudo, lanzando recelosas miradas a su alrededor.

Cuando llegaron al punto de encuentro, estaban tan pálidos como la leche: sus amigos los miraron como si ellos mismos fuesen fantasmas.

—¿Qué diablos os pasa? —inquirió Aiken—. Cualquiera diría que habéis visto un...

—Algo parecido —repuso su hermana.

—¿Quién podría ser? —preguntó Cormac, respirando entrecortadamente.

—Qué suerte habéis tenido. Yo todavía no me he encontrado ninguno —añadió Gretel.

—¿Qué?

—Hay gente que se pelea por ciertos sitios de la biblioteca, en los que tienen lugar muchas apariciones —explicó Gretel de carrerilla.

—No estaba al tanto, pero creo que se les quitarían las ganas si hubiesen visto lo mismo que nosotros.

El interrogatorio de sus amigos los obligó a hablar de la aparición.

—Impresionante —dijo Leod.

—¡Uau! —añadió Aiken.

—¿Por qué tienes que hacer esas tonterías? —recriminó Ylke a su hermano.

—Porque digo «uau» cuando me viene en gana, ¿te parece?

—No empecéis a discutir, por favor —rogó Gretel, encabezando la comitiva, que se dirigía entre los pasillos de libros hacia una mesa polvorienta aparentemente abandonada en el laberinto del primer piso. Ylke se sintió reconfortada al oír unas voces que murmuraban en voz baja.

—Al menos aquí no estamos solos —dijo.

—Es que rara vez se encuentra la escalera del segundo piso —dijo Bébinn—. Aquí hay más gente. —Cogió la mano de su amiga y trató de reconfortarla—. Estás asustada, ¿verdad?

—¡Pues claro! Sólo hay que verle la cara —interrumpió Aiken rápidamente. Cormac hizo un gesto a su amigo, tratando de advertirle del peligro que corría importunándola de ese modo.

—No era un fantasma normal —explicó Ylke, y todos prestaron atención mientras desplegaban sus bolsas de piel llenas de libros—. Creo que la encontré durante dos espantosos sueños, pero es la primera vez que la veo estando despierta.

—¿Quieres decir que ya la habías visto antes? O sea, vale. —Aiken hizo como que miraba hacia algo muy curioso que pendía del techo cuando su hermana le arrojó una de sus miradas fulminantes—. ¿Qué pasa? ¿Es que no puedo hablar? ¡Espera! ¿Has oído eso? Un fantasma, seguro... —Aiken se levantó, empuñó desafiantemente su varita y caminó hacia una estantería que parecía ir a reventar de tantos libros viejos que se amontonaban unos contra otros.

—Tendrías que hablar con Luitpirc —sugirió Cormac con cautela.

—Paso de Luitpirc —respondió tajantemente la chica.

—Esto... bueno. —Cormac se sentía incómodo.

—Esto es algo que tenemos que resolver nosotros; no podemos esperar a que los mayores nos den la solución porque ya han demostrado que no son capaces de encontrarla. Así de fácil.

—Sí, así de fácil —repuso Gretel algo contrariada por la actitud de Ylke.

—Comprendo que no sois tan inteligentes como yo —dijo Aiken volviendo a la mesa—, por eso a nadie se le ha ocurrido pensar que Asmodeo lleva mucho tiempo desaparecido en combate. Podría haber sido él.

—No lo creo —dijo Ylke.

—Veamos —repuso Aiken inmediatamente—. Demonología, reglas básicas: «Un demonio puede transformarse casi en cualquier cosa en el ámbito de la percepción básica». Y especialmente si se trata de un demonio bastante poderoso, como es el caso de Asmodeo. Podría haber sido él, todavía no sabemos de qué va...

—Va de nuestra parte —insistió Ylke.

—Tendría que demostrarlo y no lo ha hecho —insistió Angus—. La verdad es que nos hizo jurar algo espantoso y luego Whylom Plumbeus apareció allí tan tranquilo. No parecía herido de gravedad...

—Esa imagen, no sé cómo explicároslo, sé que no es Asmodeo... ¿verdad, Cormac?

—Bueno... no —dijo Cormac—. Parecía un espectro de gran poder, no un fantasma.

—Demasiado femenina, ¿verdad? —sugirió Aiken maliciosamente. Recibió varios navajazos desde los ojos de sus amigas, que flanqueaban a su hermana como guardianes custodios—. Quiero decir, demasiado femenina para que se tratase de un demonio de esencia masculina como Asmodeo, o sea, de una maldad inalcanzable para un pobre demonio masculino.

—Está claro que eres idiota —le cortó su hermana—. No se puede hablar contigo.

—Debe ser mutuo, porque somos hermanos.

—Perfecto.

—Pues vale. ¡Otra vez ese murmullo ahí detrás! —Aiken se levantó y volvió a rebuscar entre los libros

Ylke recordó que, a fin de cuentas, habían ido a la biblioteca para revisar los apuntes que Cormac le había prestado, ya que aquella misma tarde se avecinaba el primer examen del profesor Adelbrandt. No podía quitarse de la cabeza todas las cosas que estaban pasando, pero aun así trató de concentrarse. Tenían que aprovechar la ocasión para observar a Adelbrandt detenidamente.

Adelbrandt Wendel había explicado largo y tendido qué era la Venenología —a simple vista, el «arte de la extracción y empleo de venenos», como él mismo la definía— y de la importancia de sus posibilidades combinatorias con metales, especialmente con plomo y mercurio. Hasta ahí todo bien. Al parecer, bañar las varitas en ciertos venenos y soluciones dotaba a sus hechizos de inesperados efectos potencialmente mortíferos. Pero la práctica era otra cosa. Pudieron comprobarlo el día en que bañaron una varita de cobre con mango de acebo en una poción verde de babas de sapo roncador y sapillo corredor, en el que había sido disuelto el iris de una víbora capturada al lazo y a la que un ayudante del profesor le había arrancado el ojo con un pico de pájaro carpintero disecado. Sus hechizos producían, lanzados contra una gallina, un fogonazo verde y cambiaban de sitio todos los miembros del animal, hasta el extremo de ubicar los ojos en el trasero o el pico en una de las alas, que se volvieron verdes y rápidamente perdieron las plumas. Desde luego, constataron que eran efectos muy crueles.

Ylke acercó un candelabro lleno de velas estalactíticas y dejó que la débil luz iluminase sus apuntes. Cormac y Gretel hicieron algo parecido, con menor concentración. Aiken, mientras tanto, merodeaba entre las estanterías y acariciaba con sus manos rugosas unos libros murmurantes que nadie se atrevía a retirar de la biblioteca, a pesar de que ellos mismos eran los primeros que no respetaban la Norma de Silencio Absoluto.

Eran libros que contenían árboles genealógicos dedicados enteramente a dinastías de magos y alquimistas nobles, y ésos eran los peores de todos. En algunos de ellos habían sido encerrados geniecillos de poca monta con el único fin de proteger el libro de lectores indeseados, en el caso de que las maldiciones de las solapas hubiesen sido rotas por algún contramaleficio que las inutilizase, como era el caso. Los pequeños e insignificantes diablillos contaban, sin embargo, con un amplio repertorio de insultos y falsas maldiciones que dedicaban a quienquiera que tratase de meter sus narices entre sus páginas.

—Es difícil fomentar la lectura cuando los libros son tan maleducados, ¿no te parece, Ylke? —preguntó Gretel.

—¡No me toques! —protestó un tomo negro con aprensión.

—Asquerosas manos innobles —añadió otro—. ¡Arderéis en las hogueras! ¡Seréis exterminados por el fuego de…!

La varita de Aiken lanzó un destello azulado al tocar el lomo de aquel tomo tan exaltado, del que procedía la maléfica voz del diablillo. Se oyó un gimoteo y las letras iluminadas en el lomo se apagaron rápidamente.

—¿Qué tal si le pego fuego a esa pareja? —insistió Aiken—. Viviríamos en un mundo mejor…

—Ya sabes lo que dice Luitpirc: «Un libro siempre puede ser útil, aunque sólo contenga mentiras». Además, está prohibido robar, destruir, quemar o silenciar libros en la Torre de la Biblioteca. Es la ley. Olvídalos y mira esto —pidió Gretel.

—O sea, que nosotros tenemos que estar callados y ellos pueden insultarnos si les viene en gana… Estupendo —murmuró Aiken arrastrando los pies sin entusiasmo alguno mientras volvía a la mesa.

Babas de sapo:
especies y combinaciones

—Ese capítulo está dedicado a las babas de los sapos que pueden encontrarse en los humedales de Oxfordshire y en los páramos de Yorkshire, y contiene una larga disertación sobre los sapos más raros de las charcas de Morganwg. Por supuesto, la lección sólo se ocupa de los sapos cuyos esputos son venenosos, y asegura que en la naturaleza arrojadiza de los esputos se esconden propiedades de gran valor —explicó Gretel.

—¡Te lo sabes de memoria! —exclamó Ylke, abrumada—. Yo no me acuerdo ni de la mitad de la lista de sapos…

—Los sapos me resultan simpáticos —se excusó Gretel.

En otro capítulo podía leerse:

Setas hepatomaníacas:
envenenamientos mortíferos y otros usos

Otro largo capítulo, provisto, como el anterior, de gran cantidad de ilustraciones que habían sido repartidas en un papel extraído de finísimas pieles de cebolla reseca, detallaba una lista de setas multicolores que podían resultar letales, y analizaba sus combinaciones con otros venenos, especialmente las babas de sapo, que eran tan importantes para la Venenología como la sal en cualquier cocina: al parecer, combinaban bien con todo. A todo esto hay que decir que los poderes letales de aquellas sustancias se multiplicaban cuando eran mezclados, en pequeñas cantidades, con las propiedades alquímicas de los metales, y especialmente con el plomo.

—Desde luego, si Adelbrandt está pensando que los aprendices memoricen de carrerilla esa ingente cantidad de nombres, especies de sapos casi invisibles, etcétera, se va a sentir defraudado por sus alumnos… —protestó Ylke.

—Algunas especies es necesario capturarlas en su forma previa de renacuajos, para lo cual quién sabe durante cuánto tiempo un alquimista devoto debe vagar descalzo por lo más profundo de pantanos infectos de sanguijuelas… —añadió Cormac.

—Pero esta ciencia no parece ser, desde luego, la de un auténtico alquimista, más bien la de un envenenador. Se trata de un estudio pormenorizado de la parte más horrible de la naturaleza animágica, para extraer de ella poderes efectivos y no simbólicos, como postulan los grandes alquimistas como Luitpirc —dijo Ylke—. Es demasiado materialista.

Aiken no entendió lo que había dicho su hermana, pero estaba seguro de una cosa:

—Voy a suspender. Lo tengo asumido.

—¡No seas tan negativo! —exclamó Cormac con un susurro, y entonces se quedó mirando las botas embarradas de Aiken—. ¿De dónde diablos vienes?

—¡Me dan trabajo extra en el Herbolario! ¿Qué te parece? En este mundo hay esclavos. Yo soy uno de ellos.

—Lo que Adelbrandt está proponiendo es un arte corrupto dentro de la escuela de los misterios alquímicos —siguió Ylke—. Se propone combinar las propiedades básicas del Gran Arte con las innovaciones más abyectas de los alquimistas tenebrosos, empleadas por sus lores y por los sirvientes de la sombra.

—Pero es completamente cierto que las armas de los lores tenebrosos son cada vez más poderosas, y por eso tenemos que estar preparados para defendernos —discutió Gretel.

—¿Y crees que la solución es convertir a los alquimistas en algo demasiado parecido a sus propios enemigos? ¡Tanto Adelbrandt como Plumbeus están proponiendo el estudio tenebroso como asignatura oficial! —protestó Ylke.

Dejó de pensar y leyó en voz alta:

Licántropos antropófagos,
también conocidos como licantropofántropos.
Sus transformaciones y fases lunares.
Enfermedades de transmisión mágica:
rabia lunática y rabia vampírica.

Desde luego, no cabía duda de que era interesante.

Después de los sapos y las setas y de algunos venenos de escorpión en forma de anexo, que al parecer debían traerse desde lejanos desiertos en el sur de Arabia, acometía la primera gran especie de Criaturas de las Sombras: los hombres lobo. No conforme con evaluar los peligros que representaban en el continente, donde se extendían como una plaga, Adelbrandt les había advertido de sus poderes y de las formas básicas de aparición. Pero se acercaba la hora de entrar en contacto con Adelbrandt Wendel, así que poco después recogieron sus cosas y se marcharon al laboratorio.

Media docena de calderos bullían llenos de engrudos pegajosos que burbujeaban lentamente sobre llamas azules y verdes. Una vez tomaron asiento, la siniestra figura del profesor se volvió y los miró uno a uno, oculto tras su pasamontañas; la larga capa hecha con pellejo de topo le colgaba desde sus anchos hombros hasta los talones, ocultando sus altas botas negras. Ylke odiaba aquella capa. La voz metálica y cansina de Wendel se abrió paso hasta ellos con perfecta dicción.

—Al parecer, la mayor parte de los hombres lobo son especies humanas, es decir, no proceden de familias de alquimistas corrompidas, aunque es verdad que se han detectado verdaderos hombres lobo cuyo origen no puede ser otro sino el de los reinos del este y las fronteras orientales del Imperio germánico fundado por Carlomagno. Se acepta ya en casi todas las universidades que un hombre lobo es un ser humano que padece la rabia lunática, transmitida por un licántropo, mago o alquimista que practica la licantropía y que sufre la rabia lunática. En Alemania se relatan numerosas experiencias, pero lamentamos no haber podido atrapar vivo en Hexmade, *todavía*, a ningún verdadero licántropo. —El sonido de aquel «todavía» fue tétrico—. Os aseguro que los licántropos humanos proceden de aquelarres de aldeanos en los que son seducidos por algún Hexenmeister, como era conocido entre los germanos el mago o alquimista, un Maestro de Maleficios de una región, para pactar con un señor tenebroso que practica la magia negra, quien les concede un poder de transformación a cambio de proceder según sus inclinaciones, gracias a lo cual logran satisfacer todos sus apetitos. Parece muy humano y brutal, ¿verdad? Es cierto, pero lo que debemos tener en cuenta es que los licántropos transmiten muchas enfermedades, especialmente la rabia lunática.

Adelbrandt hizo una misteriosa pausa y removió con parsimonia uno de los calderos. Parecía un hombre a la vez triste e inescrutable.

—Tras esta benévola introducción, aquí tenéis la prueba de hoy —continuó el profesor—: «Comentario de texto sobre el Acta Inquisitorial del Carnicero de Bedburg». Es un caso de licantropía famoso. Y el contenido de esas hojas —chasqueó los dedos y dos trasgos amedrentados, de anchos hombros y cubiertos con túnicas negras, salieron de una cámara aledaña y empezaron a repartir las copias del acta, cabizbajos— son copias de un documento muy valioso: un acta inquisitorial en la que se detallan las truculentas fechorías, la detención, la tortura y el ajusticiamiento de un hombre lobo capturado en los alrededores de la tenebrosa ciudad de Colonia, junto al Rin. Os deseo suerte. Leeré vuestras redacciones con mucho interés.

Ylke tomó sus hojas e intercambió gestos desagradables con sus compañeros cuando el profesor Adelbrandt se hubo dado la vuelta. Fue entonces cuando descubrió algo espantoso: los espejos que cerraban los armarios del fondo reflejaban la figura del profesor, y allí, en el negro y gris reflejo, se dio cuenta de que el profesor los vigilaba a través del espejo, y habría jurado que sus ojos estaban clavados directamente en ella. Ylke agachó la cabeza, se echó el pelo sobre la cara y se concentró en aquel texto, en el que estaba escrito lo siguiente:

31 de octubre del año 1089, en la Torre de Bedburg
Del Archivo de la Sede Inquisitorial de Colonia

En las ciudades de Cupferadt y Bedburg, en tierras del Imperio germánico, se crió un tal Peter, que practicó las malas artes entre los doce y los veinte años de edad, siguiendo así hasta hoy, sumergién-

dose en los conocimientos de la magia, la nigromancia y la hechicería, y trabando relación con muchos espíritus infernales.

No deseaba riquezas ni ascensos, sino que, poseyendo un corazón tirano y una mente cruel y sangrienta, se adentró en las tinieblas. Podía transformarse en un voraz lobo, fuerte y poderoso, de ojos enormes y brillantes, que en la noche relucían como tizones encendidos, una boca ancha y profunda, con colmillos agudos y crueles, un cuerpo inmenso y aceradas garras. Tan pronto desapareciese el influjo lunar, volvería a adoptar su verdadera forma humana.

Así vivió durante ocho años hasta que los habitantes de Colonia y Bedburg empezaron a salir de casa armados, a fin de poder repeler los ataques del hombre lobo... Todos los habitantes tenían grandes perros al acecho de la fiera, hasta que, por fortuna, lograron acorralarlo, de modo que, viéndose el lobo perdido, arrojó lejos de sí la faja gracias a la cual se transformaba y se apareció en forma humana con un cayado en dirección a la ciudad. Pero los hombres que seguían a los perros no se dejaron engañar y lo apresaron. Poco después fue llevado a la ciudad de Bedburg y, temiendo las torturas, confesó todas sus maldades, cometidas en el espacio de ocho años.

Su hija y su comadre también debían ser reducidas a cenizas a la misma hora del mismo día. Y el 31 de aquel mes, sufrieron la muerte acordada en la ciudad de Bedburg, en presencia de muchos pares y príncipes de Alemania.

Así, buen lector, te he hecho relación del verdadero discurso de este hombre malvado que era Peter, que deseo sirva de advertencia y escarmiento a todos los hechiceros y brujas, que ilegalmente obedecen y siguen sus imaginaciones hasta la ruina y destrucción de sus almas eternamente.

Cuando Ylke terminó de leer el acta, levantó los ojos y se alegró de no estar sola. Pero no era la única que intercambiaba miradas de contenido espanto. Aiken escribía muy rápido, lo que sólo podía significar que estaba dando sus propias opiniones sobre aquel caso, y seguro que al profesor no le iban a gustar.

Adelbrandt Wendel deambulaba entre los calderos, volviéndose de vez en cuando en busca de algún indicio de fraude, o vigilándolos a través del reflejo de los espejos. Conforme los aprendices iban acabando sus comentarios, los dejaban firmados encima de la mesa y se marchaban cabizbajos.

Hathel Plumbeus se levantó a entregar el suyo y, al pasar junto a Cormac, procuró tropezar con su silla, lo que produjo un buen borrón de tinta en la hoja en la que Cormac escribía. Ni siquiera se disculpó. Sus amigos holandeses, Fransien, Broer, Hindrik y Vick Vitrius, no tardaron en seguirle.

Ylke fue de las últimas en salir, y se dio cuenta de que Cormac hacía tiempo para que no se quedase a solas con el profesor.

—¿Habéis terminado, lord Cormac? —preguntó el profesor con su monótona voz.

—Eh... no; verdaderamente, no —respondió aquél.

—Verdaderamente, no... —repitió con acritud Wendel—. Qué extraño suena eso. *Verdaderamente* extraño...

Ylke se levantó y dejó su comentario encima de la mesa, ante la mirada terrible de aquellos ojos negros.

—Ylke Lewander, tengo muchas ganas de leer vuestro trabajo.

Ylke miró aquellos ojos y, al fin, al verlos de cerca, se dio cuenta de que no eran tristes, sino profundos y vacíos. Y sintió un miedo que nunca hasta ese momento había experimentado. Se dio cuenta de que Adelbrandt la amenazaba de un modo indescriptible y profundo. Dio media vuelta sin saber qué decir. No sabía si estaba furiosa o si quería salir corriendo. Ambas cosas. Al verla salir, Cormac se levantó y dejó su comentario.

—Verdaderamente acabado —dijo con retintín.

—Nada como ser un lord para poder permitirse esos lujos con un profesor, ¿miento, Cormac? Sobre todo si el profesor no es un lord, todavía. En la Universidad de Oxford pagaríais caro ese atrevimiento.

—No sé a qué os referís, profesor. —Cormac sonrió con intrepidez, giró sobre sus talones y se marchó con indiferencia. Pero era el último que abandonaba la negra aula. La pesada puerta de nogal se cerró ante él con un violento golpe. Cormac se detuvo, miró a uno y otro lados. Oyó los pasos de Wendel, que se había levantado y avanzaba lentamente entre las sillas. Se detuvo.

—Lord Cormac, ¿disculparéis unos minutos en compañía de un despreciable renegado como yo? Ya sé que no estoy a la altura de un flamante lord de la Cámara de Fuego, escogido por méritos evidentes por ese… ¿Cuentacuentos…?

—Lord Luitpirc de Magonia —aclaró Cormac, adelantando su mentón.

—… pero siempre he querido deciros —continuó, haciendo caso omiso de la corrección— que admiro vuestra astucia. Os quedáis ahí, pacientemente, hasta el final de un examen o de una clase, aguardando para evitar que ningún alumno cobarde se quede a solas conmigo, o que alguna alumna miedosa me mire a los ojos. ¿Qué teméis que les haga?

—No sé de qué habláis, profesor.

Por primera vez oyó la risa de acero, cínica y perversa, de Adelbrandt Wendel.

—Os admiro, pero ¿quién sabe? Puede que las cosas cambien. —Y, volviéndose, chasqueó los dedos y los goznes de la puerta chirriaron levemente. La puerta se abrió—. Puede que quien debería volver nunca vuelva.

Evidentemente, el profesor esperaba una pregunta, una duda… pero Cormac no se dejó seducir; tenía más carácter de lo que la mayoría de sus oponentes, incluidos los profesores, podían imaginar.

—Con vuestro permiso, llego tarde.

Esta vez los pasos de Cormac se alejaron por el negro pasillo, en el que titilaban teas rojas.

Todos, absolutamente todos, suspendieron aquel examen. Después de mostrar los resultados, el profesor Wendel volvió a recaer en sus misteriosas enfermedades y sus clases se suspendieron, lo que fue un alivio para todos. Mientras tanto, el tiempo empeoraba y cada vez hacía más frío. Aquella misma noche se reunieron junto al fuego de la chimenea.

—El profesor Adelbrandt podría hacernos el favor de morirse —murmuró Aiken durante la comida.

—¡No debes desear cosas así! —le recriminó su hermana Agnes.

—Eso es muy malo para tu salud, debes intentar no pensar en él —añadió Vina, otra de sus hermanas mayores.

—Está bien, aunque no veo nada malo en el hecho de que desaparezca del mapa.

—Procurad no hablar, no responderle —pidió Cormac—. Es un ser vil y es capaz de hacer sufrir a personas ante las que se considera superior, y estoy seguro de que eso le causa satisfacción.

—¿Cuáles fueron realmente sus malos actos? ¿Qué ocultará en su pasado? —se preguntó Ylke, abriendo un libro de Runología.

—Deberíamos seguirlo, echar un vistazo a sus aposentos —sugirió Alan con poca decisión. Se hizo un silencio a su alrededor.

—Seamos francos —dijo Ylke—: Adelbrandt da miedo, un miedo que no se parece a ningún otro. No sé por qué. Ésa es la razón por la que ninguno de nosotros se ha atrevido a seguirlo. Aunque deberíamos intentarlo.

—¿Lo echamos a suertes? —sugirió Angus.

—Esas cosas no se echan a suertes: hay que elegir al más capacitado para esa misión. Asmodeo no tardará en aparecer, o al menos eso espero, y deberíamos tener nuestros deberes hechos. Lord Hubert, Adelbrandt y sir Whylom siguen fuera de nuestro alcance. Y encima descubrimos a ese alquimista el día de la inauguración, con la máscara especular... No sé, me da la sensación de que nos están ganando la partida —pensó Cormac.

—Reconozcámoslo: Asmodeo no está fuera de duda —insistió Aiken—. Lo que nos dijo podría ser mentira, podría ser todo una maniobra para despistarnos, una maniobra urdida precisamente por ellos.

—Puede ser —murmuró su hermana—. Si al menos Curdy apareciese... Él es el único en el que confiaría de verdad.

—Y todos nosotros... —añadió Cormac.

—Yo he hecho algunas preguntas —dijo Angus tímidamente—. Creo que el profesor Adelbrandt no vive solo. Al parecer, vive con una misteriosa mujer, una mujer que está en sus aposentos, pero nadie la ha visto; sólo sale de noche.

—Una mujer… Deberíamos investigar el pasado de Adelbrandt. ¿De qué tiene que arrepentirse? ¿Por qué le alcanzó la Maldición de los Renegados? —inquirió Ylke.

—¿Y sabéis por qué recae continuamente en sus enfermedades? —preguntó Aiken—. Porque no se ha arrepentido de nada…

—Pero ¿qué puede ser tan grave?

—Prefiero no saberlo —le respondió su hermano, marchándose con prisas.

—¿Adónde vas con este mal tiempo?

Aiken pareció incómodo y respondió:

—En el Herbolario me tienen muy ocupado… ya sabes…

No estaba segura, pero al ver a su hermano escabullirse entre los aprendices a toda prisa con aquel libro entre las manos, una túnica de lana especialmente espesa y botas altas, tuvo la sensación de que le mentía. Y entonces se dio cuenta de que Murron, la chica escocesa que tanto le gustaba a él, tampoco estaba.

—Sí que se lo tienen callado…

POR FIN, EL MENSAJERO

Se hizo tarde. Habían llegado a la entrada que conducía a la Cámara de Fuego y se despidieron, rumbo a los dormitorios. Una vez en la sala común, Ylke se distanció hacia los túneles que llevaban a los dormitorios de las chicas, y allí, en un rincón, oyó cómo alguien pronunciaba su nombre. Había dos razones dignas de alarma: en primer lugar, no veía a nadie cerca, y en segundo lugar, era una extraña voz de sapo.

Ylke, sobresaltada, se volvió rápidamente y vio cómo una sombra se deslizaba tras una puerta entreabierta. Entró con gran cautela. La sala estaba oscura, a excepción de un candelabro solitario en el que ardían pequeñas llamas azules. El candelabro estaba en pie en un suelo despejado, la oscuridad pesaba sobre sus pequeñas lucecitas como si quisiese aplastarlas. El sapo dio unos saltos por el suelo de mármol negro y se detuvo junto al candelabro.

Ylke, quizá llevada por un buen recuerdo que no fue capaz de identificar a causa de lo insólito de la situación, avanzó hacia allí. Pero cuando estuvo junto al candelabro, el sapo había escapado del círculo de luz y ella se quedó sola junto a aquellas cinco tenues llamas. A su alrededor había una oscuridad impenetrable, porque esas luces no alcanzaban a iluminar más que un pequeño círculo en medio de la vasta sala.

Oyó el golpe seco de la puerta. Se había cerrado. Para qué vamos a engañarnos: *alguien* la había cerrado. Y ella lo sabía. Lo malo era que aquellas salas de estudio estaban protegidas por potentes encantamientos que aislaban completamente el espacio del entorno, insonorizándolas.

En ese momento, una sombra se aproximó al círculo de luz, una sombra encapuchada de la que salieron dos ojos verdosos, enormes orejas de murciélago, una nariz del tamaño de un pimiento... Ylke ya sabía quién era: recordaba el relato de Curdy, la identidad secreta de su mascota preferida...

—Soy Kroter. Disculpad mi súbita aparición en el cuarto. —La voz se había transformado y era una agradable y humilde voz de elfo.

Ylke vio los dos grandes ojos bulbosos que brillaban como lámparas fosforescentes y azules en mitad de las tinieblas. Pero no había nada necromágico en ellos, sino la profunda y servil bondad de los leales e incautos elfos, la raza mágica más maltratada del mundo.

—¡Kroter! —exclamó ella, y sintió que su corazón le golpeaba el pecho. Que Kroter estuviese allí sólo podía significar una cosa: Curdy andaba cerca.

—¡Ylke Lewander! —exclamó el elfo—. Kroter os saluda. —Y, diciendo aquello, hizo una vertiginosa reverencia ante Ylke.

Ella se agachó y, apoyando una rodilla en el suelo para ponerse a la altura del elfo, puso sus manos sobre los hombros de la criatura.

—Dime que me traes buenas noticias, Kroter... —suplicó ella.

—Hum... bueno, son *bastante* buenas —respondió el elfo—. Pero no debo estar en este lugar y... si me sorprendiesen aquí dentro tendría que dar muchas explicaciones. ¡No debería enterarse nadie...! Ese Bombastus es un amo terrible en las Cocinas, y no quiero que me confundan con los elfos grises que le obedecen a merced de esa maldición señorial. ¡Ylke Lewander me entiende mejor que nadie!

—Sobre todo no deben enterarse los muchos espías de Whylom Plumbeus —aseveró ella.

El rostro de Kroter se arrugó como si le hubiesen dado retortijones al oír ese nombre, sus orejas subieron y bajaron, la luz de sus ojos se debilitó.

—¿Recuerda Ylke Lewander el callejón del Puerco, a las afueras de Ridleton Mayor? Hay varias casas deshabitadas al final, donde comienza el campo de calabazas y el mar de ortigas, frente al Valle del Pantano y al cementerio.

—Sí. Ése es el callejón donde habitan la mayor parte de los renegados.

—Desde hace algún tiempo, Kroter y Kreichel habitan allí porque debían... esperar.

—¿Qué debían esperar?

—Pues... hubo extrañas apariciones, hasta que un día, no hace mucho, ¡el amo volvió!

Ylke se tapó la boca evitando soltar un grito.

—¿ESTÁ VIVO? —susurró fuertemente.

—Sí, ¡no es un fantasma...! —respondió el elfo—. Pero no aparece muy a menudo y pidió que avisásemos a Ylke. ¡Quiere encontrarse con Ylke cuanto antes! Hoy no será posible, pero mañana, a última hora de la tarde, podría ser...

—Iré, claro que sí.

—Pero ha de ir sola y no debe decirle a NADIE a quién va a ver, ¡o todo saldrá mal! —Kroter parecía aterrorizado por mil razones, de modo que ella no fue capaz de discernir cuál de todas era la peor, aunque había algo extraño en la actitud del elfo—. El amo tiene un plan. Eso nos ha dicho.

—De acuerdo. —Aunque trató de responder con gran resolución, algo en su corazón la hacía dudar.

Kroter miraba a su alrededor preocupado, como si quisiese marcharse cuanto antes.

—¿Cómo está Gotwif, su madre?

—Ah... Sí... ¡No...! —vaciló el elfo—. No. Gotwif no ha venido con el amo, y el amo no habla de ella. Nunca. No quiere que la recordemos. El amo no nos ha contado nada y nos ha prohibido que hablemos de Gotwif Maiflower... ¡Kroter debe marcharse ahora...! ¡Ya!

—Pero…

—Los sortilegios son muy poderosos, ¡la seguridad del castillo puede delatarme!

La joven se sintió algo defraudada, pero se dio cuenta de que Curdy, hiciese lo que hiciese, era sumamente cuidadoso con los pasos que daba.

—Imagino que no puedes decirme nada, pero… ¿cómo está él? ¡Tú lo has visto!

Los ojos de Kroter se entornaron de un modo extraño y sus orejas descendieron de nuevo, delatando un miedo instintivo y servil; por si eso fuera poco, su voz se convirtió en un susurro y respondió con veneración:

—El amo Curdy es un amo *muy* poderoso…

Por alguna razón, Ylke volvió a sentirse defraudada, pues no era ésa la respuesta que esperaba de Kroter, y se preguntó por qué últimamente se dedicaba a desvivirse por obtener las respuestas que ella esperaba en lugar de conformarse con las que los demás le daban, le gustasen o no.

—Kroter debe marcharse ahora. ¡Inmediatamente!

—De acuerdo; mañana os visitaré. ¿Cuál de esas casas es?

—¡La última de todas, la más alejada, la de las ventanas cenicientas, la de los tejados arrugados como un queso negro derretido! ¡Ésa!

Antes de que Ylke pudiese contestar, Kroter ya se había cubierto con la capucha y, tras retroceder unos pasos, se convirtió en un enorme sapo, saltó a las tinieblas como si se tratase de una profunda charca y desapareció.

EL AMO DE RIDLETON MAYOR

Ylke durmió mal y tuvo toda clase de pesadillas que luego no pudo recordar con detalle. Esperó impaciente en la biblioteca y evitó encontrarse con sus amigos. Fingió estar ocupada investigando y desapareció. Asmodeo continuaba sin dar señales de vida, lo que empezaba a preocuparle. No fue a comer y cuando un sol rojo comenzó a entrar por las ventanas abandonó las murallas de Hexmade, tomó la calzada solitaria y llegó a Ridleton Mayor.

Una vez en la tenebrosa aldea, se internó en el laberinto de callejones. Ya casi no encontraba transeúntes; las nubes se precipitaron y una molesta lluvia empezó a arreciar. Era una tarde muy oscura, pero nadie se molestaba en encender faroles por las calles; unas luces mortecinas brillaban tras los ventanucos de las casas de los renegados.

Por fin estaba allí: al final del callejón se levantaban arbustos y detrás de ellos aparecía la forma de una casa muy vieja y ennegrecida, cuyo tejado parecía derretirse por encima del armazón de vigas que lo sostenía. Desde luego, era una casa en desuso, con puertas y ventanas cerradas desde hacía siglos. La hiedra llegaba a cubrir casi completamente dos de sus fachadas y continuaba trepando con depredadora ambición por la mitad del tejado, como si desease atrapar la casa y ocultarla bajo tierra. Detrás de su descuidado patio, los campos de calabazas gigantes extendían su frondosa vegetación rastrera como un mar susurrante bajo la lluvia. Había árboles y vallas, y el terreno anunciaba la cercanía del cementerio fronterizo con Oxfordshire. ¿Por qué había elegido Curdy aquel lugar? Quizá para entrar y salir de Hexmade de manera discreta, o porque Ridleton Mayor era una aldea llena de personajes extraños en la que otro personaje extraño no llamaría la atención.

Ylke se animó, fue hacia la puerta y la encontró abierta. Entró y la cerró. Se encontró sola en un lugar absolutamente lleno de polvo, envejecido y gris. Tenía esa extraña cualidad de los espacios embrujados, que amplifican con gran fuerza cualquier ruido que un intruso realice, como si la propia curiosidad del edificio por cualquier acontecimiento que pasase dentro estuviese realmente viva. Un resplandor azul escapaba por una puerta entreabierta.

Se asomó y escuchó el eco de unas voces. Pero la voz dominante hablaba con un tono terrible.

—¿Cuántas veces he de repetírtelo? ¿Cuántas?

—No, amo Curdy, no ha de repetírmelo nunca más... nunca más... nunca más... —repetía Kroter, a punto de echarse a llorar. Ylke no entendía lo que podía haber hecho, si era realmente tan terrible para merecer ese trato...

—La próxima vez que te conviertas en sapo, procuraré que la casa se te llene de enormes hipogrifos —lo amenazó Curdy.

Ylke lo encontró más alto y estirado, y más derecho de lo que acostumbraba caminar, pues su temperamento pensativo le daba unos andares algo gibosos. Su pelo estaba más rojo que nunca, iba vestido como un poderoso lord y mostraba el blasón de la Cabeza de León bordado en su túnica. Calzaba botas de campo y se cubría la espalda con una gran capa de seda que emitía tenues destellos al encontrarse con el resplandor de las llamas. Por un momento, Ylke se sintió extraña y fuera de lugar. Se miró las botas embarradas y se dio cuenta de que iba muy despeinada; por si eso fuera poco, le goteaba la nariz a causa del frío viento al que se había expuesto durante la caminata. Pero lo que más le molestaba es que no habría imaginado que Curdy fuese capaz de tratar a Kroter como si fuese...

un esclavo. Por un momento pensó en dar media vuelta y marcharse, pero se dio cuenta de que quizá las vivencias por las que había pasado su amigo lo habían cambiado. Nadie acusado falsamente de asesinato y obligado a cumplir condena por algo que no ha hecho puede quedarse cruzado de brazos como si tal cosa. Las personas cambian. Probablemente estuviese muy dolido, y más aún si su madre había sido torturada y muerta por lord Malkmus de Mordrec y su sanguinario sirviente, Clodoveo. Aunque todo eso desmentiría las noticias que Asmodeo les había contado... ¿Era posible que Asmodeo les hubiese mentido de ese modo? Se sentía confusa, pero tenía que seguir adelante.

En ese momento se dio cuenta de que Curdy la miraba. Sus ojos estaban clavados en ella.

Kroter corrió azorado y realizó una profunda reverencia.

—Lord Curdberthus de Wilton desea entrevistarse con vos —anunció Kroter pomposamente.

—Vale... —respondió Ylke sin saber muy bien qué se esperaba que dijese. Se cruzó de brazos insolentemente.

—Kroter, puedes abandonar la sala, y procura cerrar la puerta cuando hayas salido —ordenó Curdy amablemente.

Kroter lanzó una angustiada mirada a Ylke mientras se iba. Cerró la puerta, no sin antes hacer otra de aquellas exageradas reverencias.

Ylke miró a Curdy, con la esperanza de encontrar al niño que había conocido, pero se le hizo un nudo en el estómago al enfrentarse a la mirada azul y algo despiadada, dura y fría del que había sido su mejor amigo. Esbozó una sonrisa y se quedó quieta.

—Estás muy cambiada... —observó Curdy.

—¡Pensaba que el que había cambiado eras tú! —exclamó ella.

—¡Eso es porque te miras mucho en el espejo y no aprecias los cambios! —exclamó él, acercándose a ella—. Bueno... de todos modos me alegro mucho de que estés bien.

Ylke no ocultó su sorpresa, y empezó a perder el extraño miedo que la había bloqueado. Tenía que ser capaz de ocultar sus pensamientos y escuchar a Curdy. Estaba clarísimo que alguien mentía.

—Se supone que eras tú el que había desaparecido —dijo ella—. Hemos pensado mucho en ti últimamente…

—Por favor, sentémonos —pidió Curdy, invitándola a avanzar hacia la chimenea, ante la cual había dos sillones de rarísimo aspecto. Una vez se hubo sentado, Ylke encontró reconfortante el chisporroteo de las llamas, que devoraban troncos de haya; miró a su alrededor: el resplandor se alejaba desvaneciéndose en la enorme sala circular. Encima de la chimenea aparecía un gran blasón de hierro forjado con las fauces abiertas de un león. Era un lugar austero y a la vez noble, aunque a ella le resultó muy frío.

Curdy se sentó en el otro sillón.

—Creo que es el momento de dar algunas explicaciones —empezó él.

Ella suspiró profundamente, como si estuviese cansada. En realidad, deseaba salir de dudas de una vez por todas.

—Bueno, quizá no sea el momento… —añadió Curdy.

—¡No! Quiero decir sí, sí que es el momento, ha pasado demasiado tiempo —se apresuró a decir ella.

—Supongo que querrás saber qué es lo que sucedió en aquel campo de batalla —dijo Curdy, y la mirada de su amiga bastó para darse cuenta de que ansiaba una respuesta—. Perseguí en duelo a lord Malkmus y logré seguirlo gracias a que toqué su vara en el momento mismo en que iniciaba una traslación de fuga. Creo que el ataque de los dragones escoceses fue decisivo para la Batalla de Stirling, pero yo tenía otros intereses, y uno de ellos era encontrar a mi madre.

—¡Claro! —exclamó Ylke, entusiasta—. Tienes que saber que estoy contigo, ¡yo habría hecho lo mismo!

—Lo hice y eso me trasladó a la Cámara de los Lores, donde fui asediado por vampiros. Después de apresar la Corona de Hierro amenacé a lord Malkmus, invoqué al Fénix y apunté a su cabeza con mi vara, a punto de arrojar contra aquella máscara infame un chorro de fuego devastador… Pero fui atacado por fray Clodoveo por la espalda, que logró apresarme por el cuello, y cuando logré deshacerme de él vi que lord Malkmus huía. Entonces descargué toda mi ira, pensando que no me revelaría el paradero de mi madre, pero fray Clodoveo, el torturador, el jorobado, el inquisidor más sanguinario, apresó incautamente la vara. Logró desviar el rayo y salvar a su señor como buen siervo que era, pero a cambio sus manos se abrasaron y el sortilegio del Fénix arrojó sus garras sobre su cuerpo, convirtiéndolo en una antorcha humana. Clodoveo ardía ante mí y vi cómo la abrasadora llama devoraba harapos, piel y huesos, mientras lord Malkmus se reía en las tinieblas y los grandes no-muertos se cernían a mi alrededor. Salté con la Corona de Hierro a la Caldera Sangrienta, donde permanecía encerrada mi madre, y desaparecí en una profundidad inconmensurable.

—La Caldera Sangrienta... —repitió Ylke, confusa. ¡No había dicho nada sobre la verdadera identidad de lord Malkmus! Tragó saliva.

—Es una caldera donde los lores depositaban la sangre de los alquimistas cazados por los no-muertos —respondió Curdy—. Esas espantosas criaturas regurgitan parte de la sangre de los alquimistas absorbidos, desangrados, y la vierten en esa caldera, a la que llamaban el Sagrario del Cruormante.

—¡Es espantoso! —exclamó Ylke, tratando de comportarse como si no hubiese oído ni una palabra de esa historia en toda su vida.

—El Sagrario del Cruormante es un centro de inconmensurable poder —añadió Curdy—. Es capaz de absorber cualquier ser que lo toque, trasladándolo al no-tiempo y arrojándolo al limbo, pero vi en su interior la aparición de mi aliado, Grendel, y entonces me di cuenta de que, entre otras muchas cosas, también escondía un agujero profundísimo, de que al romper su superficie se saltaba a un abismo interdimensional...

—¿«Interdimensional»? —preguntó Ylke, que no estaba muy segura de comprender el significado de aquella palabra.

—Comprendo que se aleja un poco de las elementales matemáticas de los numerólogos, pero es así: semejante poder crea una fractura en el tiempo, una grieta entre las dimensiones más elementales de las Esferas Inferiores y las Esferas Superiores. El pensamiento, los símbolos alquímicos, el Alto Reino y el no-tiempo son algunas de esas dimensiones, pero debido a lo que pasó más tarde emergió una dimensión que había estado mucho tiempo atrapada, encerrada…

Curdy la miró, sorprendido. Pero antes de que ella pudiese reaccionar, contestó:

—Así fue. Resulta muy difícil escapar y Grendel jugó con nosotros. Me había entregado sana y salva a mi madre, pero no nos ofreció ninguna forma de escapar, argumentando que le agradaba nuestra compañía.

Ylke se quedó pensativa, pero no logró decir qué podía ser y negó con la cabeza. Un extraño silencio siguió al sonido de aquella palabra. La habían oído muchas veces, pero nunca de aquel modo.

—Es muy extraño… —dijo Ylke, apesadumbrada—. Para empezar, tendríamos que averiguar si Whylom Plumbeus es un espía —adelantó ella con vehemencia—. No te puedes imaginar lo que está haciendo gracias a la depresión de Luitpirc… Te traicionó, ¿no es verdad? ¿No sospechas nada de él?

Curdy miró a Ylke sin mostrar expresión alguna en su rostro. Ylke sabía que jugaba con fuego.

—Estoy bastante bien informado, pues Kroter y Kreichel deambulan a sus anchas invisibilizados —explicó Curdy—. Yo mismo me ocuparé de sir Whylom.

Ylke se quedó pensativa.

Algo en el rostro de Curdy la sorprendía, pero no podía decir qué. Sospechaba que en el fondo Curdy no había perdonado a Luitpirc su actitud cuando lo culparon del presunto asesinato de Hathel Plumbeus. Y también le sorprendía la indiferencia con la que Curdy hablaba de Whylom Plumbeus, respetándole, incluso, el título nobiliario de sir.

—Entonces… ¿qué hacemos? —preguntó ella. Si quería salirse con la suya, debía estar lo más callada posible y escuchar, dejar que Curdy hablase.

—Creo que hay dos asuntos fundamentales, y que en realidad se unen en un nudo —dijo el pelirrojo—. Y es un nudo difícil de resolver. Tienes que averiguarlo todo sobre el laberinto: si los templarios están allí, localizar las puertas y saber qué han hecho con el Arca de la Alianza.

Ylke se quedó mirando a Curdy y se acordó de que hasta ese momento todo lo que había pasado y beneficiado a las fuerzas de los alquimistas había venido de la mano de actos aparentemente prohibidos. Si Curdy no hubiese pactado con Grendel, muchos de sus amigos estarían muertos, porque los dragones no habrían intervenido en la Batalla de Stirling.

—Entonces, tendríamos que pensar en cómo entrar en ese laberinto —propuso ella con repentina determinación.

—¡Todavía no! —exclamó Curdy—. Esperaremos, pero no le cuentes nada a nadie. Ante todo, no le digas a nadie que me has visto.

Ylke asintió y escuchó las peticiones de Curdy. Al final se despidieron y él la abrazó, algo que nunca antes había hecho. En ese momento ella habría querido contárselo todo, absolutamente todo, pero algo en el fondo de su corazón se resistió y abandonó la casa con una melancólica sonrisa. Se marchó de Ridleton Mayor con la sensación de que la seguían. Al caer la noche, ya estaba en la Montaña.

SIR WHYLOM PLUMBEUS

Estaba harta de sapos, setas, escorpiones y licántropos, tenía hambre y debía apresurarse si quería conseguir algo en las Cocinas de Bombastus, porque la verdad era que la hora de marchar a las mazmorras se acercaba rápidamente con la caída de la noche. Sorprendentemente, se había hecho saber durante el día que sir Whylom esperaba a sus alumnos en el Aula Magna de las mazmorras. Lo peor de todo era que ya en los apuntes de su amigo Cormac aparecía anotada la siguiente criatura sometida a exhaustivo estudio, anunciada en la última página de *Filosofía y tinieblas*:

Murciélagos:
una aproximación a sus hábitos nocturnos

De camino a las mazmorras, Bombastus apareció entre las pegajosas brumas de uno de los pasillos que conducían al Comedor de los Lores.

—Ylke Lewander tiene hambre, y el pobre Bombastus debe darle una de sus ricas empanadas… —dijo el extraño personaje. Su enorme manaza se movió con suavidad entre las colecciones de cucharones, palas, cacerolas y cuchillos, y surgió de nuevo de la niebla sosteniendo una gran empanada humeante—. Supongo que algún día los aprendices serán bondadosos y comprensivos con el niño grande de las colinas, ¿verdad, Ylke Lewander?

—Gracias —dijo Ylke—. Hace tiempo que quería hablaros de Adelbrandt Wendel... ¿Por qué nunca come en el Comedor de los Lores?

—Ylke Lewander siempre hace preguntas; para unos es lista, para otros puede ser entrometida... pero Bombastus le responderá que Wendel... —Y el semigigante alzó una bandeja colmada de pasteles de carne que puso en los brazos de media docena de elfos domésticos murmurantes de hosca mirada— es un enfermo que no come lo que comen los demás. Padece oscuros males, se refugia en aulas desiertas donde aúlla el viento en las rendijas de los ventanales, recuerda los nombres de antiguas dinastías cuando duerme intranquilo, y mis elfos, que a veces le sirven el hígado de pato en sus aposentos, dicen que vieron sus sábanas empapadas en sangre. Pero todos sabemos que está enfermo, que sus heridas nunca cierran, que sangran todas las noches, pues ésa es la Maldición de los Renegados, del mismo modo que hay una Maldición Señorial para los elfos domésticos que traicionan vilmente a sus amos —añadió con un truculento tono, mirando de soslayo a algunos de aquellos elfos de aspecto salvaje y nervudo, con orejas grandes como alas de murciélago, que emergían de la bruma—. Y nada más puedo decir. Debo marcharme.

Gracias a la empanada de espinacas con queso, Ylke recuperó la calma. Su encuentro con Curdy había sido muy extraño. Los aprendices iban y venían, pero ya estaban allí reunidos algunos de sus mejores amigos: llegó la hora de descender a las profundas mazmorras.

Las teas azules brillaban, convirtiéndose en puntos cada vez más pequeños y alejados hasta que desaparecían en las tinieblas, quizá engullidos por una larga curva del corredor subterráneo. ¿Hasta dónde llegaba aquel túnel? ¿Adónde conducía? ¿Abandonaba la planta del castillo entre sus muros de carga y recorría las raíces de la Montaña?

La mayoría de los aprendices, que rondaba el centenar, seleccionados entre las cuatro Cámaras, caminaban en silencio, mirando furtivamente a su alrededor. Uno de los ayudantes de Whylom fue a su encuentro empuñando en alto una antorcha violácea. Los aprendices se apretaron unos a otros y siguieron al guía. Todos conocían el camino, pero tenían que aguardar en aquella encrucijada a aquel alquimista flacucho que los llevaba hasta el Aula Magna.

Torcieron a la derecha y se internaron en un nuevo corredor en el que no brillaba ni una miserable antorcha. La luz violácea emitía un resplandor lívido y las sombras reptaban indecisas por las paredes. Por fin llegaron al umbral de una puerta y se internaron en el pasillo de la izquierda, donde las luces comenzaron a arder. Caminaron por lo que parecía ser una bodega horrible.

Enormes frascos de cristal se alzaban a su alrededor, unos medio vacíos, otros llenos de líquido espeso, oscuro, verdoso, rojo como la grana. Muchos de ellos habían sido cubiertos con tupidos tapices negros para impedir que entrase un solo rayo de luz. Ylke estaba segura de que algunos de aquellos tarros contenían criaturas espeluznantes, y que muchas de ellas no estaban absolutamente muertas.

Se dio cuenta de que Gretel se cubría el rostro para evitar ver lo que se acercaba por su izquierda; abrió bien los ojos para saber de qué se trataba.

—¡No mires ahí!

Pero Ylke hizo de tripas corazón y clavó sus ojos en una espantosa visión: dentro de aquel cristal aparecía una cabeza de gigante decapitada, con los ojos abiertos y saltones, pálida y con el pelo flotando alrededor como si cien ratas hubiesen sido congeladas devorando su cuello.

Ylke apartó la mirada para encontrarse con otro recipiente medio cubierto que mostraba encerrado una especie de pulpo gigante cuyos tentáculos viscosos estaban a punto de romper el cristal para arrastrarse hacia el estrecho pasillo, y no sin horror descubrió entre los pliegues de aquella piel descolorida y blanda la mirada de un ojo viscoso en el que aún parecía ocultarse una chispa de vida.

—Espero que no se escape ninguno… —murmuró. Y se dio cuenta de que la mayor parte de sus compañeros pasaban cabizbajos entre tanta reliquia del mundo animágico. En ese momento sintió que alguien rozaba sus largos cabellos y, con un espeluznante escalofrío, advirtió que algo pasaba volando entre ella y Ditlinda y que la había tocado. Oyó un leve chillido semejante al que hacen las ratas y supo que no podía haber sido otra cosa sino un murciélago.

—No sé si lo soportaré —protestó.

—Vamos, Ylke, cuanto antes crucemos esta parte, antes acabaremos —susurró Gretel.

En otro tarro vieron un dracontófago disecado. Se parecía mucho a Asmodeo. Sus ojos, sin embargo, estaban negros y muertos.

La antorcha del guía entraba en una sala: el Aula Magna, una sala semicircular a la manera de los teatros griegos, excavada en la roca, simétrica y perfectamente estudiada para que el sonido de la voz de un maestro se propagase por igual en todas direcciones. No supo por qué, pero se acordó inmediatamente de lo que se rumoreaba acerca de la Cámara de los Lores. Las gradas descendían vertiginosamente, excavadas en la roca, y rodeaban un amplio espacio central en el que había una gran mesa de piedra. La pared del fondo, detrás de aquel escenario, estaba dominada por una gigantesca chimenea, pero, a diferencia de la mayor parte de las chimeneas del castillo, aquélla tenía una forma espeluznante y tétrica, como si fuesen las fauces de un enorme murciélago en cuyo interior ardía un fuego violáceo. Los ojos del murciélago eran rendijas abiertas a través de las que brillaba el resplandor lívido de las llamas, y los detalles más siniestros de la anatomía de un murciélago habían sido esculpidos por aquellos tenebrosos picapedreros con espantosa precisión. Las grandes orejas se abrían a ambos lados, anchas y ganchudas, y el tiro de la chimenea ascendía tatuado con docenas de signos e inscripciones rúnicas. Sin embargo, y como había imaginado, lo peor de todo sobrevino cuando Ylke miró hacia arriba y descubrió, con un estremecimiento, la cantidad de murciélagos de todos los tamaños que cubrían la bóveda.

Descendieron por las gradas. Casi nadie quería sentarse en las primeras filas, pero Ylke insistió a sus amigos, y tanto Cormac como su hermano Aiken, así como sus amigos escoceses Angus y Alan Wallace, Murron, Gretel, Vina y su hermana mayor, Agnes, la acompañaron en primera fila, lo que atrajo hacia la parte opuesta a Hathel Plumbeus y a sus inseparables y nuevos amigos holandeses.

—Gordo Broer, Hindrik Siempredespeinado, los inseparables Jan-Jacob Patizambo y Fransien Carapato y, sobre todo, Sick Vicious —recitó Aiken para deleite de sus amigos—. No falta ninguno, incluido ese inepto niño mimado de Hathel Parapedus.

A pesar de las desafiantes miradas que intercambiaban, tanto Ylke como sus amigos decidieron no hacerles el menor caso.

Los rumores decrecieron. El ayudante de la antorcha desapareció en uno de los pasadizos inferiores, y al poco tiempo el mismísimo sir Whylom Plumbeus, el artífice de todos aquellos estudios, el investigador más enigmático del Reino de Inglaterra, apareció con paso distraído y vacilante por uno de los pasillos. Alzaba un brazo del que colgaba una criatura que impuso el silencio absoluto entre los aprendices sin necesidad de pedirlo. Con los dedos de la otra mano hacía unos movimientos rarísimos, como si hipnotizase a la criatura. Se situó en el centro de la escena, frente al fuego, donde las llamas decrecieron. La luz que los había iluminado se extinguió y se quedaron sumidos en las tinieblas. El guía llevó dos grandes antorchas que situó en el perímetro del centro de la sala. Todos vieron cómo Whylom dejaba que el murciélago se enganchase con las patas a una rama horizontal que salía de un tronco seco, al parecer bañado en plomo.

Whylom se volvió y su capa aterciopelada emitió un frufrú desagradable, al tiempo que sus cabellos largos, grasientos y grises se desplazaban pesadamente sobre sus hombros. Ylke se encontró con aquel rostro pálido, la nariz delgada y dura, los labios rojizos y las facciones a la vez agradables de aquel misterioso personaje:

—¿Qué come un murciélago? —preguntó, dando comienzo a su discurso—. ¿Qué bebe un murciélago? ¿Adónde vuela cuando cae el crepúsculo? ¿Vive en familia o es solitario? ¿Son todos los murciélagos iguales? Ésas son las preguntas que nos hemos hecho hasta ahora todos... pero...

Hizo una pausa y paseó su mirada por las primeras filas hasta que reconoció a Ylke, posó en ella sus ojos grises y preguntó extendiendo las manos hacia el murciélago que había traído:

—¿Qué piensa un murciélago?

Volvió a callarse.

—¿Y... qué piensa *de nosotros*? Ésta es la gran cuestión que me ha ocupado durante largos años. El desprecio con el que los hombres trataron a los animales se tradujo en la indiferencia con la que los alquimistas trataron a las bestias mágicas, pero la experiencia ha demostrado que eso es un gravísimo error. Si hay algo que no debemos descuidar es esta pregunta: ¿qué piensan ellos de nosotros? Los alquimistas no son el centro del mundo, deben ser capaces de inclinarse ante otras criaturas que consideran inmundas y tratar de entender sus necesidades, porque pueden ayudarnos en el momento más insospechado, porque pueden ser útiles en nuestro propio destino y porque nuestro enemigo se ha anticipado. ¿Qué piensan esos murciélagos mientras estamos aquí sentados, considerándolos espantosos?

Y mientras Whylom Plumbeus gesticulaba hábilmente y la audiencia de aprendices seguía hipnotizada los movimientos tan estudiados de sus manos, Ylke no dejaba de recordar todas las cosas que Curdy le había contado y que, sospechaba, dado el carácter reservado de su amigo, no eran todas las que hubiera deseado saber. Tanto ella como sus amigos se preguntaban si Asmodeo y Bombastus habían mentido... Si era cierto que Whylom estaba gravemente herido a causa del ataque del Quinto Lord, ¿a quién tenían ante sí?

Ylke veía cómo los murciélagos sacudían las alas, colgados de la bóveda, pensando que aquello era espantoso. Y si bien Plumbeus recurría a una explicación razonable, eso no le eximía de las sospechas objetivas que pesaban sobre sus espaldas. La joven se preguntó si habría algún vampiro oculto en medio de aquella comunidad de horribles y variados murciélagos.

—Pero prestad atención y olvidemos esas reflexiones. Es hora de que empecemos a hablar de la criatura más fascinante que habita en las tinieblas, tan tenebrosa que no necesita ojos —dijo Whylom Plumbeus—. ¿No es acaso un prodigio que puedan volar siendo ciegos? Eso es una poderosa muestra de que su pensamiento es superior al de cualquier otro animal conocido, y entre las especies mágicas los murciélagos son las más poderosas criaturas de las tinieblas. Para empezar, son capaces de disminuir el número de latidos de su corazón cuando cae un frío riguroso, lo que significa que controlan sus emociones, y he comprobado que su sangre, a pesar de las heladas, nunca se congela, aunque coagula hasta extremos increíbles y fluye con una lentitud propia del más denso de los barros aceitosos. La hibernación es una facultad que en ellos alcanza grados de increíble poder, y es por eso por lo que no debemos olvidar que las cualidades de las especies animales y animágicas pueden desarrollarse hasta extremos insospechados en las especies sombrías y grandes, ¡como los no-muertos y los verdaderos vampiros!

Un silencio de muerte se extendió en la sala al pronunciar aquellas palabras, y los aprendices se inquietaron al oír el gañido de una criatura espantosa en las tinieblas de las bodegas. Whylom, sin embargo, no hizo el menor caso y, con ese aire fatigado que le caracterizaba, siguió centrando su atención en las especies enemigas, cuando Sick Vicious lo interrumpió alzando una mano.

Plumbeus lo miró y asintió con curiosidad.

—Sir Whylom, yo quería saber si, bueno, si ese vampiro maligno que atacó Hexmade, Curdy o como se llame, podría haberse ocultado gracias a la hibernación.

Ylke se revolvió inquieta en su lugar.

—Bueno, creo que nadie ha logrado determinar todavía si Curdy era o no un vampiro… —dijo Cormac sin pedir permiso.

—Me veré obligado a sancionaros si volvéis a saltaros el turno de palabra, milord —dijo Whylom con un extraño brillo en los ojos grises—. Que seáis el primer lord de la Cámara de Fuego no os da derecho a tomaros esas libertades en presencia de un maestro.

Ylke levantó la mano, aunque estaba a punto de hablar sin que le concediesen permiso. Varios aprendices intercambiaron comentarios y la sala se llenó de rumores. Algunos murciélagos empezaron a aletear y otros a girar en lo alto, inquietos, como si percibiesen la alteración a su alrededor.

—¿Lo veis? Olvidad esas discusiones ahora. No hay nada más absurdo que discutir sobre aquello que no puede ser comprobado. —El maestro Plumbeus miró por fin a Ylke—. Si algún día Curdy vuelve y podemos extraerle una muestra de sangre, entonces será la hora de saber la verdad sobre su extraña identidad.

—¿Y también necesitará saborearla para saberlo todo sobre las profecías de su familia? —preguntó al fin Ylke, enojada—. Usted mismo lo llamó Cruormancia...

Hathel Plumbeus miró a Ylke con aprensión.

—No te consiento que hables de ese modo a mi honorable padre, y eso después de que esa despreciable rata pelirroja...

—¡Hathel Plumbeus, detén tu pegajosa lengua de sapo ahora mismo o te las verás cara a cara con el Consejo de Hexmade! —exclamó de pronto Cormac, poniéndose en pie. Realmente, esgrimir su propio poder era algo que no le agradaba, pero aquel tipo de acusaciones y de desprecios hacia los pelirrojos, muchos de ellos aprendices de la Cámara de Fuego, era imperdonable.

—¡Basta! ¡Silencio en la sala! —ordenó sir Whylom Plumbeus, con una nota de satisfacción en la comisura de sus extraños labios—. ¿No veis lo más importante de todo? Los murciélagos son sensibles a lo que pasa a su alrededor, perciben los cambios de estado de ánimo, los deseos más ocultos, y se alteran ante la tensión y... ¡mirad!

Varias docenas de murciélagos giraban por la sala como un enjambre frenético y algunos chillaban. Eran los más pequeños de todos, pero zorros voladores de gran tamaño habían empezado a sacudir sus alas y a volver sus cabezas porcinas. Uno de ellos de pronto se arrojó al vacío, y un extraño fenómeno tuvo lugar en el Aula Magna.

—Se trata de una especie magimálica de Transilvania... ¡Agachaos! —gritó Plumbeus.

La advertencia no sirvió de mucho: el murciélago extendió sus alas y, al sacudirlas, arrojó varios conjuros antiluz que anulaban y distorsionaban la visión de todos los objetos por donde pasaban y que ponían los pelos de punta a los aprendices. Varios chicos se pusieron nerviosos y sacudieron los brazos para evitar ser alcanzados por el murciélago, otros empuñaron sus varitas, muchas chicas empezaron a gritar como si estuviesen histéricas. Lo peor de todo era que fue como una señal: cientos de pequeños murciélagos de especies menores acudieron a su llamada y lo persiguieron, creando un enorme torbellino que no tardó en descender y aletear alrededor de los que más gritaban. Ylke se dio cuenta de que Whylom no hacía nada serio para detener la estampida. Creyó ver cómo su raro ayudante prendía una antorcha en el fuego de la espantosa chimenea y la agitaba, tratando de disuadir a los murciélagos, pero eso no servía de nada. Nadie se atrevía a abandonar la sala, porque los pasillos de la bodega que conducía al Aula Magna estaban plagados de espantosas criaturas disecadas y muchos sospechaban que Whylom escondía cosas mucho peores en los rincones más inaccesibles, y que no todas aquellas cosas estarían convenientemente muertas.

En ese momento, Ylke intuyó que algo terrible estaba a punto de suceder. Uno de aquellos murciélagos de gran tamaño aleteó a su alrededor y se arrojó contra ella. Vio sus pequeñas y ávidas fauces abiertas, el tono violáceo de sus alas ganchudas, oyó el grito y advirtió de que sus ojos ardieron de pronto, aturdiéndola. Apenas tuvo tiempo para oponerse a lo que le sobrevenía cuando una extraña luz azul relampagueó y se oyó un grito aterrador. Fue sólo un instante, pero en el transcurso del mismo ella logró entrever la aparición antes de que se desvaneciese.

Los murciélagos huyeron frenéticos. El murciélago que había tratado de atacarla yacía ante ella, sobre la madera negruzca, con la mitad del cuerpo carbonizada. Su cabeza gesticulaba como una bestia salida del infierno y se apoyaba trabajosamente en los ángulos de sus alas, como si aún quisiese aproximarse a ella en un último esfuerzo. Emitía un silbido agudo y chirriante.

Cormac había hecho uso de su varita de plata, con la que había descargado un potente hechizo sobre el pequeño vampiro.

Whylom Plumbeus se inclinó preocupado ante la criatura.

—¡Vamos, Alacrelus! Trae unos paños, aún podemos ayudarlo... —musitaba a su ayudante.

A pesar de que Alacrelus fue con los paños y de que envolvieron las alas chamuscadas, no sirvió de nada: el vampiro dejó de moverse, se arrugó y se encogió como si toda su carne desapareciese y allí sólo quedase un muñón de piel negra.

Plumbeus miró fijamente a lord Cormac y después clavó una despiadada mirada en Ylke. En ese momento, y para sorpresa de los que lograban ver lo que pasaba, una bandada de murciélagos descendió enloquecida sobre el vampiro y comenzó a devorarlo. Ylke retrocedió, alucinada ante lo que veía. Al poco tiempo, los murciélagos empezaron a dispersarse y allí ya no quedó absolutamente ningún rastro del vampiro muerto por Cormac.

—¿Estás bien, Ylke? Me preocupa tu estado... —dijo Whylom de pronto, acercándose a ella. A su alrededor, los murciélagos se dispersaron y comenzaron a aletear en lo más alto de la bóveda. Mientras la estampida cesaba, los aprendices volvían sus miradas hacia la escena del centro del Aula.

—¿Ahora le preocupa mi estado? Sólo después de que ese vampiro haya muerto...

—No era un vampiro —afirmó Plumbeus con determinación.

—Era un vampiro de la misma especie que aquel que mordió a Curdy cuando entramos en su casa de Wilton —aseguró ella con gran fuerza—. ¿O ha evitado contar esa parte de la historia?

—Yo no he evitado nada, Ylke...

—¡Claro que lo ha hecho! Jamás habló de los verdaderos chupadores de sangre que anidaban entre sus muchas mascotas de Wilton, cuando sus estudios no le habían hecho ni tan famoso ni tan importante. Olvida decir que Curdy fue mordido de manera bastante sospechosa por uno de aquellos vampiros, del mismo modo que hoy expone a todos los aprendices de Hexmade al peligro de otros vampiros, como ha estado a punto de suceder.

—Eso no es verdad —aseguró Whylom con gran tranquilidad—. Aquí no hay vampiros, y ése era sólo un murciélago de gran tamaño, pero nada más... ¡Estás asustada, eso es todo! Y sólo vas a conseguir asustar a todos tus compañeros.

—¡Eso es mentira! —gritó ella.

—¿Dónde está ese vampiro? —preguntó Whylom.

—Los demás murciélagos lo han... devorado... No han dejado ni rastro de él... —aseguró Ylke.

—Y yo lo he visto —afirmó Cormac.

—Lord Cormac, habéis usado la fuerza en el interior de Hexmade de manera injustificada, y eso está muy penado por el Consejo —añadió Whylom severamente.

—En el Consejo tampoco se verá con buenos ojos que esos vampiros habiten en las mazmorras.

—¡No era un vampiro y cuanto dice Ylke es mentira! —gritó una voz conocida.

—¡Hathel! —gritó ella desesperada—. ¿No es cierto que Curdy fue atacado por un vampiro durante aquella visita a tu casa, en Wilton?

Hathel se acercó unos pasos, rodeado de sus nuevos amigos holandeses. El joven miró a Ylke sin pestañear.

—¿No es cierto? —insistió ella.

Todos guardaban silencio y atendían a la discusión. Pero Cormac estaba seguro de que Ylke había escogido, quizá por haber sido alterada por aquel ataque, el camino erróneo.

Hathel miró a su padre fijamente, después volvió a mirar a Ylke y pareció vacilar un instante. Pero luego miró a su padre y afirmó con rotundidad:

—¡Eso es mentira! —Los murmullos crecieron y Cormac enfundó su varita de plata—. Es mentira y estoy dispuesto a testificarlo así ante el Consejo de Hexmade. Cormac se merece un castigo. Y aquí no ha habido ningún vampiro...

Aiken, Cleod y Leod empezaron a protestar a la vez.

Por alguna razón, Cormac ya imaginaba la respuesta de Hathel. La sonrisa de Sick Vicious fue una de las peores visiones de Ylke en toda su vida. Tenía ganas de gritar y de darle un puñetazo a Hathel, pero no habría servido de nada. Miró al suelo, por fin consciente de su error, tratando de tranquilizarse y a punto de morderse los labios. Pero entonces pensó que se haría sangre y eso la horrorizó en una mazmorra negra como aquélla, atestada de vampiros de diversa especie... Así que logró controlarse.

—Ylke, comprendo que te sientas confusa y que te hayas enojado —dijo Whylom Plumbeus con voz conciliadora y una extraña y melodiosa cadencia—. No debemos olvidar que se trata de la primera incursión en el Aula Magna y en el estudio práctico (hasta ahora ha sido teórico) de las criaturas de las sombras, que es una tarea ardua y que puede chocar con algunas de tus convicciones como alquimista, pero lo cierto es que el conocimiento de estas criaturas será tu mejor salvaguarda frente a los ataques de los lores tenebrosos. Por favor, sentaos; sentaos y tranquilizaos...

Los aprendices dudaron un momento y, de haber sido cualquier otra parte del castillo, muchos habrían abandonado la sala, pero, tratándose de las mazmorras, se quedaron y tomaron asiento de nuevo. Los murciélagos parecían serenarse en lo alto.

—Creo que la mejor forma de resolver esta clase de situaciones no es el rencor, sino el sentido común... Ahora seguiremos con la parte más importante de esta clase que no debe desperdiciarse. Habéis visto algo esencial. Desde luego, no estaba planeado, pero por unas u otras razones, habéis asistido a un combate contra una criatura de las sombras. Cormac ha recurrido a un conjuro de luz especialmente potente, que es lo que puede fulminar a algunas especies menores de vampiros... aunque ésta no lo fuese. Pero también habéis visto cómo los murciélagos pueden alterar los estados de conciencia de un alquimista llevándolo en pocos segundos de la cordura a la locura. Ése ha sido el caso de algunos gritos incontrolados, como los de Ylke.

Ylke se contuvo y trató de pensar.

—Eso os demuestra que lo mejor que podéis hacer frente a estos enemigos es conservar la calma. El nerviosismo los atrae y pueden arrojar toda clase de mensajes contra vuestras mentes hasta enloqueceros momentáneamente, lo que puede ser fatal. Imaginaos lo que puede significar la presencia de un no-muerto. Un frío mortal los rodea y son capaces de bloquear todos los pensamientos. Después de dictar el conocimiento teórico, comenzaremos a practicar los enfrentamientos, realizando duelos contra grandes murciélagos hambrientos.

Los murmullos volvieron a propagarse por la sala.

—¿Duelos? —preguntó Cormac—. Eso no se habló en el Consejo de la universidad…

—En reunión extraordinaria sí que se contempló, y además no debes olvidar que los contenidos y la forma de mejorarlos es cuestión del miembro del Consejo y no tiene por qué dar tantas explicaciones —respondió Plumbeus.

Cuando la clase acabó y hubieron abandonado las terribles bodegas, Ylke se dirigió a Cormac en el pasillo:

—Tarde o temprano tendremos que visitar esas bodegas… ¡Eso era un vampiro! ¿Sabes lo que significa? Vampiros en Hexmade… Todas mis sospechas están confirmadas.

—Pero debemos actuar con cautela —añadió Cormac—, y éste no es el lugar más idóneo para hablar.

Las siluetas de los aprendices se alejaron bajo los grandes arcos de las bóvedas subterráneas, hasta que empezaron a ascender por la escalinata al gran patio interior y vieron la enorme vidriera, bajo la cual ahora se generaban extrañas y amorfas imágenes propias de una incomprensible pesadilla.

TRIMERCURIO

Angus y Alan Wallace arrimaron dos sillones más al desordenado grupo de poltronas y mecedoras que se había reunido frente a la chimenea. La noche era oscura e impenetrable fuera de los muros de Hexmade. El viento aullaba y se enfurecía contra las ventanas.

Cormac se dedicó a servir una bebida que, al caer en los vasos de cristal, dejaba escapar delicadas llamas.

—¿Y a mí por qué me pones tan poco? —protestó Cleod cuando Cormac pasó por encima de su vaso.

—¡Yo lo quiero doble! —añadió su hermano Leod.

—Esto pica bastante... —susurró Gretel, algo reticente.

—Te hará bien —añadió Angus, que estaba a su lado, dándole un leve codazo y guiñándole el ojo a su hermano Alan.

—A ver si lo he entendido: Asmodeo miente —dijo Aiken sin reservas.

Se oyó un chasquido en la chimenea.

Cormac terminó de servir los vasos. Casi todo el mundo parecía cansado o desanimado. Ylke pensaba intensamente. No podía quitarse de la cabeza la conversación con Curdy, el retorno de sir Whylom, las contradicciones de Asmodeo... Y, sin embargo, era imposible que Bombastus les hubiese mentido abiertamente.

Los tragos de aquel whisky les supieron a fuego puro.

Se oyó de nuevo otro ruido: una criatura con la forma de un dracontófago salió de la chimenea, asustándolos a todos.

—¡Propongo un brindis! —La gárgola extendió su garra y atrapó la jarra de cristal en la que ardía la luminosa bebida—. ¡Por Asmodeo!

Asmodeo levantó la jarra y echó un largo trago de whisky. Después eructó una bocanada de fuego.

Acto seguido, el genio saltó por encima de su perplejo auditorio y extendió las largas y ganchudas alas, posándose en las sombras con sorprendente sigilo.

Ylke se restegó los ojos: por fin podría salir de dudas.

—¿Si...? —Asmodeo se volvió arteramente—. En efecto: no aparecería hasta que supiese algo de un tal... veamos... ¿Curdy?

Se hizo un silencio absoluto.

En las sombras se encendieron dos alfilerazos amarillos y el dracontófago fue arrastrando sus garras, adelantando el mentón. Varios de los asistentes a la reunión se asustaron y echaron mano de sus varitas por debajo de la mesa, por si acaso.

—He estado ausente durante algún tiempo, echando un vistazo —confesó Asmodeo—. Me ha costado lo mío. Me alegra sobremanera que ninguno de vosotros haya roto el juramento.

—Sir Whylom Plumbeus estuvo presente en la inauguración de la Vidriera, y además ha empezado a darnos maravillosas clases —dijo Aiken.

—¿Cómo sabemos que no mientes? —preguntó Angus Wallace con intrepidez.

—Se suponía que Plumbeus estaba gravemente enfermo.

—Sir Teofobus Bombastus también lo corroboró —dijo el dracontófago. El demonio se acomodó en uno de los sillones. Resopló—. Son muchas las mansiones que gozan de protección mágica en esa ladera de la Montaña, lo que me daba una idea de que esa gente iba a resultar problemática. Descendí los callejones y me convertí en un tordo. Sobrevolé los tejados y allí estaba: la mansión de los Plumbeus. Lidié conjuros y maldiciones por todas partes, todos ellos basados en metales, y ya os podéis imaginar lo mucho que adoro el hierro...

—¿Por qué no vas al grano? —preguntó Cormac.

—پشگژگ! —exclamó el demonio—. Quería decir a la *mmmmm-mansión* de Plumbeus... un lugar que desde luego no te agradaría —respondió el dracontófago.

—Cuéntanos lo que has descubierto sobre Whylom Plumbeus —exigió ella.

—Me he rodeado de gente simpatiquísima. No os podéis imaginar la de ratas que hay en los desagües de Hexmade ni la de curiosidades que se comen...

—No es necesario que nos des esos detalles —le cortó Ylke—. Ya sabes a qué me refiero.

—Me proponía dar fielmente un resumen de mis actividades como espía al servicio de su... pero dejaremos esos detalles para más tarde.

»Sir Whylom Plumbeus es un personaje muy cauto... No es tan fácil colarse por sus cañerías. Pero Asmodeo lo consiguió. Los desagües de piedra y mi forma de rata escurridiza me llevaron mucho más lejos que mi forma de pájaro avizor. Llegué hasta las cocinas de la mansión; una vez allí, levanté una de las tapas del desagüe y eché a correr por la despensa. Husmeé un poco aquí y allá y evité los venenos. Salté por encima de una rata muerta. Después me colé entre los sacos de grano y correteé entre las mesas. Disponen de salas amplias y oscuras, y tienen un gusto rarísimo por los cuadros en los que aparecen terribles escenas pintadas. Chimeneas encendidas por todas partes, fuegos mágicos de primer orden que arden en garras de hierro suspendidas del techo; se nota que es un mago pudiente. Evité a un muchacho regordete que caminaba con aspecto melancólico por una de las salas y después inspeccioné en orden ascendente todos los pisos (¡cuatro en total!). Me di cuenta de que arriba tenía lugar una importante reunión. Allí dentro, en el laboratorio. Volví a transformarme y la rata se convirtió en un espíritu de rata capaz de atravesar las paredes. ¡Menos mal que me detuve a tiempo! La sala no sólo estaba bloqueada por una puerta: un conjuro sombrío recorría la piedra, aislándola. Oí voces murmurantes dentro de los poros. Eran genios de bajo rango, pero bien aleccionados y obedientes, los que vigilaban la sala. Afortunadamente, la puerta se abrió chirriando, así que dejé de pensar en cómo abrirla:

»"Tú primero, por favor", pidió la voz de lord Hubert. Cuando dos lores se tutean es mal asunto, me dije. Y allí apareció la negra figura de Adelbrandt Wendel. Encogí la forma de rata de alcantarilla hasta la de un ratón de campo y me metí en una ranura.

»"Sólo hay que esperar el momento oportuno. Todos los espejos de lord Hubert están en su sitio", dijo Adelbrandt. "El Cáliz se acerca. El Ojo de los Sueños vigila."

»"Y él lo sabe, no debemos fallarle. Esta vez, tantos años de trabajo deben alcanzar su objetivo", añadió lord Hubert. "Aquí estará bien guardado. Recuerda el nombre de tu padre."

»"La pócima estará a salvo", dijo Adelbrandt.

»Me arriesgué: sorteé la punta de la bota derecha de Adelbrandt, di un salto, pasé junto a la jamba y, justo cuando la puerta iba a cerrarse, logré acceder a la cámara. La puerta se cerró detrás de mí. ¡Perfecto! No había ventanas. Sólo un enorme espejo. Era un despacho lleno de raros cachivaches de plata, instrumentos traídos de todas partes, artilugios de cristal en los que había encerrados toda clase de insectos gigantes puestos en remojo... Un asco. La cuestión es que en medio de las sombras, sobre la gran mesa, refulgía con luz propia un delicado frasco lleno de un líquido blanco de resplandor irisado. Me acerqué para darme cuenta, en ese preciso momento, de que cierto personaje de tamaño ligeramente superior al de una rata me miraba con codicia. Debí suponer que había alguien más en el despacho, a modo de vigilante. Era un aparatoso golem de largas orejas y cuerpo verdoso, de una raza bien diferente a los que suelen verse por aquí; tenía la boca muy ancha y plagada de colmillos. Se abalanzó sin precaución alguna contra la rata, pensando que iba a comérsela, y entonces yo me transformé en un dracontófago. El cambio fue demoledor.

»El golem verdoso sintió repentino terror cuando mi garra se hundió en su cuello. Ahogué su grito, descargué un funesto conjuro desmemorizante y logré estrangularlo; su éter se desparramó en el aire con una nauseabunda pestilencia, y así, triunfante, me di cuenta de que mi ímpetu me había traicionado: al desplegar mis preciosas y afiladas alas, había echado al suelo por lo menos media docena de tarros. El ruido alarmó a los guardianes de la cámara. Esa clase de cámaras secretas están completamente aisladas, y ni siquiera el sonido sale de ellas. Pero los guardianes de la cámara sí que se enteran. Decidí no perder más tiempo y me hice con el recipiente irisado. Cogí un matraz y vacié una parte del contenido en él. Le puse un tapón. ¡Lo sabía! Era una pócima de primer orden mágico; se reproducía por sí misma dentro de cada recipiente. Eso me hizo cambiar de opinión: dejé otra vez el frasco en el sitio en el que lo había encontrado, agarré el matraz y oí cómo la puerta se abría. No tenía escapatoria. Estaba a punto de ser descubierto. Estaba acabado.

»Recordé una de las frases de Adelbrandt: "Todos los espejos están en su sitio", y volví a mirar el espejo; allí estaba, solito, encerrado en un arco de ojiva, en una cámara sin ventanas... Me di cuenta en un instante, que era menos del tiempo con el que contaba para librarme de la inspección del alquimista, de que el espejo escondía algo más. ¡Claro!

»Sacudido por una serie de triunfantes revelaciones intelectuales que se encadenaron unas a otras a la velocidad del rayo, me dirigí a él, abrí el bote y arrojé unas gotas contra su superficie: el espejo pareció arrugarse al entrar en contacto con el líquido, pues las gotitas estaban como vivas y se movían de un lado a otro. Extendí el brazo y me di cuenta de que, a pesar de toda la vigilancia espectral de la cámara, el espejo accedía a otra dimensión. Sin pensármelo, me introduje en él. Todo estaba oscuro, pero me aseguré de lo que pasaba a mis espaldas. Un personaje al que nunca había visto entró en la sala rodeado por una cuadrilla de formas espectrales que habían vigilado la cámara. Cualquiera de vosotros se habría puesto a llorar al ver aquello. Nada más y nada menos que unos horlas, ésos eran sus sirvientes. Sólo son visibles para su verdadero amo (o para un espíritu superior, o sea, para mí, por ejemplo) y pueden causar pesadillas y locura en aquellos a quienes acosan. Pero normalmente están confinados en sus mansiones. La cuestión es que vi cómo el alquimista inspeccionaba el golem, que empezaba a despertar sobre la alfombra. No importaba lo que dijese, le había privado de buena parte de su memoria. El vigilante se miró en el espejo. Su rostro mostraba una extraña ansiedad, y por un momento su boca me dio miedo, quizá fuera porque sus colmillos me parecieron excesivamente largos... Luego se puso a investigar y decidí que era hora de largarme: retrocedí. Las luces se desplazaron creando un torbellino borroso, la sala de Plumbeus se difuminó, los sonidos hicieron algo parecido a las imágenes... e inmediatamente aparecí al pie de un espejo en un pasillo solitario del tercer nivel de Hexmade. Un lugar que no tenía nada que ver con la mansión de Plumbeus, cerca de la Torre de las Estrellas. Supongo que quienes saben manejar la pócima también saben hacia qué espejo se dirigen. Puede que sea necesario pronunciar alguna palabra en cada intento. No tenía ningún sentido que allí, adonde había ido a parar, hubiese un espejo. Estaba en el interior de un espacio cerrado, sucio, con restos de ratas. Arriba había huecos por los que se colaba un aire glacial y docenas de búhos enormes que hacían sus necesidades sobre cualquiera que se atreviese a quedarse allí abajo. Atravesé la puerta y me di cuenta de que no había nada interesante en aquel lugar salvo una soledad glacial, pájaros nocturnos y una puerta de roble atrancada con cerrojos, pero sin protecciones mágicas.

»¿Y es eso todo? No: volví al espejo y lo humedecí con aquella pócima, y en lugar de entrar traté de imaginar el lugar del que había venido, y en la superficie del espejo apareció una cámara oscura, con unas velas encendidas, donde un personaje parecía agonizar en una cama señorial... Ése sí que era sir Whylom. Pude ver cómo unos elfos entraban en la sala y dejaban una bandeja de plata con la comida. Después la puerta se cerró. Sir Whylom se incorporó y abrió un armario; allí dentro había una máscara de plata que no os resultaría desconocida: la máscara de lord Malkmus de Mordrec. La acarició con devoción. Después volvió al lecho, pero la imagen se difuminó y no volví a ver esa habitación, a pesar de que lo intenté.

Ylke y sus amigos tardaron en asimilarlo. Pero cuando entendieron que Asmodeo había demostrado ser sumamente inteligente, además de astuto, todas las preguntas se centraron en la pócima. Si no mentía, debía enseñarles la prueba.

—Yo también... bueno, Cormac y yo tuvimos una experiencia parecida con un personaje que blandía una máscara especular que lo reflejaba todo —empezó a decir Ylke, y le contó a Asmodeo todo lo que habían visto al tratar de inspeccionar los laboratorios de los vidrieros el día de la inauguración de la Gran Vidriera y su Teatro de los Sueños.

—Todo empieza a aclararse: utilizan los espejos para moverse impunemente de un lugar a otro —dijo Cormac.

—Pero ese Teatro de los Sueños, la capacidad que tiene el conjuro de la vidriera para percibir los sueños de todos los habitantes de Hexmade, me parece una trampa mortal, una vigilancia encubierta —explicó Asmodeo.

—¿Quién la controlará?

—Todos ellos, no te quepa la menor duda, están conspirando; se preparan para entrar en Hexmade con los poderes de las tinieblas —añadió el dracontófago.

—¿Y qué es esa pócima?

—Es trimercurio —respondió Asmodeo escuetamente—. No la conocía a nivel práctico pero sabía que existía, una sustancia alquímica de primer nivel, difícil de obtener, por no decir casi imposible, para no causar una depresión colectiva.

—¡Los calderos de Adelbrandt Wendel! —exclamó Bébinn.

—Sólo él podría haberla preparado —dijo Gretel.

—Con ayuda de un vidriero, jovencita, porque esos espejos no son normales —reveló Asmodeo—. Reconozco que la cosa se pone interesante. Ahora resulta que el tal lord Hubert van der Weeen ha colocado una red de espejos mágicos por todo Hexmade que proporciona innumerables accesos secretos, y encima Whylom Plumbeus conspira junto a ese simpático Adelbrandt Wendel, que tiene toda la pinta de que lo mejor que ha hecho en su vida ha sido comerse a algún niño crudo.

—Eso es algo que suponíamos —dijo Ylke—. ¿Y el trimercurio?

—Aquí está la prueba que tanto esperabais —respondió. Escondió la garra bajo el ala izquierda y extrajo el matraz, que estaba lleno de aquel líquido blanco e iridiscente—. Es un metal y a la vez es un líquido como el mercurio, sólo que sus propiedades mágicas son *euclídeas*.

—Eu… ¿qué? —dijeron todos a la vez.

—Se lo deben a un alquimista numerólogo llamado Euclides —respondió Asmodeo con suficiencia—. El espacio euclídeo es la definición del espacio trifísico, por eso se llama trimercurio, porque es un *mercurio euclídeo*. No os voy a explicar cosas que no podéis entender, pero la cuestión es que una sola gota basta para convertir momentáneamente la superficie de ciertos espejos en un espacio que se proyecta inversamente, o sea, *hacia atrás*. Los vidrieros seguro que saben mucho de esas cosas y también son capaces de controlar el lugar al que van cuando usan el trimercurio. A lo mejor os puede ser útil.

—Creo que sí —respondió Ylke, anonadada.

—¡Vaya! —fue todo lo que pudo decir Cormac, lleno de asombro.

—«Recuerda el nombre de tu padre»; eso es lo último que le dijo lord Hubert a Adelbrandt —dijo Ylke—. Pero ¿quién es el padre de Wendel?

Gretel se volvió con entusiasmo.

—¿Por qué no se lo pregunto a algunos de mis parientes de Alemania?

—Es verdad, tú eres de Colonia —dijo Cormac—. Quizá puedan averiguarlo; seguro que han oído algo. Pueden investigar un poco… encontrar información que nos ayude a saber sobre la familia Wendel.

—¿Qué relación puede haber entre el padre de Adelbrandt y el mismísimo Whylom Plumbeus? Que yo sepa, Plumbeus nunca se ha movido de Wilton… —murmuró Ylke.

—Es posible que el padre de Adelbrandt no tuviese ninguna relación con Whylom Plumbeus, pero sí con lord Malkmus de Mordrec. No olvidemos que son la misma persona. Ésa puede ser la razón —dedujo Asmodeo.

—Sea lo que sea, a mí me parece que no tiene que ser nada bueno. Según nos dice Asmodeo, parece que se lo dijo como si fuese un reproche —pensó Cormac en voz alta—. Como si fuese una deuda que tiene que pagar.

—Como algo que le causa remordimientos…

—Entonces, ¿por qué está aquí como renegado? ¿Qué crímenes ha cometido para sentirse culpable y pretender contribuir al bien de la comunidad de alquimistas? —Y las preguntas de Gretel se detuvieron al filo del misterio.

—Vosotros os ocuparéis del pasado y el presente de Adelbrandt —dijo Asmodeo—. Yo trataré de descubrir la identidad de ese alquimista y su máscara especular. ¡Mantened los ojos abiertos! Además, iréis a esa taberna de Ridleton Mayor, La Careta de Cerdo. Se cuentan rumores sobre cierto renegado que puede ser Adelbrandt. Preguntad al posadero y decid que vais de parte de Gurlip. Él lo entenderá. Los poderes de las tinieblas ya han entrado en Hexmade, lo percibo…

—¿Y Curdy? —preguntó Aiken.

Ylke recordó su encuentro secreto. Evitó la mirada de Asmodeo.

—Ni rastro de él… pero seguiré atento.

Asmodeo se volvió hacia las sombras y desapareció rápidamente. El fuego decrecía. Todo había parecido un sueño. Pero el matraz lleno de trimercurio seguía allí, sobre la mesa, a la espera de que comprobasen sus propiedades.

La sombra del profesor Adelbrandt crecía ante ellos, se volvía profunda, escondía secretos.

En ese preciso instante se oyó un golpe contra la ventana. Todos miraron hacia la oscuridad. El viento arreciaba contra los muros. Se aproximaron y no vieron nada. De pronto, una sombra pareció tratar de romper el cristal y un pico negro y afilado graznó.

—¡Clawhoofs! —Ylke echó mano de los pestillos. Al abrir la ventana, el viento gélido cortó sus rostros. El cuervo se dejó acariciar por la joven. Ylke tomó el mensaje que llevaba en la pata—. ¿No quieres una tostada? —Pero la pregunta de Ylke pareció quedar sin sentido cuando Clawhoofs levantó el vuelo y desapareció con un fuerte aleteo.

—Vaya...

Cerraron la ventana y todos leyeron la nota a la luz de las llamas. Era un mensaje de Luitpirc: informaba a Cormac de que sería sometido a juicio por el Consejo de la Cámara Alta.

—¡Eso sí que está bien! —protestó con cierto humor el escocés.

—Está claro que sir Whylom no pierde el tiempo —murmuró Ylke, desanimada.

Quinta parte

El Ojo de los Sueños

LA CARETA DE CERDO

A la mañana siguiente, Ylke se encontró con su maestro, Luitpirc. Parecía tan ensimismado e insignificante que casi pasaba desapercibido en su propio salón. Había empeorado, eso estaba clarísimo; sólo había que ver el desorden general de plumas y libros desperdigados por todas partes. Su despacho se había convertido en un destartalado desván, un mundo inviolado, una capilla en lo más alto de su torre, rodeada de grises ventanas en cuyos alféizares los cuervos se posaban día y noche.

—Quería hablaros del profesor Wendel —dijo Ylke.

—¡Juraría que estás mucho más alta! —exclamó su maestro.

—Es posible... —repuso Ylke con una sonrisa. Su maestro elevó la mirada y la observó.

—No estarás tomando ninguna de esas pócimas raras para que te crezca el pelo, ¿verdad? —sospechó Luitpirc—. Tienen un efecto pernicioso e incontrolable sobre los huesos...

—No —respondió Ylke rotundamente—. Quería que me hablase del profesor Adelbrandt.

—¡Adelbrandt! No sé tanto de él como los demás miembros del Consejo. La verdad es que fueron ellos quienes lo invitaron a preparar a los aprendices...

—¿Está enfermo? —inquirió Ylke.

—Sí, claro, todos esos renegados están enfermos. Los renegados padecen varias enfermedades para las que, de momento, no se ha encontrado cura, y todas ellas son consecuencia de esa Maldición que pesa sobre las fronteras de Hexmade. Una de esas enfermedades se llama «remordentia», porque al parecer procede de los remordimientos. El arrepentimiento los confronta con espantosos recuerdos, asumen que quieren ser mejores, pero su pasado se lo impide. El resultado es una enfermedad terrible que los tortura: sufren pesadillas, les salen marcas en la piel, aparecen cicatrices que no habían existido y que, en lugar de cerrarse, se van abriendo hasta que sangran, y sólo algún tiempo después vuelven a cerrarse, para aparecer en otra parte. Por eso ocultan sus rostros; he visto algunos de ellos y te puedo asegurar que da poco gusto verlos. Donde más cicatrices aparecen es en las caras... Pobres desgraciados, pero la magia tiene enormes poderes, y todo eso es ajeno a las fuerzas del Consejo de la Cámara Alta.

—Quizá no deberían estar aquí, en Hexmade —sugirió Ylke.

—Se han arrepentido, Ylke; no podemos dar la espalda a quienes piden disculpas de una manera tan profunda. ¿Puedes imaginar lo difícil que es tratar de reconstruir lo que uno mismo ha destruido? La confianza en uno mismo, por ejemplo. Quienes pactaron o se dejaron seducir por la magia tenebrosa sufren un castigo al intentar exponerse a la luz de la alquimia, y esa luz quema sus rostros. Lo horrible del padecimiento de la remordentia es precisamente que surge del reconocimiento de un error. Es una lástima, pero todo eso es profundo, viene del Alto Reino.

—¿Y es posible que algunos renegados finjan sentirse arrepentidos, pero que... no lo estén?

—No has de temer a esos en cuyo rostro puedes ver, aunque oculta, la culpa. Yo —Luitpirc se inclinó y sus ojos azules casi brillaron bajo sus espesísimas cejas— desconfiaría mucho más de aquellos que no experimentan arrepentimiento alguno y que, por lo tanto, pueden caminar entre nosotros sin inmutarse, a pesar de haber contribuido a la quema en la hoguera de muchos alquimistas inocentes. Ésos, y solo ésos, son los verdaderos traidores, y los que representan un peligro. —Luitpirc habló de un modo extraño que Ylke nunca antes había percibido en el tono de su voz.

—Ya... —Ylke, confundida, agachó la cabeza—. Tenéis razón. Pero el profesor Adelbrandt es peligroso.

—Viene de Alemania, tiene un pasado muy oscuro, lo sabemos todos, pero ha hecho increíbles esfuerzos morales para llegar hasta aquí. —Luitpirc volvió a parecer abatido y cansado.

—¡Esfuerzos morales! Adelbrandt es un conspirador —sentenció Ylke con obstinada decisión—. No dudo de vuestro consejo, es muy elevado y lo entiendo; siempre he pensado lo mismo de todos los renegados: se merecen una oportunidad, pero el profesor Wendel es diferente. Oculta algo, lo veo en sus ojos.

—Tu intuición es notable, Ylke Lewander; es admirable y vas por muy buen camino, pero es muy probable que estés viendo en la superficie de sus torturados ojos parte de sus visiones del pasado.

Ylke decidió no insistir más, impaciente. Apreciaba a Luitpirc, pero le parecía que llevaba una venda en los ojos.

—De todos modos. —Y el gran maestro blandió su dedo índice en un gracioso ademán—, vigiladlo.

Ylke se sorprendió ante aquel consejo. Los párpados de Luitpirc volvieron a ser pesados, y el anciano se reclinó en el gran sillón.

El viento soplaba, el agua caía a cántaros, los truenos retumbaban en las colinas de Hexmade; muchos tuvieron la sensación, al mirar al cielo, de que un muro tormentoso estaba a punto de derrumbarse sobre el mundo.

Estaba tan oscuro que los fámulos tuvieron que encender toda clase de antorchas y faroles por los Pasadizos de Piedra. Bajaron a desayunar muy callados: era el día de la vista del juicio a Cormac, tras las acusaciones disciplinarias propuestas por sir Plumbeus.

Costaba caminar por las penumbras y olvidarse de los golpes del viento contra los muros de la fortaleza, hasta que una de las ventanas se abrió súbitamente y dejó entrar un viento gélido aullando por los pasillos, tras ellos.

Poco tiempo después, se encontraron con un buen número de aprendices. No se hablaba de otra cosa que no fuese la vista del juicio contra lord Cormac, y Whylom Plumbeus, que en ausencia de Luitpirc era el máximo mandatario de Hexmade, había pedido al Consejo que se celebrase una vista a puerta cerrada, algo que desanimó bastante a varios cientos de aprendices que estaban deseando sentarse en las gradas de la Cámara Alta para presenciar el solemne acto de enjuiciamiento a un lord electo de las Cámaras Bajas. Era la primera vez que un alumno era juzgado tan severamente. Hathel Plumbeus y Vick Vitrius se mostraron especialmente ofendidos y abandonaron el lugar junto con otros muchos, lanzando toda clase de miradas desafiantes al grupo de Ylke.

Cuando Cormac entró en la Cámara Alta, sólo vio unas filas de trolls cubiertos con túnicas negras a cada lado, y la larga mesa frontal ocupada por los veinticuatro lores que formaban el círculo de poder más alto de la Cámara Alta. Se le ordenó que caminara hasta el centro. Una vez allí, sir Whylom Plumbeus se puso en pie y, con una mirada aparentemente distraída, le pidió que entregase la espada con la que había sido ordenado lord después de ser elegido entre los muchos aspirantes de la Cámara de Fuego.

—Sois un representante de una de las Cámaras Bajas, y como tal debéis recordar que en Hexmade existe un estricto código cuya observancia es de vital importancia —recitó monótonamente sir Whylom—. Estas actas recogen los acontecimientos que tuvieron lugar la pasada noche en el Aula Magna, de los cuales yo mismo fui testigo, para mayor garantía en este juicio. ¿Podéis corroborar lo que digo, lord Citrus Magnus?

Lord Citrus pareció incómodo y evitó la mirada de Cormac.

—Así es... excelencia —respondió el alquimista.

—En tal caso, sólo cabe esperar una cosa —dijo Whylom, clavando sus ojos grises en el interpelado con inusitada severidad—: que lord Cormac MacKinley sea expulsado de Hexmade. Propongo el Decreto de Expulsión por Siempre Jamás.

Los lores comenzaron a hablar a la vez, unos indignados, otros inseguros, todos ellos incómodos con la situación. Sir Whylom clavaba su mirada en lord Cormac, y por primera vez el joven percibió un rastro de increíble ira en aquellos ojos grises habitualmente camuflados por la ansiedad. Y sintió miedo ante aquella mirada, o, más bien, ante el fulgor que se ocultaba tras ella.

Las puertas batieron tras ellos, se oyó el paso decidido de unas botas y allí apareció Luitpirc. Se hizo el silencio, la sorpresa fue enorme. Todo el mundo creía que Luitpirc era incapaz de levantarse de su sillón. Ahora estaba allí, frente a ellos, arrugado y débil, apoyándose en su bastón con gran esfuerzo, con su cuervo Clawhoofs posado en el hombro derecho. Sus cabellos estaban más encrespados que nunca, pero una extraña energía había sido capaz de abrirse paso hasta el brillo de sus ojos.

—¿He oído «expulsar»? —preguntó el anciano. Parecía sumamente ofendido.

Sir Whylom vaciló por vez primera.

—Cormac protagonizó un acto de rebeldía malintencionada y puso en peligro a sus compañeros. Todos sabemos que los murciélagos son criaturas muy sensibles —explicó Whylom—. Y en cuanto alguien provoca un tumulto, ya os imagináis lo que puede suceder...

—He oído otras versiones de esos sucesos —repuso Luitpirc, deteniéndose junto a Cormac.

—Como máximo miembro del Consejo y como Sumo Representante de la Cámara Alta y de esta universidad, propongo que lord Cormac deje de ser el lord de la Cámara de Fuego, pero también dejo a votación su Expulsión por Siempre Jamás, que juzgo inapropiada, injusta y, sobre todo, ridícula. —Miró fijamente a sir Whylom. Los lores guardaron silencio. Lord Hubert van der Weeen se acarició la barba amarilla que recortaba cuidadosamente su rostro.

—Estoy de acuerdo —afirmó Conradus Pidwig. Otras voces se sumaron a la suya.

—¿Quién está a favor de la expulsión de este brillante alumno? —Tras la pregunta de Luitpirc sólo se elevaron, y no con demasiada decisión, siete brazos. Luitpirc contaba con la mayoría.

—Está bien. Me alegra saber que no se han olvidado de mí —murmuró el anciano. Sir Whylom contenía su ira—. Cormac MacKinley, a partir de ahora sois un aprendiz más, y ya sabéis qué es lo que eso significa. La próxima vez, aquellos que secunden vuestras ideas y sean sorprendidos en vuestra compañía cometiendo esa clase de infracciones serán juzgados por este Consejo de manera sumaria. ¿Entendido?

Cormac asintió.

—¿Tenéis algo que añadir?

Cormac miró a sir Whylom desafiante.

—Sí. —Tragó saliva—. Sir Whylom no hizo nada para detener el ataque de un vampiro contra Ylke Lewander. Eso y sólo eso motivó el uso de la fuerza contra la criatura.

—¡Vampiros! —exclamó sir Whylom, respondiendo con ese gesto a las miradas de todo el Consejo—. Jamás permitiría que una especie peligrosa pusiese en peligro a un aula entera... Eso sólo se le puede ocurrir a un muchacho engreído como lord Cormac, perdón, Cormac a secas, con un afán de protagonismo tan elevado que es incapaz de dejar que un maestro haga su trabajo.

—¡La sombra está entrando en Hexmade! ¡El Sumo Inquisidor está aquí!

—Ya basta, Cormac, o echaréis por tierra todo lo que hemos conseguido —le ordenó Luitpirc—. ¿De qué habláis?

Los lores se alzaron y protestaron por aquella insolencia. Pidieron explicaciones. Sir Whylom miraba fijamente a Cormac. Lord Hubert parecía inquieto.

—Quiero decir... —Cormac se dio cuenta de que estaba yendo demasiado lejos; el juramento de Asmodeo podría destruirlo de un momento a otro—. Quiero decir que lord Malkmus está casi a las Puertas de Hexmade, eso es lo que debería ocuparnos.

—¡Ya basta de dar órdenes a este Consejo! —exclamó sir Whylom—. ¡Márchese y aprenda la lección!

Luitpirc y Cormac se miraron. Cormac abandonó la sala.

Después Whylom Plumbeus miró de soslayo a Luitpirc y se largó sin esperar a que se levantase la vista, no sin antes cruzar una mirada con lord Hubert.

Tal y como habían acordado con Asmodeo, abandonaron la Montaña y se dirigieron hacia Ridleton Mayor bajo la lluvia. La posada más tenebrosa, extraña y maloliente estaba en la frontera noroccidental de la comarca, en el número 13 del Callejón Torcido de la aldea del pantano, donde más renegados se habían establecido, y era popularmente conocida como La Careta de Cerdo.

Allí habían sido empleados algunos de los mejores alquimistas dedicados a la fermentación de cervezas y otras bebidas, todos ellos fugitivos de las comarcas inglesas, y el resultado había sido una posada que en poco tiempo se hizo legendaria. Ni La Cabeza de Lobo, ni tampoco Huesos y Calaveras, dos posadas ciertamente más luminosas y agradables, podían rivalizar con el carácter y la personalidad de aquella otra.

Su enseña colgaba de un viejo muro y la puerta mugrienta accedía a una especie de corredor que descendía algunos peldaños, detrás de los cuales se veían toda clase de espantosas caretas de cerdo disecadas. Cualquier amante de los animales podía sentir cierta lástima al presenciar la tétrica colección, como era el caso de Gretel, que desaprobaba especialmente esa práctica. Se decía que el propio Bombastus fileteaba las cabezas de cerdo y entregaba las caretas al posadero, recortadas con gran esmero, a cambio de ancas de rana capturadas en el pantano.

Una gran chimenea crepitaba al fondo; en ella ardía un fuego fantasmagórico y azulado, donde aparecían y desaparecían fugazmente rostros fúnebres. La cercanía del cementerio confería al carbón ciertas propiedades extraordinarias.

—No sé muy bien por qué pasa eso en el fuego... —dijo Aiken ante la mirada de Gretel.

—Al parecer, está encendido con turba obtenida en el cementerio —aclaró Cormac, tomando asiento—. ¿No es fantástico?

Arrastraron las sillas y ocuparon una mesa algo apartada del bullicio central. Varios clientes celebraban por enésima vez una ronda de cerveza.

—¿Será la última, Bob? —preguntó uno especialmente ancho, de rostro rubicundo y carrillos hinchados como manzanas.

Se empezó a oír una música de arpas y alguien arrancó lamentos a un laúd. Era un sonido mágico y hermoso, y parecía hablarles de costas visitadas por olas que habían recorrido todo el océano hasta ir a morir entre sus rocas. Creyeron volver a los años en que la primavera era tranquila en las verdes praderas de la llanura que rodeaba las murallas de Wilton, y en ese momento empezaron a escuchar la voz de un aldeano que recitaba una especie de balada:

Cuando el sol visitaba
del león celeste la ardiente casa,
naciste en secreto oculto tras tu nombre.
Ni padre, ni tío, ni abuelo tuviste,
pero del fuego y del agua aprendiste.
¡Oh, tú, joven lord y buen mago,
ayúdanos a torcer la torva suerte,
convierte otra vez la ceniza en maldición!
¡La chasqueante lengua invoca, el fuego rugiente,
despierta de los campos malditos sembrados de muerte!
¡Con sabias palabras que el pueblo no entiende,
desata del Fénix la ígnea garra! ¡El sortilegio extiende!
¡Que aire y ardor traigan venganza!

—¡Qué poema tan bonito! —exclamó Gretel.

—Se refieren a Curdy —dijo Ylke—. No sabía que la gente se inventaba poemas sobre él...

—En La Careta de Cerdo hay una canción para cada cosa... —rugió Hogorth Walburg, el posadero—. En honor a un puerco degollado nos escondimos detrás de una careta de cerdo, y aquí estamos de nuevo. ¿Qué os trae por aquí? —preguntó, atusándose un enorme bigote.

Cormac miró a Aiken y se decidió.

—Venimos de parte de Gurlip.

—¡Gurlip! Ah... —El hombre se llevó la mano a la frente—. Ya recuerdo. —Su tono de voz cambió completamente y se inclinó.

—Sí, Gurlip —aseguró Cormac.

—Hummm… Me encargó algunas preguntas, pero necesitaba tiempo para poder responderlas. Esos renegados no hablan mucho, ya podéis imaginar. Vienen de vez en cuando, pero se reúnen en una casa de Ridleton.

Ylke recordó la siniestra mansión de Curdy.

—¿En cuál de ellas? —preguntó ella.

—Una que está al final, abandonada, cerca de los campos de calabazas.

Ylke guardó silencio y pensó.

—Los renegados, y especialmente Adelbrandt Wendel; eso es lo que más nos interesa —dijo Aiken a media voz.

—En realidad… —reconoció Hogorth inclinándose sobre la mesa y tomando asiento entre Cormac y Gretel—, en realidad… ese MacMurdow ha venido varias veces a comprar ciertos destilados.

—¿MacMurdow? —preguntaron todos a la vez.

—¿No sabéis quién es? Ah, bueno, la verdad es que no todos los renegados pueden entrar en Hexmade, y mucho menos en la universidad —respondió el posadero—. Bueno, MacMurdow es raro, del norte, el recadero de Adelbrandt Wendel.

—Vaya… no me gusta su nombre —dijo Ylke.

—Y su aspecto, menos todavía: va siempre encapuchado —repuso el posadero—. Pero así están las cosas. Al menos aquí nunca dio problema alguno, ésa es la verdad, pero la gente se aparta al verlo… Siempre viene por el camino del cementerio, de noche, con sus malolientes faroles verdes encendidos. Frecuenta compañías raras, es posible que padezca una enfermedad terrible. Supongo que tiene algunos fuegos fatuos a su servicio. Él trae criaturas extrañas enjauladas, y se lleva a cambio destilados y pócimas preparadas por Adelbrandt en los laboratorios de la Montaña.

—¿Qué clase de pócimas? —inquirió Gretel.

—Dijo que le hacían falta muchos galones de nepenta, de abortentia, de amoresia vivendis, filtros de pesadillas; montones de ingredientes raros, como un extracto de viruela de dragón… Y a mí qué más me da, se piden cosas muy extrañas en esta posada. No creáis que aquí no se compran sustancias que algunos viajeros traen de los paisajes más agrestes de Inglaterra. La culpa la tiene ese viejo castaño; es una mala frontera, por más que los lores crean lo contrario. Los grandes alquimistas se sirven de esos vagabundos para que les hagan llegar bichos peligrosos. Y MacMurdow trae muchas jaulas grandes y pequeñas.

—¿Bichos peligrosos?

—Yo os lo digo, pero si alguien me pregunta no sabré nada de lo que me hablen. Está prohibido y, a fin de cuentas, no es asunto mío hacer preguntas.

Cormac cruzó una mirada con Aiken; ambos estaban de acuerdo en que el posadero actuaba de manera poco responsable, pero no dijeron nada. Necesitaban recabar información.

—¡Vamos! No te delataremos —insistió Cormac.

—Bueno, fue hace unas semanas. Apareció de un modo muy raro. Parecía especialmente harapiento, un pobre vagabundo, había algo en su mirada torcida que no me gustó un pelo. En fin, le dije que había cobijo, pero él me respondió que no le hacía falta porque alguien había reservado una habitación a su nombre. La había reservado MacMurdow. Miré y efectivamente era así.

»Pero lo raro del asunto eran las cubas con las que cargaba. No supe de qué estaban llenas hasta que uno de nuestros clientes tuvo la mala ocurrencia de echar un vistazo. Era un cubo bien cerrado, pero al abrir una de las portezuelas, nuestro Albert fue atacado, así como suena, ¡mordido por una bestia espantosa! No debía de ser muy grande, pero una vez fuera de su jaula era capaz de atravesar las paredes al vuelo, y cuando Frannia fue en su busca se encontró con que había un enorme murciélago colgado en el ángulo oscuro de la buhardilla.

»El vagabundo no tardó en llegar. Yo le dije de todo. Albert parecía vivo, pero presentaba un aspecto horrible. Decidí ir en busca de las autoridades, pero me topé de bruces con varios guardianes que escoltaban a sir Whylom Plumbeus.

—¡Tenía que ser él! —exclamó Ylke. Hogorth frunció el entrecejo.

—No lo descentres, Ylke —murmuró Aiken; sabía que el posadero, hombre dado a contar toda clase de historias, se distraía con facilidad.

—Bien, ¿por dónde iba? ¡Ah, sí! Pues al encontrarme con él, me tranquilicé —siguió Hogorth. Ylke hizo una mueca horrible y apoyó la cabeza entre las palmas de las manos—. Me pidió que subiésemos. Examinó el cuerpo de Albert y se lo llevó. Durante un par de días estuvimos muy preocupados, pero Albert regresó y parecía como nuevo, así que pensamos que todo se había solucionado felizmente. Pero no deja de ser extraño que un vagabundo como aquél, un brujo de dudosísima reputación, lograse entrar en Hexmade con semejante contrabando de criaturas de las sombras. Estoy convencido de que ese murciélago... Un momento... ¡Frannia!

Hogorth llamaba a una de sus ayudantes, que pasaba ajetreada entre las mesas.

—¡Ahora estoy ocupada!

—¡Siempre estás ocupada! ¡Ven, por favor!

La mujer se acercó ruidosamente con un gesto muy poco complaciente.

—¿Qué pasa? —preguntó con alegría.

—Siéntate con nosotros y describe a estos amigos lo que viste... ya sabes, aquella noche en la que encontraste a Albert...

La expresión del rostro de aquella mujer cambió al momento. Se recogió los cabellos que descuidadamente le colgaban sobre la frente.

—¡Era un vampiro! —exclamó de pronto con un fuerte susurro—. Un espantoso y enorme vampiro. Colgaba enrollado de una viga, y me di cuenta de que estaba allí porque vi el brillo de sus ojos. Eran como dos luces que se encendían y se apagaban... Entonces sentí algo extraño y retrocedí. Por un momento me pareció que aquella mirada era capaz de controlarme... La cuestión es que huí y fui a buscar a Hogorth.

—Pues eso —dijo el posadero con una palmada de satisfacción—. ¡Un vampiro en La Careta de Cerdo! Si la gente se enterase, la clientela mejoraría...

—¿Podríais decirme si ese vampiro tenía un cierto tono violáceo en el cuero de sus alas? —preguntó Ylke.

—Hace tiempo y estaba tan asustada... No lo sé —respondió ella—. Sólo recuerdo con precisión aquellos ojos y el hocico chato, feísimo, así como dos cuernos enroscados en la testa... Y lo recuerdo bien porque soñé muchas veces con él. ¡Tuve pesadillas después de verlo!

—Y el maestro Whylom Plumbeus... —empezó Ylke, pero fue interrumpida inmediatamente por la mujer:

—¡Oh, sir Whylom Plumbeus fue tan amable con todos nosotros! Especialmente conmigo; me hizo muchos regalos para compensarme y también a Albert, y...

—Pero ¿qué pasó con las cajas de ese contrabandista? Sin duda estaban llenas de peligrosas criaturas... —intervino Aiken.

—Puede ser, pero las cajas... No lo recuerdo —dijo la mujer.

—Las cajas se las llevaron los ayudantes de Plumbeus —aclaró Hogorth, guiñando el ojo derecho a su atenta audiencia. Todos entendieron lo que insinuaba: Plumbeus quería que fuesen discretos, y se lo había agradecido a todos los que habían presenciado el accidente con muchos regalos.

—Tengo que marcharme. ¡Mira ésos! Son unos impacientes. —Y, diciendo aquello, la mujer se levantó sin reparar en nada más.

—Está claro, Hogorth. Os agradecemos mucho lo que nos habéis contado —dijo Aiken.

En ese momento varios renegados entraron y tomaron asiento. Las brujas cubiertas con pasamontañas pidieron una fuente de hígado crudo. Ellos decidieron volver a la Montaña antes de que cayese la noche.

—No soporto la mirada de esos renegados... Creo que no se merecen el perdón de la comunidad mágica, eso es lo que pienso —decía Aiken mientras caminaban hacia las Puertas de Hexmade. Las nubes habían descendido como una espesa niebla y la montaña y sus cientos de pináculos se desvanecían borrosamente en ella.

—Ya te he dicho muchas veces que no deberías ser tan intolerante —le respondió su hermana.

—Estoy de acuerdo con ella —sugirió Cormac—. Y no hay nadie a quien le pueda caer peor Adelbrandt que a mí, ¡que conste!

En ese momento oyeron un zumbido. Luego otro. Y vieron cómo tres escobas voladoras trepaban a toda velocidad en la niebla, impulsando a sus tripulantes por encima de las murallas de Hexmade.

—¡Las Brigadas Voladoras! —exclamó Gretel—. ¡Cómo me gustaría tener una de ésas! —añadió.

—Sí... a mí también —dijo Aiken. Y, sin embargo, su hermana percibió que no lo decía con el mismo deseo con el que lo hacía siempre.

Cuando llegaron a la Cámara de Fuego, encendieron la chimenea en una de las salas de estudio. Estaban helados. La nevada se acercaba. Lyte, la hermana menor de Ylke, apareció a la entrada de la sala, balanceando sus brazos frágiles, con los que cargaba un pequeño hatillo lleno de dulces que su madre les enviaba, junto con otras muchas recriminaciones por no visitarla.

—¡Oh, Lyte! Mamá no debería enviarte a ti sola, para traernos estas cosas —exclamó Ylke, sentándose con su hermana frente al fuego.

—No ha sido ella —dijo la pequeña—, he sido yo: quería venir. Siempre le digo que quiero venir a vivir con vosotras y mamá se enfada.

—No me extraña —murmuró Aiken.

—No debes decirle eso a nuestra madre aunque lo pienses, ya vendrás algún día.

Ylke se sentía muy contenta de estar junto a su hermana pequeña y, aunque no lo hubiese reconocido nunca, la verdad es que echaba de menos a su madre.

EL GUARDIÁN DEL LABERINTO

Al día siguiente, los copos de nieve se deslizaban gruesos como puños detrás de las ventanas. Ylke todavía trataba de imaginar las consecuencias de todo lo que había dicho Asmodeo, y se sentía bastante desanimada porque Curdy no daba señales de vida, cuando oyó la voz de Cormac:

—Creo que nuestro lugar está esta tarde en las mazmorras de la fortaleza, en el Aula Magna de Whylom Plumbeus. Aprovecharemos para echar un vistazo allí abajo.

—Si hay prácticas con criaturas tenebrosas, sería el momento de bajar al laberinto —sugirió Cleod.

—No me parece tan buena idea —le contradijo su hermano Leod. Ylke creía que era la primera vez que los hermanos gemelos no estaban de acuerdo en algo—. Imagina lo que puede pasar si nos pillan…

—Hoy comenzaban los entrenamientos contra grandes murciélagos —siguió Cormac—. Tendremos una oportunidad. A Curdy no le gustaría que nos comportásemos como unos cobardes.

Cormac al fin había logrado convencerlos. Parecía que la sola mención de su amigo había sido capaz de envalentonarlos.

Ylke tenía muchas ganas de hablar con él, necesitaba hacerlo. Necesitaba saber cuál debía ser el siguiente paso. A medida que se acercaba la hora de volver a encontrarse con sir Whylom, se ponía de peor humor; sus amigos se miraban sin comprender del todo lo que le pasaba. Tampoco ella habría sido capaz de explicárselo, aunque se lo hubiese propuesto con la mejor voluntad del mundo (y no la tenía, al menos no ese día), de modo que debía conformarse con caminar de manera ruidosa, lanzar miradas asesinas a los libros o simplemente cerrarlos de golpe (a pesar de que los tomos de Demonología protestaban sonoramente). Finalmente se retiró a una mesa apartada, resopló, miró las antorchas consternada e incapaz de concentrarse, hasta que llegó la hora.

Aquella noche fueron muchos menos los aprendices que descendieron los peldaños que llevaban al largo túnel inferior. Las bajas en las clases de sir Whylom se multiplicaban. Aprendices heridos, picaduras de insectos de gran tamaño, ataques de criaturas aparentemente inofensivas pero con resultados increíblemente dolorosos... Y el número de asistentes continuaba descendiendo: primero, porque la enseñanza no era obligatoria, y segundo, porque muchos aprendices sentían una profunda aversión hacia las mazmorras. El discurso del brujo se volvía cada vez más oscuro; casi nadie entendía la mayor parte de los apuntes y, salvo largas listas de signos y combinaciones basadas en la interacción del plomo y el resto de los metales, todo parecía girar, casi como una obsesión, en torno a la naturaleza de las criaturas de las sombras. Aquella noche, las sonrisas de Fransien, Hindrik y, sobre todo, de Hathel Plumbeus y de su inseparable amigo, Sick Vicious, delataron que se avecinaba alguna clase de sorpresa desagradable.

Uno de los peores momentos tuvo lugar cuando el grupo de Ylke, Aiken, Cormac y compañía se encontró con los holandeses capitaneados por Hathel y, por supuesto, el larguirucho Sick Vicious. Cormac sostuvo la mirada del holandés, que se reía de un modo ridículo; Aiken parecía a punto de ir y partirle la cara, algo que, desde luego, no habría resultado nada apropiado ni tan fácil como él esperaba. Cormac le había advertido que si era incapaz de controlarse no debía acompañarlos; Aiken había aceptado y caminaba con las mandíbulas apretadas como si fuera un perro de presa. A decir verdad, todos conocían el temperamento del hermano de Ylke: el único hijo varón de los Lewander de Wilton podía comportarse como un bulldog sentado sobre un cardo.

—Procura contenerte o nos meterás en más líos —le repetía su hermana—. No olvides que hasta que no aparezca Curdy estamos todos en manos de Whylom y...

—Ya lo sé, no hace falta que me lo repitas cada dos pasos —respondió bruscamente su hermano—. Si vuelves a darme el latazo, la emprendo a puñetazos ya mismo con ese idiota, ¿vale?

Ylke resopló nerviosa, y continuaron en silencio.

Llegaron a las mazmorras y atravesaron la espantosa bodega. Cada vez que la visitaban descubrían nuevos horrores guardados en sus escondrijos, pero en aquella ocasión vieron el resplandor de dos racimos de luces perfectamente simétricos al fondo de un tenebroso rincón, tras unas cubas que desprendían un olor pestilente (quién sabe qué era lo que se pudría dentro). Ylke prefirió no decir nada, pero si aquello eran los ojos de una araña, era la araña más grande que había visto en toda su vida, con un tamaño que perfectamente podría calificarse de «peligroso» o «no doméstico».

Casi se alegraron al entrar en la tenebrosa Aula Magna. Tomaron asiento en la parte izquierda, y no hicieron mucho caso de las risas y bromas de Hathel y sus amigos. Casi de improviso, sir Whylom Plumbeus entró en escena y caminó hacia el centro del círculo pensativamente, retorciéndose las manos. Parecía meditabundo y distante. De pronto volvió en sí y descubrieron su rostro pálido, como empolvado, en el que destacaban sus labios rojizos y sus cabellos grises, como hilos de plomo que caían pesadamente sobre sus hombros y su frente, enmarcando sus desiguales cejas, más pobladas que de costumbre, y sintieron la mirada de sus ojos plateados y vacíos.

—He aquí una nada despreciable variedad de valientes alquimistas —comenzó—. Siempre he pensado que, como en todo, las leyes de la naturaleza son las más sabias, y que lo malo no existe sin la necesidad de lo bueno, del mismo modo que lo bueno precisa de lo malo para continuar existiendo. Pero no quería proponeros acertijos filosóficos, sino deciros que a medida que el número de alumnos disminuye en esta aula, también van quedando los *mejores*, la compañía *más selecta*. ¡Maravilloso! —Dio una palmada y pareció pensar—. Dejad que os dé el primer axioma (sí, axioma, una rara palabra, ¿verdad?, pero muy útil desde que los griegos la pusieron en circulación cuando trataron de organizar sus pensamientos, algo que no os vendría mal a la mayoría...); eso es, el primer axioma de lo que llegará algún día a llamarse «Filosofía de las Tinieblas». Hemos hablado de multitud de criaturas tenebrosas, y hemos aprendido que en la naturaleza misma de los animales existe un espíritu proclive al dolor, a la perversión y a la truculencia. No nos explicaríamos de otro modo la insaciable conducta de ciertas arañas gigantes, capaces de atacar a grandes criaturas, a pesar de haber comido en exceso... Ese instinto de reserva nos hace vulnerables ante enemigos perversos. Los nobles piensan que, una vez ganada una batalla leal, todo ha acabado, pero no es cierto... Podéis ganar una batalla, un combate, un duelo... pero perder una guerra ¡por confiaros! Y todo porque vuestro enemigo resucitará en las tinieblas a poca fuerza que le hayáis dejado, y vuestro pundonor, vuestra honradez, se convertirá en vuestro peor enemigo... O, dicho de otro modo: vuestro amor al prójimo. ¡Es terrible, ciertamente! Pero para combatir la perversión, queridos aprendices, debemos aprender a ser implacables, por lo tanto debemos *desaprender* ciertas cosas que nos han enseñado. Ante las criaturas de las sombras *se debe* ser terrible, y *se debe* ser destructor. Es la única forma de enfrentarse a ellas. ¿Sabría alguien decirme en esta sala cuál es la única criatura tenebrosa que no volverá a atacar por segunda vez a su enemigo o presa, a pesar de haber resultado vencida? ¿Sabría alguien responderme a esta sencilla pregunta?

Varios rumores recorrieron la sala, pero nadie se atrevió a responder. Imaginaban muchos nombres, desde los hombres lobo hasta las numerosas razas vampíricas, las arañas de más de doce patas, los hombres rata, los *baushen*, los espinosos demonios *odog-volog*...

Pero parecía un mundo confuso en el que casi ningún aprendiz, ni siquiera el que sentía simpatía por aquellas lecciones y su maestro, era capaz de poner orden o de tener un conocimiento a ciencia cierta. Si había una sensación inevitable en aquellas clases era la absoluta indefensión ante el extraño, portentoso, fascinante y a la vez perverso conocimiento que sir Whylom Plumbeus ponía al alcance de los incautos adolescentes.

—Nadie se atreve a responder, aunque sin duda alguna el rumor de vuestros pensamientos os delata...

Ylke trató de concentrarse de nuevo para cerrar su mente, pues se daba cuenta de que Whylom tenía una gran capacidad para penetrar en el pensamiento de su auditorio.

—Está bien... Yo os daré la respuesta. Un momento, ¿ni siquiera lord Cormac me sabrá decir algo? Ah, disculpadme, olvidaba que ya no sois un lord...

Aquel calculado comentario despertó muchas risas entre las primeras filas, donde se sentaban sus más acérrimos seguidores.

—Lo que me extraña, honorable sir Plumbeus, es que ninguno de sus alumnos favoritos sea capaz de responder a vuestra pregunta, señal de que son algo más torpes de lo que pensabais... —respondió Cormac, conquistando algunas risas entre su grupo, y Aiken se atrevió a soltar una carcajada.

Whylom no se dio por aludido.

—Está bien, pronto tendréis la oportunidad de demostrar vuestro talento... no sólo con palabras. Ahora os responderé que la única criatura tenebrosa derrotada en la que podéis confiar después de haberos enfrentado a ella en cualquier circunstancia... es aquella que habéis dejado MUERTA a vuestras espaldas.

Un silencio ocupó el aire tras aquellas palabras. Si ése era un axioma, desde luego era un axioma tenebroso y contrario a todos los principios de la verdadera Alquimia como camino de luz y verdad.

—Eso es: muerta —insistió el oscuro maestro—. No debe asustaros esa palabra; debéis ser capaces de llegar a dar muerte a esas criaturas y a no tener ninguna clase de remordimientos hacia ellas, si apreciáis vuestra propia vida. Hoy vamos a inaugurar la fase más importante de nuestros adiestramientos. Conocimiento y praxis deben ir cogidos de la mano, por lo que os invito a que conozcáis... la Guarida.

De pronto, a una señal del maestro, las luces de la chimenea con forma de murciélago decrecieron. La penumbra trepó por los escalones y las bóvedas y algunos murciélagos se inquietaron en sus rincones. El alquimista se aproximó a la chimenea, chasqueó los dedos y un silbido de aire empujó las ascuas, barriéndolas a su paso.

La chimenea era tan grande que todos vieron cómo el propio Whylom Plumbeus caminaba hacia dentro sin necesidad de agacharse. Entró en las fauces del murciélago y al fondo tanteó la pared de piedra, en la que apareció el siguiente símbolo:

Plumbeus depositó su medallón en la parte inferior del signo. Ylke recordó haberlo visto en el frontispicio de la casa de los Plumbeus, en Wilton: era el emblema alquímico del plomo. La piedra mostró una grieta, cediendo cada parte hacia dentro en medio de un ronquido cavernario. Un espacio profundo y negro se abrió ante el alquimista.

—Aquí está: la Guarida. Sólo para duelos mortales. Sólo para magos ambiciosos. Sólo para los que tienen coraje. La cámara, de todos modos, puede resultar sorprendente para quienes piensen que todo ha de ser como imaginan. La prueba cambiará con cada participante, y la propia cámara dictará algunas de sus reglas, según sea la naturaleza del combate, gracias a una serie de espejos preparados en los laboratorios de lord Hubert. Experimentarán cosas increíbles.

Cormac alzó el brazo, solicitando permiso para hacer una pregunta. Un gesto casi imperceptible del maestro se lo concedió.

—¿Está ahí... el Laberinto?

—¿El Laberinto de las Profecías? La curiosidad mató al gato, Cormac. La Cámara de los Espejos está cerca de una de las puertas, si eso satisface tu curiosidad. Pero dudo mucho que alguno de ustedes fuese capaz de abrirla. El Laberinto está construido según los planos del hechicero más poderoso de todos los tiempos, y ninguno de los aquí presentes sería capaz de imaginar lo que significa de verdad entrar en él. El Laberinto de las Profecías está lejos y abajo, y no debo decir nada más.

Whylom se introdujo en la sombra y gritó de pronto:

—¡Aquí, Desmodus! —Se oyó el eco repitiendo las palabras decenas de veces por muros inacabables—. Ahí está Pteropus, que no escape... y Sputus... los patriarcas...

El alquimista salió de nuevo y miró con satisfacción la chimenea. Después se dirigió a su auditorio:

—Un patriarca puede gobernar la mente de muchos miles de pequeños murciélagos. Su pensamiento es increíblemente jerárquico. Cuando un vampiro encuentra a otro en apuros, le da parte de la sangre que ha capturado, y no olvidan los favores, como tampoco los actos motivados por la envidia... y son sumamente rencorosos. Por cierto, las especies que se alimentan de sangre en lugar de insectos viven... hasta cien veces más que las otras. ¿Podéis entender lo que eso significa? Uno de esos pequeños vampiros de las especies de Transilvania puede llegar a vivir hasta doscientos cincuenta años, mientras que otro murciélago de constitución y tamaño similares no superará los ocho años de edad, aunque sigue siendo considerablemente muchísimo más de lo que vivirá un ratón de campo de su mismo tamaño y que se alimente de grano, que no vivirá más de dos años... Eso nos revela muchas cosas, desde luego, oh, sí, muchas cosas, queridos aprendices de las sombras...

Había algo en Plumbeus especialmente horroroso aquel día. Ylke no habría sabido decir el qué, pero algo espantoso en su forma de llamarlos «queridos aprendices» una y otra vez suscitaba toda clase de malos presagios en casi todos los presentes.

—¿Cómo os enfrentaréis a esos patriarcas? Muy sencillo, entraréis armados con vuestras varitas. El arte de manejarlas y de acumular poder en ellas es muy superior. Sé que algunos de vosotros sois capaces de hacer maravillas con ellas, que contáis con talentos diversos. Es hora de que los pongáis en práctica. Demostrad de lo que sois capaces. Quienes salgan vencedores, serán recomendados para convertirse en parte de la Guardia del Laberinto.

Los aprendices se miraron los unos a los otros, sorprendidos. Ylke empuñaba su varita desde hacía rato.

—Así es, necesitaremos algunos guardianes en breve, y todos ellos pertenecerán a una nueva orden según ha decidido la Cámara Alta: la Orden del Laberinto; serán condecorados por sus servicios, algo muy propio de los buenos habitantes de Hexmade, en el caso de que sobrevivan, se sobrentiende.

—¿Y la rabia vampírica? —preguntó Aiken.

—Para eso tomaréis este... antídoto.

Ylke no podía creerlo. Sólo tuvo que intercambiar miradas con sus amigos para saber que todos escupirían ese antídoto nada más penetrar en la Guarida. Sólo podía ser una trampa mortal.

—Es uno de mis mayores logros: al menos he conseguido destilar, gracias a los laboratorios de los vidrieros, a sus finísimas tuberías, a sus refinadísimas campanas de cocción y a la sabiduría de Adelbrandt Wendel, el veneno de los *pteropus* y de los *desmodus*, dos de las especies inferiores de murciélagos gigantes que comandan nubes de pequeños murciélagos con las que se nubla el cielo cuando las fuerzas tenebrosas se ciernen sobre nosotros con sus ejércitos...

Ylke lo comprendió. Sabía lo que pasaba con aquellas pócimas, podrían ser cualquier cosa, y especialmente algún *serum* engañoso cuya verdadera función consistiese en abrir la mente de los que lo bebían, para así poder acceder a todos sus recuerdos durante el sueño... o algo que los distrajese para que fracasasen durante el combate.

—No pienso beberme eso —murmuró Ylke en voz baja.

Le pareció increíble, pero los ojos de Whylom la buscaron inmediatamente, como si la hubiese oído. El oscuro maestro parecía haber desarrollado su capacidad auditiva hasta extremos increíbles. Cormac estaba seguro de que se había obrado una curiosa transformación en el brujo y sus orejas eran ligeramente más puntiagudas.

—El primer combate tendrá lugar... veamos... Cleod y Leod Goldwing, ¡los primeros en la lista! ¡Un aplauso para ellos!

Vacilaron, pero se levantaron mientras Hathel y sus amigos aplaudían ruidosamente. Fueron al encuentro del maestro. Hicieron como que se bebían el terrible antídoto, se miraron el uno al otro y entraron en la Guarida.

—Tenéis que llegar hasta el final de la escalera y traer un huevo de oro que reposa sobre una piedra —dijo Whylom.

Se hizo un silencio de muerte y durante un lapso de tiempo casi interminable oyeron gritos aterradores. Plumbeus penetró inmediatamente en la oscuridad. Hubo un fogonazo de luz verde y el chillido de una criatura inmunda se alejó con cien ecos.

Cleod y Leod salieron apoyándose el uno en el otro, pálidos como cadáveres y aparentemente muy débiles. No eran pocos los simpatizantes de Hathel Plumbeus y de Vitrius que se desternillaban.

—¡Eso no tiene ninguna gracia! —protestó Ylke, indignada.

Apenas la diversión había acabado cuando se anunció el siguiente combate:

—¡Vick Vitrius y Hathel Plumbeus!

Ylke se dio cuenta de que había un antídoto reservado para cada participante. Los nuevos elegidos bebieron y entraron en el Laberinto.

—Traedme ese huevo de oro que Cleod y Leod ni siquiera han podido ver —pidió Whylom.

Audaces, el gordo y el flaco se metieron, no sin cierto respeto, en la Guarida.

Oyeron gritos, hubo hurras, vieron una luz muy fuerte que estallaba. Poco tiempo después, Hathel y Vick aparecían jadeando con un pesado huevo de oro en las manos.

—Seréis propuestos para formar parte de la Orden del Laberinto. Aquí no hay diferencias, como habéis podido ver; mi hijo ha corrido los mismos riesgos que cualquier otro participante.

Los miembros presentes de la Cámara de Tierra aplaudían y se ponían en pie.

—Los siguientes serán los hermanos Aiken e Ylke Lewander... ¿Quién sabe, queridos? A lo mejor el olor a lavanda es un poderoso repelente para los hocicos de ese enorme *desmodus mortis* que os aguarda en la cámara. Traedme el cáliz de oro que reposa en el centro de la sala de los espejos.

—¿Un *desmodus mortis*? —preguntó Aiken, indignado—. Pe... pero ése es, si no he estudiado mal, un murciélago enorme y...

Las risas de Victus Vitrius y de Hathel Plumbeus fueron tan descaradas como ruidosas.

—No habéis estudiado mal y os felicito por vuestros conocimientos teóricos, pero es hora de que se hagan prácticos —aseveró Whylom—. ¡Adelante!

Aiken e Ylke se levantaron, descendieron los peldaños y se detuvieron en el centro.

—Aquí tenéis vuestros botellines de antídoto —dijo Whylom, extendiéndoles dos pequeños recipientes de plata. Ambos fingieron que bebían aquella asquerosa bebida. Quizá por eso entraron más rápidamente de lo que era de esperar en la Guarida, para perder de vista a Whylom y escupir cuanto antes aquella pócima.

Empuñaron sus varitas. Las de su familia eran de madera de acebo, y eso no parecía ir a favor de combates mágicos demasiado cargados, donde las varas de metales alquímicos daban resultados mucho más fiables.

Las piedras se cerraron tras ellos, oyeron un grito agudo y en ese instante ambos empezaron a caer como si se precipitasen en un profundo abismo. Aiken arrojó unas semillas de mandrágora que se volvieron rojas a su alrededor y se convirtieron en ardientes ascuas de una luz dorada.

Caían y caían por un abismo espantoso, envuelto en largas cristaleras. En ese instante, el grito se repitió e Ylke, que trataba de encontrar a su hermano, vio el resplandor violeta de un par de ojos que descendían envueltos en un sordo batir de alas.

Un *desmodus mortis*. Alas coriáceas provistas de ganchos en sus ángulos batientes. Pelo por todas partes, fino y puntiagudo como el alambre. Cabeza porcina. Orejas troqueladas como hojas de muérdago. Y se acercaba peligrosamente. Ylke se preguntaba si Whylom lo ocultaba hambriento, cuando el gran murciélago se arrojó contra un extraño bulto que gritaba su nombre.

—¡Aiken! —respondió ella, al darse cuenta de que era su hermano.

Lo que su hermano había hecho para defenderse de aquella bestia no estaba claro, pero la vara relampagueó débilmente y se oyó un agudo grito. Aiken había logrado huir acosado por aquellos ojos violáceos que relampagueaban de vez en cuando, convertidos en la única luz que podían ver.

Fue entonces cuando algo mucho más siniestro tuvo lugar detrás de Ylke. Una voz profunda que parecía surgir de las profundidades de la tierra pronunció una palabra y todo cambió de pronto:

Acuarius!

El abismo por el que se precipitaba se convirtió en un pozo y toda la imagen cambió como si estuviese llena de agua. Su caída se desaceleró y sus cabellos se expandieron. La imagen de los cristales se deformó ondulando de izquierda a derecha. Una luz verde lima procedente de las profundidades atrajo la atención de Ylke, que vio cómo sus cabellos y su túnica flotaban enredándose en el agua. Era otra vez como en sus sueños: el fuego verde, el lago subterráneo...

Succionada hacia abajo, como si el agua fuera atraída hacia un enorme sumidero luminoso, Ylke se encontró en medio de una sala rodeada de objetos de cristal que reflejaban grandes y horribles rostros. Detrás de ellos, como ocultos, había seres putrefactos, sin narices ni boca, pero con ojos que se abrían y que la observaban sin parpadear. Comenzaron a moverse como un torbellino, abandonando el laberinto de cristal. La luz verde lima procedía de una copa en la que había oculto un objeto amarillo cuyo resplandor, al atravesar el agua, cambiaba y tocaba todas las tonalidades del verde hasta convertirse en el verde esmeralda profundo casi negro de un misterioso crisopacio.

Ylke se preguntaba demasiadas cosas a la vez. Su hermano, el murciélago que había desaparecido, Curdy y todos aquellos seres putrefactos, todo parpadeaba como una imagen confusa en su mente, antepuesta a lo que veía a su alrededor, cuando un ser de talla más que humana salió de un pasillo. Parecía cubierto por una túnica negra que flotaba ominosamente en el agua. Carecía de rostro, salvo un gran agujero que parecía a la vez una boca y un ojo. Sus manos se extendieron hacia ella, viscosas, recubiertas de una carne podrida.

Era un horror indefinible que avanzaba lenta pero inexorablemente. Trató de pronunciar el conjuro adecuado, pero ninguno valía, soltó unas burbujas y empezó a sentir que se asfixiaba. La vara respondió a la orden, pero el agua sofocó el tenue resplandor, dispersando unos plasmas de fuego que revolotearon erráticamente como pececillos asustados y que se deshicieron sin ningún efecto. Se dio cuenta. Había soñado con aquel momento hacía mucho tiempo. Era una de sus pesadillas recurrentes, pero no era el momento para descubrir el significado de los sueños. La viscosa mano se acercó a su cuello, los dedos comenzaron a rodearlo y el ojo del ente comenzó a abrirse.

En ese preciso instante, un largo fogonazo atravesó desigualmente las tinieblas acuáticas. Todos aquellos seres sin nariz se dispersaron como cuervos ahuyentados por un trueno, y las estrías de luz verde restallaron burbujeando y reverberando hasta tocar el rostro de aquella gigantesca aparición.

Entonces, Ilke oyó una voz cavernosa que retrocedía al tiempo que una sacudida le advertía de que el agua huía a su alrededor rápidamente.

Abrió los ojos.

Estaba en medio de una rotonda de piedra. Pero encima de la repisa sólo había una copa normal y corriente, en cuyo interior no resplandecía ningún objeto de especial valor. Por encima de ella se extendía el abismo larguísimo por el que había creído caer: un muro circular recubierto de espejos, los cuales, a su vez, mostraban puertas entreabiertas.

—¿Dónde...? —Apenas podía gritar y le costó ponerse en pie.

—No grites todavía. —Se volvió y allí estaba otra vez.

—¡Curdy!

—No grites, por favor. Plumbeus no tardará en aparecer...

Curdy le hizo una señal y ella lo siguió hacia una de las entradas que había entre los altos espejos. Detrás se extendía un largo pasadizo, y lo que vio no dejó de sorprenderla de nuevo.

El pasadizo era alto y descendía, y a ambos lados se elevaban decenas de cristales y espejos. Curdy se detuvo, iluminado por los vagos resplandores que titilaban débilmente a su alrededor, como apariciones en medio de la más negra oscuridad.

Los ojos de Curdy brillaban con el sutil resplandor.

—¡Aquí está! El Laberinto de las Profecías —susurró su amigo, elevando los brazos.

Ylke miró a su alrededor. Trataba de despejar muchas de sus dudas. La primera de todas era si Curdy era realmente Curdy.

—No hay mucho tiempo, Ylke —dijo el chico, acercándose a ella.

—¿Estás bien? —preguntó ella.

—Eso mismo iba a preguntarte yo... Bueno, sí, supongo que sí.

—Yo también... ¿Qué es todo esto?

A pesar de la cantidad de preguntas que deseaba hacer a su amigo, Ylke no lograba poner orden en sus ideas y aquel lugar extraordinario logró captar toda su atención.

—Ésta es una de las entradas que tiene el Laberinto. —Curdy acercó los dedos lentamente a la pared y allí donde estuvo a punto de tocar el muro emergieron rostros tristes de alquimistas y magos que los miraban, así como la cara de un viejo convertida en un espejismo azulado que temblaba como la imagen desenfocada de un sueño. Aquellas imágenes parpadeaban a su alrededor por todas partes, mostrando miles de rostros que aparecían y se ocultaban para mostrar otros—. ¿Qué te parece? He tardado en descubrirlo, pero los espejos reflejan rostros de hombres y mujeres que fueron quemados en las hogueras de los inquisidores, o que sufrieron el asesinato mágico de la sombra de un modo u otro.

Ylke se quedó mirando la cara de un niño que le sacaba la lengua. Detrás apareció de inmediato el rostro de su madre. Los muros parpadeaban intermitentemente y sin pausa con la aparición de nuevos personajes.

—Son víctimas de la sombra desde tiempos inmemoriales —siguió diciendo Curdy, alejando la mano del muro.

Ylke se fijó en una pareja de egipcios que la miraron sin parpadear antes de desvanecerse.

—El Laberinto da cobijo a muchas almas que han vagado durante siglos.

—¿Y qué hacen aquí? ¿Quién lo ha hecho?

Curdy la miró y ella se dio cuenta de que no podía ser otro sino el verdadero Curdy.

—Esperan la redención. Un libro que custodiaba la Orden contenía las ancestrales fórmulas que creaban el torbellino del Laberinto, hasta que encerrase cuanto debía ser capaz de encerrar: la Puerta al Otro Lado, la Puerta del Tiempo y el Arca de la Alianza, pues dentro de ella está el Cáliz Sangrante. Lo que ves es el principio del Laberinto de Salomón. ¡Él es la clave del Laberinto! Sin él no habrá redención para los caídos, ni castigo para quienes los hicieron caer valiéndose de las artes oscuras.

—Hay tantas cosas que deberías explicarme…

—Pero no hay tiempo, Ylke. Ya no hay tiempo.

Ylke contempló con gran sorpresa el rostro de Curdy; su amigo empuñaba un cetro de oro con la mano derecha, pero no había ni rastro del Fénix.

—¿Estás bien? —preguntó él, inclinándose sobre ella.

Ylke apenas tuvo tiempo para estudiar los ojos impasibles de su amigo.

—Tú…

—Aiken está bien, logró defenderse de ese *desmodus*; era una trampa de Whylom…

—Están aquí de nuevo, dentro... —dijo ella, poniéndose en pie y mirando consternada su vara rota. Había pasado de mano en mano en su familia desde hacía más de ochenta años.

—Alégrate de conservar tu vida... y tu sangre —dijo Curdy.

—¿Qué vamos a hacer? —preguntó ella.

—Planean un ataque.

—¿Quiénes?

—Los conspiradores de Hexmade. Tienes que volver...

Ylke apenas tuvo tiempo para pensar. Curdy retrocedió.

—Pero... ¿qué era eso?

—La Sala de los Espejos es capaz de reflejar las peores pesadillas del que cae en su foso. Tú has sido la primera. Ahora no hay tiempo...

—Y...

—¡Tengo que irme o me descubrirán! Ahí está tu hermano. ¡Ve con él! ¡Estando aquí corréis un peligro mortal!

—¿Eras tú con quien me encontré en Ridleton Mayor?

Curdy la miró fijamente.

—¿Qué? ¿Yo? No, es la primera vez que logro acercarme a vosotros. ¿Te encontraste conmigo?

—Se parecía mucho a ti, sí, ¡eras tú!

Los ojos de Curdy parecieron transfigurados ante una poderosa revelación.

—¡Ahora entiendo muchas cosas! No era yo, Ylke, sino alguna magia empleada por uno de los espías, quizá el peor y más peligroso de todos ellos... ¿Qué te pidió?

—Dijo que volvería para decirme lo que tenía que hacer...

—Si lo hace, dile que sí a todo. ¡Rehúye de su presencia!

—Pero ¿cómo sabré que tú eres tú? Quiero decir, que eres el verdadero Curdy, y no el impostor...

—*Carolus Magnus*, ésa será la clave, ¿de acuerdo?

La voz de Aiken resonó alrededor, pronunciando el nombre de su hermana; después lo hizo la voz de sir Plumbeus, y el rostro de Curdy cambió de color, volviéndose más pálido y dibujándose inmediatamente dos arrugas casi verticales entre sus cejas.

—No pienses en él, o se dará cuenta —le pidió Ylke.

—Todavía no ha llegado su hora, ¡pero se acerca! —murmuró Curdy, amenazante—. Acabaré con él. El Arca de la Alianza irá al centro del Laberinto de Salomón.

Los rostros que brotaban en los espejos negros miraron aterrorizados en la dirección de la que procedían las voces y muchos huyeron, gritaron sin emitir sonido alguno, se llevaron las manos a la cabeza. Curdy echó a correr por el pasillo. La luz de su cetro se extinguió.

Ylke deseaba hacer muchas preguntas todavía, pero se volvió para ver que su hermano miraba hacia donde ella estaba y gritaba su nombre.

Había algo que se retorcía en el suelo a la luz de las semillas de mandrágora que, diseminadas por el mármol negro, ardían como una pléyade de ascuas doradas en medio de impenetrables tinieblas. En ese instante quiso ver por última vez a Curdy, pero él ya había desaparecido.

—¿Estás ahí? —gritó Aiken, esgrimiendo su vara.

—¡Sí! ¡Soy yo! —respondió ella, corriendo a su encuentro.

—¡Mira esto! —exclamó su hermano, señalando hacia el suelo.

Ylke llegó hasta su hermano, que señalaba con la vara de acebo una enorme sombra. Parecía una manta arrugada, más negra que la oscuridad que los rodeaba.

—¡Lo he derrotado, Ylke! ¡Lo he derrotado!

—¿Qué has hecho?

En ese instante, el vampiro alzó la cabeza y sus dos ojos violáceos y ciegos brillaron como linternas mortecinas. Sus fauces se abrieron para mostrar hileras de filosos dientes, aunque los colmillos superiores eran mucho más largos. Pero lo peor de todo fue el agudo y lastimero grito que emitió. Los ecos se perdieron en una lejanía inconmensurable.

—¿Qué le has hecho? —preguntó Ylke.

—Yo... la verdad es que no lo sé muy bien —respondió Aiken, algo confundido.

—Tienes que saberlo —exigió ella.

—Bien, creo que pronuncié una fórmula y después estalló una gran luz azul. Vi cómo ese repelente *desmodus* alzaba el vuelo y después caía girando y arrugándose en este pozo —explicó él—. Y mira, ¡mi vara no se ha roto! Son mucho más fuertes de lo que imaginábamos...

Ylke miró a su alrededor con ansiedad. Su hermano no era consciente de lo que estaba pasando, y ella estaba casi segura de que Curdy había tenido mucho que ver en la victoria sobre el agresivo *desmodus mortis*.

—¿Qué tal si acabo con él? —preguntó Aiken, sin apartar la mirada del vampiro.

—No lo hagas. Sólo demostrarías haber aprendido la lección de Whylom Plumbeus. No le hagas ese favor. Tienes que seguir siendo tú mismo...

Su hermano la miró a los ojos.

En ese momento, las rocas se abrieron y la luz de otro mundo penetró en las tinieblas, haciéndolas todavía más negras. Whylom Plumbeus, empuñando una antorcha violácea, entró en la cámara y se aproximó a ellos.

Se detuvo ante el vampiro y se inclinó. Después miró a los hermanos Lewander con una extraña y contenida expresión de dolor en el rostro.

—He de felicitaros por vuestro éxito —dijo sin poder disimular su tristeza.

—Las varas de acebo de los Lewander tienen sus propiedades... —fanfarroneó Aiken.

—Por supuesto —dijo el maestro—. ¿Y qué conjuro habéis lanzado contra esa criatura?

—Pues... —Aiken vaciló—. Receta familiar.

—Secretos de los Lewander —comentó el alquimista, poniéndose en pie.

Ylke caminó hacia la salida y tiró de la mano de su hermano.

—Tu hermana parece menos convencida que tú, Aiken Lewander —aseguró Whylom. Ella se volvió y encontró un brillo de malignidad en los rasgados ojos del maestro.

Cuando salieron, encontraron muy inquieta a la mayoría de los aprendices. Cormac se puso en pie al ver el rostro pálido de su amiga.

—¿Qué…?

Ylke no le dejó acabar la frase y corrió hacia la salida del Aula Magna.

Ella y su hermano abandonaron la sala precipitadamente.

DESAPARICIÓN EN EL ESPEJO

Cuando las puertas del Reino de los Aprendices se cerraron, Cormac se reunió con los demás frente a la chimenea. Todos estaban de acuerdo en que era hora de aclarar muchas cosas, como el misterio de los espejos, el empleo del trimercurio y las reuniones secretas de los secuaces de Hathel Plumbeus.

Una forma espantosa se materializó en las sombras de la sala. Allí estaba Asmodeo, bajo el aspecto de dracontófago.

—Hoy vamos a capturar a ese alquimista.

—Iremos a echar un vistazo a los laboratorios de los vidrieros —sugirió Cormac.

—Eso es perfecto para mi plan. ¡No olvidéis el trimercurio! —dijo Asmodeo—. Hathel y sus amigos se reúnen clandestinamente en una sala del gremio de vidrieros. Iréis hacia allí; será la ocasión para dar con ese alquimista de la máscara especular. Quiero capturarlo. Ya lo he vigilado, pero es escurridizo; se mezcla en la multitud, bajo la gran vidriera, y allí desaparece. No importa que lo busque, se transforma perfectamente en otra persona... Es esa máscara.

Ylke cayó en la cuenta del peligro que había corrido al encontrarse con el falso Curdy en Ridleton Mayor.

—Iréis a sorprender a Hathel y a sus amigos junto a esa Artemis en la duodécima puerta del séptimo pasillo, en el nivel inferior de los talleres de cristal; alguien con quien se reúnen a menudo, un hada, aunque ese término es muy vago, porque últimamente y dada la gran variedad de criaturas mágicas que penetran en la comarca secreta de Hexmade, ese término podría referirse a incontables criaturas.

Llegó la hora y se situaron tras la capa de Cormac.

—Ya sabéis lo que hay que hacer; ante todo permaneced bien callados, y nada de luces.

—¡Un momento! Mi hermana... —dijo Ylke.

—Lyte, ¿iba a venir hoy? —preguntó su hermano.

—Dijo que vendría esta tarde y no está. Rara vez se retrasa tanto. —Ylke se preocupó por ella—. Asmodeo, por favor, deberías ir a buscarla.

Los ojos del demonio se volvieron brillantes como lámparas amarillas.

—¿Tendría que haber llegado esta tarde y no está? —preguntó.

Por un momento se imaginó a su hermana pequeña recorriendo las avenidas desiertas y nevadas que subían hasta la entrada del castillo. Después creyó verla en la vasta soledad de los pasadizos de piedra, caminando hacia la escalera... Se pusieron en marcha y ella trató de concentrarse.

—Me ocuparé de echar un vistazo, estaba acordándome de algo... —dijo Asmodeo.

—¿Qué es?

—Cuando venía, me he fijado en las imágenes oníricas que proyectaba la Vidriera. A menudo no le presto atención porque no hay forma de entender nada, pero he creído ver a una niña no muy mayor que le daba la mano a una mujer de rostro muy pálido, y al ver a la niña me he acordado de Ylke Lewander... ha sido sólo una premonición, supongo —reveló Asmodeo.

—Por favor, búscala.

—De acuerdo mientras tanto, vosotros id hacia los talleres de los cristaleros.

El dracontófago volvió a las sombras y desapareció.

Era lo suficientemente tarde para que la mayor parte de los pasadizos estuviesen desiertos. Fue entonces cuando los hermanos Wallace hablaron del polvo de sombra, Aiken se entusiasmó y explicó sus efectos.

—Basta con echarse un poco por encima para convertirse en una densa mancha negra durante un buen rato.

—Sois una caja de sorpresas —reconoció Cormac, alucinado.

—Y nunca sabrás lo que hay dentro —añadió Angus, espolvoreando sus manos con una buena cantidad de una viruta que parecía pólvora negra.

Al instante sintieron un hormigueo y se asustaron al mirarse los unos a los otros: sólo veían sombras, sombras grandes e impenetrables, en las que ni siquiera brillaban los ojos. Les costaba caminar, porque aquella magia producía un efecto óptico: tenían la sensación de que medían doce o quince pies de altura, y les costaba acostumbrarse a caminar. Convertirse en una sombra tenía sus desventajas. Sólo se distinguía una cosa: el resplandor mortecino del matraz de trimercurio; envolviéndolo varias veces en su manto, Cormac lo hizo desaparecer.

En el patio de armas de la fortaleza, bajo la Gran Vidriera, las imágenes cambiaban ofreciendo un lúgubre espectáculo. Las imágenes oníricas parecían más melancólicas que a cualquier otra hora del día, cuando cientos de estudiantes pululaban a su alrededor de camino a todos los rincones del castillo. Siguiendo las indicaciones de Asmodeo, entraron en un corredor abovedado mucho más alto. Las esculturas talladas en bajorrelieve a lo largo de los muros susurraban en las penumbras. Antorchas solitarias de llamas azules parpadeaban a una gran distancia. Con un gesto del brazo, Cormac les indicó, especialmente a sus compatriotas escoceses, los Wallace, que debían caminar con más sigilo y volvieron a reanudar la marcha. Cuando llegaron al descanso de la escalera principal y se asomaron por la barandilla, no pudieron por menos de sentir un escalofrío. Mirar hacia el abismo desde aquella altura era como asomarse a un paisaje arquitectónico retorcido y asimétrico, que trepaba en sentido inverso reconstruyendo un abismo de piedra. Los enormes pilares trepaban alrededor apuntándose poco a poco hasta sostener las bóvedas adyacentes de las mazmorras o los poderosos muros de carga de la fortaleza. Todo, de cualquier modo, parecía converger en un punto parecido a un ojo de piedra.

Empezaron a descender. No había pasado mucho tiempo mientras saltaban los peldaños cuando oyeron un espantoso chillido. Parecía muy lejano, como el grito de un alma torturada en las tinieblas del mundo. Había surgido de muy abajo y, sin que nadie se atreviese a decirlo, todos pensaron que en los sótanos de las mazmorras había demasiadas criaturas sombrías encerradas por los inseguros cerrojos de Whylom Plumbeus. Fue en ese preciso instante cuando descubrieron, contra el resplandor oscilante que palpitaba en los grandes muros, el vuelo irregular de un murciélago.

Cormac enfiló uno de los anchos pasillos que seguía la ruta de los talleres, y después torció a la derecha en varias ocasiones. Los corredores se volvieron más estrechos; había escaleras y muy pocas antorchas encendidas.

Sus pensamientos fueron interrumpidos por otro pasillo. Cormac parecía muy serio.

—¿Estás seguro de que es por aquí? —preguntó Gretel.

—Sí, ¿estás seguro? —insistió Angus, que desde que habían descendido al patio de armas no se sentía del todo bien. No quería reconocerlo, pero estaba bastante nervioso.

—No me cabe ninguna duda. ¡Por ahí! —dio por toda respuesta Cormac.

—Bueno… ¿a qué estamos esperando? —inquirió Aiken con increíble decisión.

—De acuerdo —asintió Cormac. Se retiró la capa y desenvainó la delgada varita. Seis sombras más hicieron lo mismo (excepto Ylke, cuya varita de acebo había sido despedazada en el duelo de la Guarida).

Contaron las puertas una por una. Estaban en el séptimo pasillo y sólo faltaban dos entradas para llegar a la duodécima. Cuando se acercaron, oyeron un ruido, como si allí dentro estuviese celebrándose una fiesta.

Pero Ylke creía reconocer aquel lugar. No era otro sino uno de los pasillos cercanos al corredor en el que había descubierto al misterioso vidriero, aquel que se había colocado una máscara esférica. Todo empezaba a encajar, pero la sensación de que aquel extraño ser putrefacto que había aparecido en el fondo de la Guarida pudiese volver en cualquier momento la puso mucho más nerviosa que la oscuridad misma.

Habían llegado. La puerta estaba cerrada. Cormac extrajo una de las llaves maestras con las que los lores podían abrir la mayoría de las cámaras del castillo.

—Tuve la ocurrencia de hacer algunas copias antes de entregárselas al Consejo cuando decidieron degradarme —dijo.

—¡Qué lástima! —se burló Aiken.

Introdujo la complicada llave y la hizo girar, y una luz verdosa se derramó suavemente por el pasillo.

Unos doce chicos estaban sentados alrededor de un frasco de cristal que desprendía esa luz verde amarillenta. Algunos gritaban cosas incomprensibles y, de pronto, empezaban a dar vueltas o bailaban con otros para después volver a tumbarse. Se servían de aquel líquido verde en unos vasos ondulados y bebían sin moderación alguna. Ylke y sus amigos reconocieron enseguida a uno de ellos: Sick Vicious. Allí estaba, sin su sombrero, diciendo cosas rarísimas en holandés y sirviendo a otros holandeses e ingleses.

Cormac observaba con ojos ceñudos y se disponía a secundar los deseos de Aiken de acabar con aquel espectáculo cuando Ylke los detuvo colocando sus manos en sus hombros. Entonces la luz verde se hizo más intensa y venenosa, y se formó una nebulosa flotando en el centro del laboratorio. Sick Vicious había arrojado en el frasco de cristal unos cristales que parecían hielo y Hathel Plumbeus se encargó, a pesar de que se tambaleaba, de echar algo parecido a un polvo blanco muy fino. En ese momento se oyó un temblor y de las paredes brotó una voz amplificada por un coro. Era una voz femenina, dulce y casi encantadora. De la nebulosa surgieron haces de rayos;

justo encima del círculo se corporeizó la forma de una joven hermosísima, tan bella que parecía salir de un auténtico sueño. Su rostro era ancho y sus pómulos, muy marcados, como sus labios; sus cabellos eran muy largos y de un verde plateado; sus grandes ojos también eran verdes y rutilaban como esmeraldas. Disponía de unas alas que no dejaban de zumbar en su espalda y, lo más sorprendente de todo, estaba completamente desnuda.

Que las hadas podían ser de muchas formas y que en general eran sumamente desvergonzadas, como los silfos y las náyades, era bien sabido por cualquier alquimista que hubiese leído unos cuantos bestiarios bien ilustrados o que se hubiese adentrado en territorios agrestes (especialmente en primavera), pero había algo en aquel desnudo que resultaba provocador en extremo, y lo más probable era el hecho de que aquella hada era demasiado alta para ser un hada, y se mostraba a un tamaño natural propio de una mujer mortal.

Desde luego, un cierto cambio se había obrado tanto en Cormac como en Aiken y en los hermanos Wallace. Incluso a pesar de la oscuridad, Ylke estaba segura de que Angus se había puesto rojo como un tomate.

Nadie era capaz de tomar la iniciativa y en ese momento el Hada Verde se inclinó sobre Sick Vicious, que alzó su copa de cristal entre aullidos y risotadas y la vació de un solo trago.

Al parecer, el Hada Verde era capaz de producir increíbles alucinaciones en cada uno de los bebedores una vez que se inclinaba y les susurraba cosas al oído. Ylke no tardó en darse cuenta de que en verdad no se trataba de un hada, sino más bien de un espectro producido por las propiedades del destilado de aquella peligrosa bebida alcohólica.

—¿Qué demonios están bebiendo? —preguntó Aiken, más interesado que censurador.

Gretel le dio un codazo bastante fuerte.

—Eso es Artemis, la bebida más alucinante que se ha inventado, y seguro que la destilan en este laboratorio —susurró Asmodeo—. Menudo súcubo...

—¿Es un súcubo?

—¿Qué haces aquí? —inquirió Ylke.

—Claro, ¿no pensarás que se trata de un hada? Es un diablo femenino invocado gracias a los poderes de la bebida —aclaró Asmodeo—. Sería mejor que interviniésemos antes de que éstos se desmadren. Por cierto, ni rastro de Lyte, y hay algo que no me gusta nada por ahí fuera...

El Hada Verde se había sentado encima de Hathel Plumbeus y éste había empezado a aullar como si se hubiese convertido en un hombre lobo.

—Artemis —dijo Ylke—. Pero en realidad no están aquí sólo por eso.

—No —dijo Asmodeo, y sus ojos rasgados brillaron tenuemente con un chispazo de astucia—. Si están aquí es porque son parte de la Guardia del Laberinto y se supone que custodian el patio, para eso han tenido permiso de Whylom Plumbeus.

En ese momento una puerta rechinó a sus espaldas, en el largo corredor de los laboratorios.

—Y ahora, ¿qué hacemos? —preguntó Gretel, que no podía ocultar su indignación ante las cosas que aquella aparición femenina parecía dispuesta a hacer—. Creo que deberíamos darles una buena sorpresa.

—¡Eso! Los guardianes nocturnos no tardarán en llegar si tú los avisas, Cormac... —dijo Gretel.

—Entonces... de acuerdo, pero dejadme hablar a mí —pidió Cormac.

—No sé por qué, pero creo que va a ser más complicado de lo que parece... —murmuró Asmodeo.

Cormac se puso en pie, empuñó la varita y apuntó hacia el círculo con gran decisión. De la punta escapó un haz de estrías azules que penetró en la verdosa evanescencia del Hada con un espantoso chasquido. En ese momento, Sick Vicious, con la cara transfigurada, se puso en pie y miró embriagado a Cormac, pero sólo vio una sombra. Frunció el entrecejo y apresó una vara de cristal que no tardó en blandir contra ellos.

Y entonces todo ocurrió muy rápido, pero lo más importante fue que la encantadora Hada Verde profirió un aullido y su rostro se alargó. De su boca brotaron largos colmillos y su cabeza se transformó en una calavera infernal. Sus gráciles brazos se convirtieron en enormes garras recubiertas de escamas y los ojos de esmeralda se desorbitaron y arrojaron una mirada sádica y terrorífica. Lo que había sido una hechizante doncella desnuda se había convertido en una monstruosa y fantasmagórica alimaña verde que ocupaba todo el espacio del laboratorio. Hathel Plumbeus empuñó su vara de plomo; Fransien, Hindrik y Derk echaron mano tambaleándose de sus varas de cristal, y tres estrías de fuego verde salieron disparadas cortando las tinieblas. El Hada Verde desprendió un poderoso resplandor amarillento acompañado de viento y Cormac erró su disparo, que rebotó en un espejo oculto en el fondo y fue a sacudir a Alan Wallace, que cayó derribado por el conjuro. Sick Vicious se rió al tiempo que el Hada Verde se arrojaba contra Ylke, quien apenas pudo defenderse sin la intervención de su hermano, al que se le pusieron todos los cabellos de punta al ser traspasado por el espectro de aquella bebida. Fue Broer, otro holandés, quien con ayuda de Hathel arrojó una verdadera maldición contra Angus Wallace y quien fue alcanzado por dos conjuros de Alan y Gretel. De todas maneras, la escena se había convertido en un auténtico caos.

Sick Vicious había abierto otra puerta al fondo del laboratorio, por la que empezaban a huir. Cormac dudaba de si ir tras ellos o quedarse para ayudar a sus amigos de los espeluznantes ataques de Artemis.

—¡No es una puerta! —gritó Ylke.

Cormac la miró y corrió tras la última zancada de Broer.

—¡Por todos los…! —exclamó, al darse cuenta de lo que había sucedido.

Allí, ante él, no había una puerta ni tampoco un pasillo, sino un espejo. Un enorme espejo que lo reflejaba deformemente en las penumbras, sacudido por ondulaciones que recorrían su superficie como si de un estanque vertical se tratase.

—Han huido a través del espejo.

Cormac extrajo el trimercurio y salpicó la superficie del cristal, que pareció volverse todavía más líquida, deformando cuanto en ella se reflejaba. Las gotitas de trimercurio se dispersaron, huyendo unas de otras como pequeñas criaturas con vida propia. En cada punto en el que se detenían se formaban unos charcos algo más oscuros, que se extendían y que se abrían hasta invadir toda la superficie del espejo.

—¿A qué estás esperando? —gritó la voz de Asmodeo, que rodaba por el espacio del laboratorio aferrado a aquella especie de monstruo verde que trataba de devorarlo—. ¡Métete en el espejo antes de que vuelva a cerrarse!

Cormac se introdujo en el cristal y saltó hacia dentro.

En ese preciso momento, Ylke lo oyó: era el grito de alguien que conocía, y procedía del interior del espejo. Gretel y Aiken cargaban con Angus Wallace. Se oyó la explosión de un cristal que se hacía añicos. Asmodeo lanzó un grito de victoria. El demonio verde se extinguió entre las garras de una enorme gárgola de bronce que podría pesar más de tres toneladas: era Asmodeo. Pero Ylke estaba segura de que aquel grito no había sido otro que el de su propia hermana Lyte.

—¿Estás pensando lo mismo que yo? —le preguntó Aiken.

Ylke alzó el botellín de trimercurio y volvió a salpicar el espejo. Esta vez los que entraron fueron ella y su hermano. Desaparecieron inmediatamente.

—Vámonos de aquí —ordenó.

Asmodeo había desaparecido.

AL OTRO LADO

Al otro lado del espejo no había sino otro espejo del que cayeron directamente al suelo; estaba algo elevado por encima de una escalera, en un rincón de la fortaleza que jamás habían visto, y su superficie se congeló inmediatamente, volviéndose tan dura y fría como la de cualquier otro espejo normal. Incluso convertidos en sombras, se sintieron doloridos al caer. Aiken ayudó a su hermana a levantarse. Miraron hacia arriba.

Parecía una escalera espiral en el interior de una torre solitaria y triste. Hacía mucho frío, por lo que dedujeron que estaban en un lugar muy elevado. La luna errante brillaba sin duda por encima de las nubes que rodeaban la Montaña Gótica, iluminando una gran ventana apuntada. El viento ululaba alrededor. Allí, no muy lejos, dos sombras discutían entre susurros.

—¿Cuándo? —decía una persuasiva y melodiosa voz de mujer.

Le respondió un hombre de anchas espaldas, cubierto con una gran capa negra. Ylke sintió un escalofrío al verlo.

—Ahora falta muy poco. No debiste hacerlo... —El hombre parecía trastornado por horribles recuerdos.

—¿Acaso no me quieres? —La voz de la mujer les helaba la sangre. Ylke comprobó que era alta y esbelta, con largos cabellos negros y delicados brazos—. ¿Acaso creías que yo no volvería?

Ylke y Aiken avanzaron con un nudo en el estómago. La voz de la mujer se convirtió en un susurro hasta que se alejó y entonces le dijo claramente:

—Tendrás que esperar, Adelbrandt, amor mío.

La sombra de la mujer desapareció súbitamente en un espejo. Tal y como les había informado Asmodeo, los conspiradores estaban utilizando una red de espejos mágicos repartidos por todo Hexmade, y posiblemente les bastaba con pronunciar la palabra secreta adecuada al entrar en cada espejo para escoger el lugar en el que deseaban aparecer de manera inmediata.

Pero Ylke conocía el perfil de aquella sombra terrible y melancólica que se había quedado a solas en las sombras: no podía ser otro sino el profesor Adelbrandt. Tanto ella como su hermano estaban desconcertados, habían oído el grito de su hermana a través del espejo. Encontrarse con Adelbrandt en aquella situación podría ser terrible. Recordaba su insondable mirada, sus ojos oscuros tras el pasamontañas, las heridas incurables que padecía, sus remordimientos, capaces de mantenerlo postrado en cama durante días, en los que sólo podía comer hígado crudo…

La sombra de Aiken empuñaba la varita con decisión, aunque la mano le sudaba. Ylke temía que, tras su combate en la Guarida, Aiken se considerase más fuerte de lo que en realidad era y sobrestimase sus poderes, pues había sido Curdy quien los había salvado del ataque de aquel peligroso vampiro.

Pero fue demasiado tarde.

—¿Dónde está Lyte? —La pregunta de Aiken sonó en un tono tan amenazador y terrible que sorprendió a su hermana.

Aiken descendió. Ylke ni siquiera iba armada y trató de retener a su hermano por los hombros, pero éste se deshizo de ella con un violento ademán.

La sola mirada de Adelbrandt la paralizó cuando se volvió hacia ellos: sentía verdadero miedo ante aquel renegado desde el primer día que lo vio.

—Nuestro querido Aiken Lewander, siempre tan oportuno —dijo el profesor, deslizando lentamente su mano derecha hacia los pliegues de su túnica—. ¿Qué puede haberlo traído por aquí? Que yo sepa, está estrictamente prohibido…

—Mi hermana, ¿dónde está?

—¿Cuál de ellas? —contestó rápidamente la sombra—. Quizá tenéis un problema de vista, pues veo a una de tus hermanas justo detrás de ti. ¿No es así, señorita Lewander?

Ylke no supo qué responder. Detestaba la mirada del profesor y se sentía indefensa.

—También está prohibido usar los espejos para moverse clandestinamente por Hexmade —repuso Aiken.

—Moverse clandestinamente es lo que hacen dos alumnos maleducados como vosotros. ¿Sabéis dónde estáis? En una zona totalmente prohibida, a muchos niveles por encima del Reino de los Aprendices, a una hora en la que los niños sólo deberían dormir apaciblemente en sus alcobas…

—Niños como mi hermana, que han desaparecido esta misma noche…

—Ya basta, Lewander. No tienes ningún derecho a arrojar falsas acusaciones contra mí. Debo arrestaros y conduciros a…

En ese preciso instante, Aiken apuntó al profesor Adelbrandt y descargó una inmediata fórmula que se encontró en su camino con una súbita e invisible defensa. Algo que había estado interponiéndose en todo momento durante la conversación recibió el impacto de la maldición y se incendió, saltó y se precipitó por el hueco de la escalera, por el que descendió en medio de un aullido diabólico. Antes de que todo eso terminase de acontecer, Adelbrandt ya había contraatacado. No mostró varita alguna, pero extendió su mano blanca con imperioso gesto, la mostró abierta con los cinco dedos engarfiados, enseñándoles un complicado tatuaje circular en la palma de la que brotó una onda imparable. La varita de Aiken vibró y estalló hiriendo los dedos del joven, que ardieron a pesar de no haberse encontrado con llama alguna. Sus yemas estaban negras como si las hubiesen untado con pez.

—Está bien, una agresión fulminante contra un profesor —dijo Adelbrandt, y en ese momento su mano hizo un gesto y Aiken, como si hubiese sido apresado por una garra invisible y gigante, fue arrojado contra la pared, en la que se estampó con un ruidoso golpe.

—¡Basta! —gritó Ylke.

Un nuevo gesto de Adelbrandt y Aiken voló por encima del abismo del hueco de la escalera hacia el otro lado, escalera arriba, donde fue derribado aparatosamente como si fuese un muñeco inanimado.

Ylke subió rápidamente y se inclinó sobre su hermano, que estaba inconsciente. Trató de averiguar si estaba vivo.

Adelbrandt había adoptado su compostura habitual y subía la escalera lentamente. Cuando estuvo a tan sólo unos pasos de ellos, se detuvo. Ylke abrazó a su hermano, tratando de protegerlo.

—Se me ocurren mil formas de mataros, a cuál más divertida y excitante... —Alzó una mano y se cogió el pasamontañas.

Poco a poco empezó a retirárselo.

Ylke descubrió, a la luz de la luna, un rostro demacrado y pálido, cubierto de heridas y cicatrices purulentas que se abrían unas sobre otras. Los párpados del renegado parecían arder, torturados por arrugas sangrantes, y sus ojos brillaban con ansiedad, negros y profundos. El grado de laceración que padecía la carne de su rostro era tal que su cara original ya había sido borrada por el paso de aquella enfermedad del remordimiento que no le dejaba en paz ni un solo día.

—No me reconoces, ¿verdad? —inquirió la voz.

Sus cabellos descuidados y lacios caían a ambos lados de la cara como cortinas grasientas.

—No me reconoces... porque ya hace mucho tiempo. ¿No te gusta lo que ves?

Ylke no era capaz de responder, ni tampoco se le ocurría nada suficientemente ingenioso para escapar de aquel hombre. Todo parecía perdido.

Una de las manos de Adelbrandt apresó la empuñadura. La hoja plateada de un cuchillo relampagueó ante sus víctimas a la luz de la luna.

—Es posible, pero nunca es tarde para vengarse de él, aunque sea a través de sus amigos... ¿O acaso lo has visto últimamente?

—Si he visto… ¿a quién?

—Ya lo sabes —siseó Adelbrandt—. ¡Curdy! Quién lo diría, a lo mejor…

Ylke no le dejó acabar la frase. Había retirado el tapón del frasco de trimercurio y le arrojó el contenido al rostro.

Adelbrandt se llevó a la cara el brazo con el que empuñaba el cuchillo y se restregó aquel contenido que parecía arder en sus heridas. Ylke sólo consiguió ver cómo las gotitas de la pócima se expandían abriendo agujeros especulares en los manchurrones de sangre, a través de los cuales emergían fragmentos de un rostro que ya no existía, pero no fue suficiente para que lograse averiguar de quién se trataba.

Tampoco le interesaba. Su sentido común la ayudó a levantarse, y cuando el brazo del profesor se alzó para asestarle una puñalada, algo cuyas alas zumbaban en medio de la corriente de aire frío que descendía por el hueco de la escalera cayó encima de ellos y…

Una pesada gárgola de bronce oxidado que volaba sin ninguna gracia pero con la fuerza de un ariete derribó al profesor, cogió a Ylke y al inconsciente Aiken con sus brazos fríos y siguió ascendiendo con pesados saltos, ayudándose de un espantoso aleteo.

En contra de lo que esperaban, Adelbrandt corrió escalera arriba. Sus botas emitían un ruidoso taconeo al ascender los peldaños de tres en tres. Era lo bastante alto para ir mucho más rápido que ellos.

Perdían terreno. La escalera se estrechaba. Se acercaban a su cima. Las ventanas pasaban junto a Ylke y descendían. Asmodeo seguía trepando. Adelbrandt estaba más cerca. Ylke seguía pensando que aquel rostro sangrante los atraparía.

Llegaron a un nuevo descansillo de la escalera. Era el final. Una escalera tallada en el muro de la torre ascendía desde aquella rotonda.

—Allá vamos…

—¿Por qué no te enfrentas a él?

—¿Estás loca? Ese cuchillo de plata no es ninguna broma… El profesor Adelbrandt sabe lo que se hace.

Asmodeo recorrió los peldaños tras encogerse ligeramente. La forma parecía poco apropiada: era de nuevo un dracontófago. Adelbrandt llegó a la repisa y extendió la mano hacia ellos, aquella mano con el tatuaje circular en el centro.

Asmodeo trastabilló y pareció ser sometido a una fuerza terrible, que logró vencer por momentos. Llegó hasta el final. Ylke veía el hueco abismal de la escalera debajo de ella. Asmodeo dio un salto y rompió una compuerta a través de la cual ascendió hasta la cámara de la almena. Una vez dentro, la cerró.

No sirvió de nada. Algo logró romperla en medio de un gruñido y Asmodeo cedió con ella como una pesada estatua que, por fortuna, agitó las alas y volvió a alcanzar la alacena.

—Pero… ¿dónde estamos?

La pregunta de la gárgola no obtuvo respuesta. Parecía un laboratorio olvidado y viejo. Corrió hacia los pequeños ventanucos y miró a través de ellos.

—No quepo por aquí.

Adelbrandt continuaba ascendiendo. Pero esta vez no iba solo. El resplandor blanco surgió por la trampilla y el polvo levantado por la irrupción del dracontófago se enroscó en los rayos como una espiral indecisa.

La gárgola los soltó, retrocedió y propinó un puñetazo al marco del ventanuco; las piedras saltaron por los aires y el hueco se hizo mayor. La luna se escondía entre las nubes errantes.

—¡No! —gritó Ylke.

—¡Sí! —repuso Asmodeo—. A no ser que desees quedarte a solas con el cuchillo de Adelbrandt.

Ylke se tapó los ojos.

—Eso es un sí. —Asmodeo los cogió de nuevo y, cuando el resplandor se volvía más intenso en la escalera, el dracontófago saltó al vacío desde la torre.

La gelidez del aire cortaba su rostro, pero a pesar de todo Ylke se atrevió a abrir los ojos. La gárgola desplegaba sus alas como un murciélago y descendía junto al muro de la inmensa torre a una velocidad vertiginosa. Con un gesto fulminante, Asmodeo retrocedió y giró alrededor de los muros circulares. Entonces, Ylke, en medio del zumbido del viento, vio las demás torres de Hexmade y el cuerpo de la nave central del castillo y la Gran Vidriera, cuyos miles de fragmentos de cristal se encendían con todos los colores que puedan imaginarse a medida que se aproximaban a ella. A través de los cristales, ahora el Teatro de los Sueños palpitaba levemente por debajo, como si fuese la aparición de un gigantesco demonio que se revolviera encerrado en el interior de una botella de cristal. Por debajo de aquel espectáculo, un mar de nubes se deslizaba pesadamente ocultando la comarca secreta.

Asmodeo volvió a planear hacia la izquierda y se aproximó peligrosamente a los grandes muros. Una vez allí, tomó tierra en una larga cornisa sobre la que se prolongaba una especie de balconada abandonada de la que huyeron docenas de búhos.

—A partir de ahora desaparezco —dijo Asmodeo, y dicho eso, se desvaneció.

—Eh… ¡Adelbrandt! —Aiken volvía en sí.

—El aire fresco siempre ayuda en estos casos —replicó una voz junto a ellos.

—Gracias, Asmodeo, ahora sé que eres uno de los nuestros —dijo Ylke, y se sintió tentada de dar un abrazo al demonio—. Gracias por salvarnos.

—Si te consuela, has de saber que no lo he hecho por vocación, sino por obligación; además, he estado a punto de no llegar. Me ha costado encontrar el rastro a través de los espejos, pero son las ventajas de tratar con un demonio de altísimo nivel que…

—¿Dónde está mi hermana?

—Ya… sí… Lyte —El rostro del dracontófago se contrajo—. No la he encontrado. Ha sido indudablemente raptada por esa extraña mujer que acompañaba a Adelbrandt.

—¿Que no la has encontrado? ¡Inútil!

—¿Por qué te crees que llegué a tiempo para salvaros? Porque el rastro de Lyte me había llevado por los pelos tras uno de los espejos. Me disponía a seguir a esa misteriosa mujer fantasmal cuando aparecisteis allí abajo; sabía que tendría que ayudaros. Intenté seguirla, pero me di cuenta de que Adelbrandt era demasiado para vosotros dos. Así que volví.

—¡Tenías que encontrar a mi hermana! —protestó Aiken, poniéndose en pie. En ese momento se llevó la mano a la cabeza para comprobar si la tenía en su sitio, le dolía como si le hubiesen atizado con un martillo.

—Ya tengo bastante con salvar a dos Lewander de un peligro mortal. La verdad, dais mucho trabajo y yo no soy una niñera…

—Aiken, Asmodeo nos ha salvado la vida —le advirtió Ylke—. ¿Estás bien?

—Sí… Creo que sí… —respondió el muchacho, apesadumbrado, comprobando que todo empezaba a dar vueltas a su alrededor.

Sexta parte

El templo y la profecia

EL CAZADOR DE SUEÑOS

Cormac, que se había introducido antes en el espejo, se encontró con una imagen azulada que flotaba ante sus ojos en medio de un espacio negro. No había salido a ninguna parte, y el rastro estaba allí. Numerosos espejos proyectaban imágenes azuladas que se movían, que cambiaban de forma, reflejos almacenados en la memoria de muchos espejos unidos por alguna clase de magia poderosa. Trataba de correr, pero no era capaz de verse a sí mismo, y entonces recordó que todavía estaba bajo el efecto de aquel conjuro antiluz que lo convertía en una sombra. Las imágenes se unían las unas a las otras confusamente, y los sonidos guardados en ellas escapaban de las bocas de sus protagonistas con cierta dilación en el tiempo, sonidos vagos, ecos que huían eternamente por aquel espacio. Vio la imagen de Ylke y de su hermano, que cruzaban como dos sombras y se esfumaban en una imagen extraña, de la que emergía el espectro de una luna verdosa en una ventana a ninguna parte. Se movió torpemente. Sick Vicious y los demás desaparecieron, pero había tropezado, quizá por una extraña y afortunada casualidad, con el fugitivo más perseguido de todos. Estaba allí delante. Las apariciones oníricas se multiplicaban con su movimiento: era el alquimista de la máscara esférica, el conspirador sin rostro, quien se movía por delante de él.

Cormac sintió un extraño escalofrío. Las imágenes cambiaron y se volvieron afiladas como cuchillos de hielo azul transparente, que llovían traspasados por el misterioso personaje. Logró situarse tras él. No lo había detectado. Sólo tendría una oportunidad. Se acordó de Curdy y decidió imitarle a riesgo de acabar presumiblemente tan mal como él: trató de imaginar lo que Curdy habría hecho, y lo hizo. Se abalanzó sobre aquel cuerpo.

Los hombros cedieron; desprevenidos, parecieron caer hacia ninguna parte. Imágenes terroríficas y evanescentes se proyectaron a su alrededor. De pronto Cormac no sabía qué era lo que había agarrado. Al volverse, el rostro de la máscara era el rostro de Curdy.

—¡No...!

Eso creyó gritar. Pero entonces hubo una extraña confusión y el sonido volvió a su orden habitual. Los colores se organizaron. Habían escapado y lo que tenía ante él le sorprendió.

Los pliegues de una túnica envolvían al personaje, que no tardó, como él, en ponerse en pie. Al encararse, Cormac se quedó mirando la máscara esférica, que reflejaba deformemente todo cuanto existía a su alrededor. Y allí se vio reflejado también a sí mismo, apuntando con su varita de bronce al conspirador, que había abierto las manos enguantadas como si apresase con ellas un balón invisible de gran tamaño. La capucha envolvía su cabeza cuidadosamente; el joven no podía vislumbrar nada humano en su poderoso antagonista.

—Si te mueves... —lo amenazó Cormac.

En ese momento, el antímago retrocedió a una velocidad sorprendente y corrió. Cormac tuvo la sensación de que cambiaba de lugar más rápido de lo que cualquier otra persona hubiese sido capaz, pero lo comprendió: emitía reflejos que confundían al ojo, haciéndolo creer que iba en una dirección para ser descubierto al poco tiempo en un lugar mucho más alejado. Aun así, fue capaz de seguirlo.

Habían ido a parar a un espejo cercano a los Pasadizos de Piedra: los corredores principales en el nivel central de la Montaña. Las antorchas relucían tímidamente a su alrededor. Dobló una esquina y vio al fugitivo subiendo la escalera. Allí arriba relucía una nebulosa de imágenes de diferentes y extraños colores: el Teatro de los Sueños, proyectado por la magia vigilante de la Gran Vidriera, estaba a esas horas intempestivas más activo que nunca. Cormac tuvo una corazonada y se dio cuenta de que aquel personaje tenía que estar relacionado de algún modo con la magia hacia la que trataba de huir.

Perdió su rastro. Los reflejos crecieron por encima de él. Trepó los peldaños todo lo rápido que pudo. No podía escapar. Se situó ante la explanada de mármol; el suelo reflejaba como una pátina reluciente aquel embrollo de imágenes inconexas y proféticas, procedente de todos los sueños que tenían lugar en los más alejados rincones del castillo. Era como un arroyo de colores que parpadeaban los unos dentro de los otros, volviéndose más intensos hacia el centro de la plaza. Por encima, los ojos de Cormac vislumbraron espantosas imágenes que se introducían las unas dentro de las otras. Parecieron arder fuegos enormes y verdes dentro de los cuales palpitaban sin sonido alguno cuerpos de alquimistas que se deshacían en haces de luz. Apenas era capaz de distinguir los cristales de la Gran Vidriera en lo más alto, como una bóveda de misterio: el resplandor de los horrores danzaba en las paredes, en los suelos, en las columnas. Y en el centro de aquel escenario le aguardaba de nuevo aquel extraño personaje.

Cormac caminó lentamente a su encuentro. Sin dejar de apuntarle, con la fórmula de su conjuro más destructor convertida en un murmullo a punto de escapar entre sus labios, Cormac se situó a distancia de duelo. Pero entonces la imagen de aquella máscara esférica cambió; las luces verdes y azules invadieron el espacio melancólicamente, traspasadas por un puñal de fuego.

El misterioso fugitivo al que había perseguido se convirtió en la viva imagen de Curdy. Sonreía confiadamente y alzaba las manos en señal de paz.

—He de reconocer que eres muy bueno —dijo Curdy.

Cormac trataba de escrutar aquellos ojos azules, el rostro pecoso, los cabellos rojos y rizados del que había sido el Quinto Lord. No podía creer lo que veía.

—He estado oculto durante todo este tiempo.

—Y sigues oculto, ¡esa máscara no te servirá de nada! —le respondió Cormac.

Una espantosa y fatal risa brotó de la boca de Curdy.

—Todo eso no te va a servir de nada. ¡Ríndete o acabaré contigo!

Una extraña criatura corrió hacia ellos y se inclinó. Era un elfo doméstico de grandes orejas y ojos saltones.

—¡El amo Curdy está aquí! ¡Es él! —El elfo se aproximó a Curdy y se postró ante su túnica—. El amo Curdy es ahora un amo poderoso… ¡Cormac no debe enfrentarse a él!

No podía dar crédito a sus ojos. Había oído hablar de los elfos domésticos que ayudaron a Curdy a escapar de Wilton.

—¡Apártate de él! —ordenó Cormac.

—¿Apartarse? —se burló Curdy, y su rostro se volvió severo de pronto. Las orejas de Kroter se agacharon, como si conociese esa clase de reacciones en su amo—. Apartarse… Jamás obedecería una orden tuya, seguiría a su amo hasta la muerte, ¿verdad, Kroter? Hasta la muerte. Los elfos de mi familia nos han servido desde hace generaciones, querido Cormac. ¿Acaso me envidiabas?

Cormac se sintió confuso.

—¿Acaso deseabas todas las cosas que yo poseía y por eso has venido tras mi rastro esta noche?

Cormac vaciló, confuso y malherido. Admiraba a Curdy… o eso es lo que siempre había creído.

—Mi rastro sólo podía conducir a tu gloria personal. Siempre creísteis que estaba muerto, por eso nunca quise aparecerme ante vosotros —continuó Curdy, dando decididamente unos pasos hacia Cormac. Su voz era poderosa e imbatible como el eco de un trueno—. Hoy esperabas ser un héroe, capturar al conspirador, incluso darle muerte, y aún te atreves a dar órdenes a uno de mis fieles sirvientes. —Kroter se ocultaba servilmente tras la imagen de su amo—. Es más, te gustaba la idea de que estuviese muerto; sólo así podrías acercarte a lo que más deseabas: su amor.

—¡Cállate de una vez! ¿De qué estás hablando?

Las imágenes se volvieron rojizas y doradas, y extraños sueños se fundieron de nuevo en lo alto, iluminándolos.

—Hablo de Ylke Lewander.

—Eso es absurdo... —Cormac vaciló y perdió la concentración completamente, aunque trataba de mostrarse firme otra vez—. Detente, no des un paso más...

Curdy continuaba aproximándose, gesticulando con maestría y sin dejar de parpadear con sus ojos azules y fríos, que taladraban el rostro de Cormac como si leyese todos y cada uno de sus pensamientos.

—Quieres que Ylke sea tu novia, ¿verdad? O, mejor aún, tu esposa algún día...

—¡Apártate, elfo! —advirtió Cormac, que deseaba dar por concluida aquella conversación. No podía ser él... No podía ser Curdy.

—No puedo ser Curdy, ¿verdad? Deseas que no lo sea para así justificar un ataque mortal, porque no te gusta lo que oyes; es más, prefieres que todo quede reducido a silencio.

—Apártate, Kroter. —La voz de Curdy, serena y dominante, llegó a Cormac desde algún lugar a sus espaldas. No se atrevió a mirar hacia atrás para comprobar qué era lo que pasaba. Entornó los ojos. Sólo podía ser una trampa... Pero el fugitivo se detuvo y la expresión de su rostro cambió radicalmente. Cormac sintió alivio. Aquella enorme tensión mágica que emanaba de sus ojos dejó de oprimirle. El fugitivo miraba a alguien que estaba a sus espaldas. Y el elfo doméstico, perplejo, había alzado sus orejas y miraba lleno de curiosidad con los ojos encendidos como lamparones—. Te he pedido que te apartes, Kroter. Hazlo. Por favor. —La voz de Curdy sonó otra vez. Kroter miró extrañado al que hasta ese momento había sido su amo.

—Pe... pero... —protestó el elfo. Y al mirar el rostro del que se había comportado como si fuese su Amo, comprobó que estaba derritiéndose y goteando como una cera que se convertía en luz y en humo, para finalmente dejar ver sólo aquella fascinante máscara esférica. Ahora brillaba como si estuviese recubierta de una pátina de rojo y oro. Allí, gracias a su reflejo, Cormac descubrió que a sus espaldas estaba el verdadero Curdy, apuntando al enemigo con un extraño objeto.

Kroter se apartó de un salto. Las manos enguantadas del conspirador se dirigieron hacia él y una de las imágenes se desprendió de la nebulosa y cayó sobre Kroter, haciéndolo rodar hacia el exterior. Los cristales estallaron en el perímetro de la sala y volaron hacia ellos como un torbellino arrastrado por un viento embrujado. Cormac trató de defenderse, pero las manos del antímago lo señalaron y la lluvia de cristales se precipitó sobre ellos. Curdy intentó protegerlo, pero no llegó a tiempo. Apenas pudieron defenderse en medio de la confusa lluvia. Aun así, Curdy rechazó el ataque y trató de contraatacar. En ese momento vio cómo Cormac caía y una extraña luz roja fue arrastrada por el viento.

El joven gritó. Varios de aquellos cristales habían conseguido tocarlo y estaba herido. Las manos del antímago se movieron y el viento alzó a Cormac antes de que Curdy fuese capaz de atraparlo. Cormac fue arrojado a una gran distancia, del mismo modo que Kroter, que había desaparecido. Curdy se fijó en él, parecía muerto, o al menos estaba inmóvil. Tuvo que mirar al antímago. No podía dejarlo actuar a su antojo. El torbellino de cristales continuaba girando a su alrededor. Una sola orden y lo despedazaría. Tenía que hacer algo.

Ya había comprobado con anterioridad los efectos imprevisibles que tenía utilizar el Cetro de Carlomagno, pero era su única arma. No parecía tener ninguna capacidad protectora salvo para su portador. Era incapaz de levantar escudos o de repeler convenientemente un conjuro, pero retenía la fuerza de su entorno; ésa era su principal cualidad y algo resultaba evidente: había sido creado para atacar, no para proteger. Quien lo había ideado consideraba que la mejor defensa sólo era un ataque, y él tenía que servirse de sus poderes.

De modo que extendió el brazo y concentró sus fuerzas. Hasta ese momento, sólo lo había sostenido con las puntas de los dedos. Había comprobado que eso bastaba para provocar sus efectos más elementales. Pero al empuñarlo, el Cetro emitía una energía inconmensurable… y así sucedió.

De su punta brotó un árbol de rayos que tocó la máscara esférica. Se oyó un grito espantoso y el antímago se echó las manos a la cara para protegerse de la luz. Las imágenes se volvieron más crueles alrededor de ambos. Hogueras y torturas se apoderaron del gran espacio onírico que flotaba sobre sus cabezas. Los rayos del Cetro envolvieron al alquimista enmascarado. Las imágenes descendieron y se interpusieron entre los dos y el recuerdo de una hoguera se levantó ante Curdy, una hoguera en la que ardía su propio padre. Enormes caballos alados se apoderaron de los reflejos verdes que orbitaban por encima de ellos. Los rostros de los lores tenebrosos, que contemplaban la hoguera, crecieron enmascarados a su alrededor, como un consejo funesto que lo condenara a muerte.

La risa del antímago se propagó por los pasillos. Los rayos se apartaron. Algunos de ellos huyeron y tocaron otros espejos, desde donde se reflejaron peligrosamente. El Cetro había perdido su fuerza y rodaba con un tintineo lejos de sus manos. El antímago lo atrapó y se lo llevó para entregárselo a una sombra.

Curdy se sentía débil. Aquella imagen era superior a todas sus fuerzas.

PLOMO Y CRISTAL

—Están en camino... y no tardarán en llegar —dijo una voz que le resultaba familiar.

—Cormac... —Curdy pensó que su amigo podría estar muerto.

El joven yacía de lado con los brazos abiertos en una extraña posición. Un viento melancólico soplaba por los ventanales rotos, entrando a los grandes pasillos. Se oyeron cascos que golpeaban el mármol. Poco después, las imágenes de la nebulosa se comprimieron en lo alto, como en un ojo formado por incontables recuerdos. La luz se los mostró claramente. Los lores tenebrosos estaban allí. Se situaron uno a uno en el perímetro de aquella plaza, rodeándolos. Curdy podía reconocer sus sombras, había soñado con ellas en numerosas ocasiones. Las máscaras que ocultaban sus rostros brillaban. Los caballos alados esperaban tras ellos.

Al volverse en busca del antímago, vio junto a su rostro esférico la forma del lord más odiado de todos: la máscara de lord Malkmus de Mordrec continuaba sonriendo.

—¡Whylom Plumbeus! —gritó Curdy—. Te saludo.

Lord Malkmus dio unos pasos hacia delante. Su mano enguantada esgrimía ceremoniosamente el Cetro de Carlomagno.

—Demasiado precipitado, lord Cuthbert —dijo el Sumo Inquisidor—. Era un gran plan, pero el deseo de proteger a ese... muchacho insolente os ha llevado a descubriros. No debisteis enfrentaros a mi gran aliado.

Curdy habría jurado que lord Malkmus, en realidad Whylom, parecía más cansado de lo habitual. Pero realmente era él. Había abandonado el lecho de su mansión, recuperado de las heridas que él mismo le había infligido, para ir a cumplir con un importante cometido.

—Me alegro de que hayas venido en persona, y no como un cobarde reflejo —dijo Curdy.

Lord Malkmus rió con cierto esfuerzo. Parecía mortalmente seguro de sí mismo. Sin el Cetro en su poder, todo estaba perdido.

—¿Os referís a nuestro magnífico aliado? Oh, sí, ha sido de gran ayuda durante este tiempo. Ha creado una maravillosa imagen de mí en Hexmade. Nadie sospechó nada.

—Yo lo sabía —dijo Curdy. A su alrededor los lores estrecharon el círculo—. El antímago nos falsificó a los dos; fue así como convenció a mis elfos domésticos de que él era yo en realidad. Y fue así como pudiste seguir estando presente en todas partes, cuando en realidad tenías que reponerte de mortales heridas causadas por mí. ¿Lo saben eso tus fieles colaboradores de la Cámara?

Un extraño silencio respondió a Curdy. Sintió el odio a su alrededor, un odio mortal y lleno de desprecio. Por vez primera experimentó auténtico miedo. La ira y la venganza se habían esfumado, y quiso retroceder en el tiempo… Estaba a merced de la crueldad.

—Es hora de que todo acabe, pero antes debe cumplirse vuestra condena, lord Cuthbert. Habéis sido condenado a la hoguera. Como vuestro padre.

Un coro de risas afiladas como cuchillos cortó el aire a su alrededor.

Curdy sentía que su corazón se volvía más y más pesado. Necesitaba algo que no lograba encontrar en su interior, como si le hubiesen robado una pieza fundamental. Confió demasiado en el poder del Cetro carolingio. Pero había algo más, algo que le había ayudado a salir adelante y que ahora le faltaba… ¿Qué era? ¿Dónde estaba? Como el latido del corazón o como el aliento, siempre le había acompañado…

Las risas se habían extinguido. Lord Malkmus alzó el Cetro de Carlomagno. Los lores tenebrosos empuñaron antorchas y las luces se encendieron; detrás de ellos, docenas de rostros espantosos aparecieron iluminados por aquellas llamas. Hombres rata y sirvientes habían entrado en Hexmade, acompañándolos. Curdy no necesitó preguntarse cómo lo habían conseguido sin activar alarma alguna. La respuesta estaba allí, ante él, la Gran Vidriera, el ojo de los sueños que vigilaba en realidad todo, una magia capaz de sumir en el sueño a quienes estaban bajo su influjo, controlándolos. Aquella noche ya nadie despertaría, a no ser que aquella fatídica magia fuese destruida.

Los lores tenebrosos alzaron sus antorchas.

—Lord Cuthbert de Wilton, habéis sido condenado a la hoguera. Que el fuego de Aurnor os consuma.

Una a una, las antorchas comenzaron a ser arrojadas hacia Curdy. Una vez tocaron el suelo, estallaron en grandes llamaradas. Poco a poco, el círculo de fuego se estrechó. Curdy sintió el espantoso calor de su hoguera. Moriría abrasado, pues carecía de elemento alguno con el que entablar duelos mortales, como en el pasado. Sólo podría intentar ayudar a los demás. Sólo se le ocurría una idea: al menos sería una muerte útil para los otros.

Las llamas se acercaron peligrosamente. En su interior aparecían y desaparecían rostros infames que lo amenazaban. Miró hacia fuera y buscó el cuerpo de Cormac.

Kroter se había deslizado hasta el muchacho y trataba de tirar del chico con gran esfuerzo. Pero era demasiado pesado y el rostro de Kroter, al volverse hacia atrás, descubrió las máscaras de hierro de dos lores que se disponían a cortarle el paso. Uno apuntó a su frente con la punta de una varita negra como el ébano. Kroter se encontró, aterrorizado, con los ojos del lord; el otro puso su bota sobre el pecho de Cormac. Kroter se volvió hacia la hoguera y allí, en el centro de la misma, vio la figura de su verdadero señor.

—¡No, amo Curdy…! —murmuró el elfo—. ¡No os rindáis…!

Las cortinas de fuego verde crecieron y lo encerraron. El torbellino se alzó crepitando y ya no pudo distinguir el rostro de Kroter. Curdy miró hacia lo alto, más allá del penacho de fuego. Kroter hizo lo mismo, como el resto de los inquisidores. Lord Malkmus alzó el Cetro y se arrodilló. La bóveda de cristal proyectó un confuso torbellino de imágenes espantosas que se concentró formando un rostro cadavérico que se derretía como si el mismo fuego fuese capaz, gracias a una magia innombrable, de pudrirse.

En ese momento, cuando ya nadie era capaz de distinguir su figura, Curdy vio cómo el fuego se disponía a devorarlo. El calor era opresor y le hacía sudar. Abrió el abrigo y buscó en sus bolsillos. Se llenó las manos de ceniza. El fino polvo se deslizó entre sus dedos y produjo resplandores entre las voraces llamaradas. Alzó los puños y dejó que la ceniza cayera sobre su cabeza y sus hombros, envolviéndolo. Entonces cerró los ojos y recordó las palabras de la Reina durante aquel sueño profético en la torre de Wilton. Había invocado las garras de fuego en contadas ocasiones, pero se había olvidado de ellas, porque había depositado excesiva confianza en el Cetro de Carlomagno, en el arma equivocada, en el arma de su enemigo. Tenía que ser capaz de ser él mismo. Deseaba morir. Deseaba extinguirse a sí mismo. No dejaría que otros lo hiciesen por él. Pronunció las palabras con fuerza en el silencio de su mente.

Los ojos de Kroter se abrieron desmesuradamente. Los lores miraron expectantes. La incineración del joven mago había empezado. Las llamas comenzaban a destruir a su enemigo. Su cuerpo pronto se convertiría en maldiciones y pestes. La hoguera creció como si las llamas estuvieran siendo absorbidas por la aparición de aquel rostro cadavérico, cuando un fulgor devastador estalló en el corazón de la hoguera. La columna de luz creció y se alzó. Una nube de fuego encendió la mortecina oscuridad y arrastró el rostro cadavérico, disolviéndolo en una pasta de humo, para ascender hasta la bóveda de los sueños, donde los cristales relucieron al ser tocados por el calor abrasador. Kroter sintió cómo el lord tenebroso que lo apresaba se apartaba y retrocedía, y él mismo siguió tirando de las manos de Cormac, arrastrándolo hacia el exterior. Entonces miró hacia el centro de la hoguera y vislumbró una silueta oscura que alzaba el brazo. Fue entonces cuando una criatura de fuego alzó el vuelo y estalló contra la Gran Vidriera.

Los cristales comenzaron a desprenderse y un repentino relámpago detrás de ellos hizo temblar el suelo. Una de las piezas de cristal había caído, cortando el aire como la hoja de una inmensa guillotina. Lord Malkmus apenas tuvo tiempo de protegerse. La máscara de plata empuñó el Cetro, pero su fuerza no sirvió de mucho. Los rayos ascendieron; cuatro arcos voltaicos se introdujeron en el fuego y se aferraron a la estructura de plomo como uñas de fuego. Pero la enorme pieza de cristal mágico que caía sajando el aire sólo se fragmentó con violencia al ser alcanzada por uno de los arcos de electricidad tormentosa emitidos por el Cetro. Uno de los fragmentos descendió en vuelo fatal y atravesó la túnica del Sumo Inquisidor de Inglaterra a la altura del cuello. A través del fuego, Kroter vislumbró la sangre. ¡La máscara de plata, que según todas las leyendas había pertenecido al traidor Mordrec de las leyendas artúricas, se desprendió junto con la cabeza!

Lord Malkmus había sido decapitado.

Su cuerpo, a pesar de todo, se quedó arrodillado. Un rugido descendió desde lo alto de la bóveda, donde parecía librarse una batalla de adversas y caóticas energías mágicas. La caída de una nueva lluvia de cristales mutiló el cuerpo del traidor y el puño que aferraba el Cetro rodó por el suelo tras ser seccionado por el cristal.

Una mano se aproximó a tientas entre los charcos de plomo fundido. La mano atrapó de nuevo el Cetro de Carlomagno y su dueño miró hacia lo alto, temiendo correr la misma suerte que su odiado enemigo. Curdy, pues no era de otro aquella mano, había atravesado el muro de llamas gracias a la acción del fuego del Fénix. El ave mortífera había ahuyentado aquel fuego devastador y maldito. Tenía los cabellos mojados y no daba crédito a lo que habían visto sus ojos: ¡su gran enemigo, decapitado de un golpe mortal!

No pudo esperar para apartar la máscara de aquella cabeza cortada. Los ojos de lord Malkmus todavía parecían vivos. Debía ser capaz de situarse. Se trataba de una situación límite: no podía escapar de una muerte segura. Por largo que os pareciese lo que se cuenta en muchas frases escritas, aquello transcurrió en unos pocos segundos. El enorme espacio bajo la Gran Vidriera estaba siendo bombardeado por cristales grandes y pequeños que se desprendían de los armazones de plomo para estallar contra el suelo, donde el fuego de Aurnor y el del Fénix se debatían. Todo ello contribuía a que el plomo que recubría las vigas de acero en las que habían sido engarzados todos aquellos cristales se derritiese. Ardientes gotas perforaban el abrigo de Curdy. Los muros de fuego verde no parecían ofrecer ninguna alternativa o una huida fiable.

Kroter, en la periferia del desastre general, se volvió para ver cómo el otro lord tenebroso de la máscara porcina retrocedía. No muy lejos, en las tinieblas, otra pieza de gran tamaño reventó arrojando peligrosos cristales por todas partes. Kroter se llevó la mano a una oreja: había sentido algo parecido al zarpazo de un dracontófago; aquellos cristales mágicos eran capaces de cortar a una criatura mágica, de hecho, ¡había perdido la mitad de su gran oreja izquierda! Sintió un inesperado y desconocido dolor. Tenían que huir de allí como fuese, pero el cuerpo de aquel chico era demasiado pesado. ¿Y si estaba muerto? No tendría por qué morir abrasado junto al cadáver de un héroe… ¿o merecía la pena algo así? Kroter sentía una gran culpa; había estado sirviendo a un impostor, no al verdadero amo Curdy, y si Curdy había muerto como un héroe en el centro de aquella hoguera, ¿por qué no imitarlo? De todos modos, lo más probable era que aquel joven no hubiese perdido tanta sangre, así que no estaba muerto. Pobre Kroter: las manos le temblaban, la oreja le ardía, sus ojos se desorbitaban, las llamas verdes se acercaban, los cristales estallaban… y él no era un héroe.

El plomo goteaba en una lluvia ardiente, el tiempo transcurría más rápido de lo que eran capaces de imaginar, el peligro descendía sobre ellos... y en un solo instante todo cambió: el inmenso armazón central se vino abajo sobre el centro de la sala.

Mientras el amasijo de vigas de hierro descendía arrastrando una columna de humo y llamas, rodeado de charcos de plomo fundido y enormes cristales, Curdy vio cómo una muerte más rápida de lo que esperaba se precipitaba con un chirrido horrible sobre su cabeza. Extendió las manos y empuñó el Cetro. No le serviría de nada, pero al menos sería su forma de oponerse a la rendición. Iba a ser destrozado en muchas partes y sepultado en un bloque de plomo líquido cuando una especie de garra de acero lo apresó por el hombro y tiró con tal fuerza de él que lo alzó por los aires y lo arrastró en un segundo fuera del radio de acción de la inminente destrucción total. Curdy vio cómo los cristales y el armazón de plomo que los habían sostenido se precipitaban por delante de él y las gotas de plomo fundido lograban abrasar allí donde lo tocaban. Su abrigo se incendió al travesar el fuego de Aurnor.

Kroter vislumbró el rostro fantasmal de un niño con cara de viejo de enorme fuerza que lo arrastró, mientras dos manos invisibles parecían tirar de los pies de Cormac, llevándoselos hacia las escalinatas que accedían a la plaza de la vidriera.

Curdy había aterrizado en el pavimento como una bola de fuego arrojada por la patada de un gigante, cuando las enormes piezas de cristal que habían compuesto el centro de la Gran Vidriera estallaron contra el suelo, produciendo un estruendo aterrador. La explosión de vidrio en fragmentos mucho menores voló todo alrededor y el plomo fluyó desde el centro en humeantes regueros. La nube de fuego escapó al cielo entre las altas torres de Hexmade.

Roto el encantamiento, no fueron pocos los que empezaron a despertar.

EL RASTRO DEL ANTÍMACO

Ylke y Aiken habían descendido por la escalera hasta uno de los pasadizos. Querían encontrarse con sus amigos. Oyeron voces y decidieron que el lugar idóneo sería el patio de armas de la Montaña, bajo la Gran Vidriera; ése sería el único sitio hacia el que todos ellos irían para reunirse en una noche como aquélla. Pero mientras avanzaban hacia allí, oyeron nuevos ruidos arrastrándose por las paredes, grandes ventanas que se rompían, piedras que saltaban en pedazos; cuando llegaron, el gran fuego verde ardía por todas partes, en pugna con llamaradas rojas que aleteaban bajo la bóveda en descomposición. No podían entender qué había pasado, pero Kroter estaba allí, tratando de poner a salvo el cuerpo de alguien.

—¡Kroter!

El elfo se volvió, perplejo.

—¿Habéis sido vosotros quienes me habéis ayudado? Alguien tiró de nosotros, por fortuna... Aquí está, ¡lord Cormac!

—¡Oh, cielos! —murmuró Aiken al descubrir el rastro de sangre.

—Está malherido —dijo Ylke, y puso una mano en la frente de su amigo.

Aiken apuntó a las tinieblas con su varita.

—No tardarán en despertar. ¡Vendrán todos! —susurró el muchacho—. Esto es algo que no puede pasar desapercibido...

Aiken sintió desesperación y se movió nerviosamente de un lugar a otro. Ylke se fijó en su hermano. Apartó los ojos y vio el rostro inerte de Cormac. Estaba a punto de llorar y le costaba respirar.

—¿Quieres parar y ayudarme? Debemos poner a Cormac a salvo.

Aiken parecía fuera de sí. Su hermana se levantó y lo sacudió fuertemente por los hombros.

—¡Aiken! —le gritó, a punto de abofetearlo—. Tienes que calmarte. No vamos a solucionar nada perdiendo los estribos; ahora tenemos que esperar. ¡Ayúdame!

—¿Cómo puedes quedarte ahí parada sin saber dónde está Lyte? ¿Es que te da igual?

Ylke Lewander agarró a su hermano por las solapas y le dio una bofetada fortísima. Aiken retrocedió, encolerizado y a la vez más tranquilo, como si despertase de un trance incontenible.

—¿Por qué has hecho eso?

—Porque eres imbécil. ¿No has oído lo que me has dicho? Cormac está ahí, desangrándose, y tú te pones a dar vueltas como un histérico y me dices que me da igual dónde está mi hermana. Si vuelves a decir algo así…

—¡Ylke! —Gretel apareció a sus espaldas, junto a Alan y a Angus. Parecían aterrorizados.

—¡Cormac…!

Los ojos fugitivos y llorosos de Ylke descubrieron sombras entre las llamas. Eran figuras que corrían al otro lado del incendio. Extrañas imágenes volaron proyectadas por los espejos situados a las entradas de los pasadizos que accedían al perímetro del patio de armas. El aire entraba a ráfagas procedente del cielo abierto. Era un aire gélido.

—¡Aquí! —gritó Angus.

—¡Pueden ser los lores tenebrosos!

—No, mira, ¡lord Máximus! —gritó Aiken, algo más tranquilo.

Lord Máximus apareció rodeado de numerosos aprendices y varios lores.

—Es absurdo que pregunte qué ha pasado… —dijo el maestro—. ¡Llevad a Cormac a las curanderías! ¡Rápido! Aquí, Fitzbrandt y Logan: cargad con él, no hay un minuto que perder.

Ylke se sentía confusa, quiso seguir el cuerpo de Cormac. Kroter había desaparecido y observaba la escena oculto tras una columna.

—¡Espera! —le ordenó lord Máximus. Varios lores se reunieron junto a ellos—. ¿Podríais explicarnos algo?

—Los lores tenebrosos han estado aquí… —balbució Ylke—. Mi hermana Lyte ha desaparecido y… —Se echó las manos a la cabeza. No era capaz de hablar. Todo había sucedido demasiado rápido. Tenía que ordenarlo en su mente. El terror que le producía la desaparición de su hermana menor en aquellas circunstancias era superior a todo cuanto había sentido hasta entonces.

—Tenéis que tranquilizaros.

—Los lores tenebrosos han atacado la Montaña, van en busca del laberinto.

Los ojos de lord Máximus se encendieron.

—Están aquí… ¿Cuántos?

—¡Todos! —exclamó Aiken.

—Reunid al Consejo, avisad a Luitpirc, iremos a custodiar el Laberinto. No puedo imaginar lo que se proponen ni cómo lograrán hacerlo, pero si han conseguido entrar sin que nos enteremos…

—¡Es Adelbrandt Wendel! Es un conspirador, él raptó a mi hermana.

—¿Dónde está Adelbrandt? —preguntó el lord—. Conradus, dirigíos hacia los aposentos de Adelbrandt Wendel y buscadlo…

—¡Y que los registren! Yo iré con ellos —propuso Aiken.

—Y nosotros te acompañaremos —se sumaron Angus y Alan.

—Hacia el Laberinto. ¡Buscad a lord Hubert van der Weeen! Alguien va a tener que dar explicaciones sobre la magia de la Gran Vidriera! Ahora no hay tiempo que perder.

Ylke vio cómo un gran grupo abandonaba la escena por uno de los corredores, rumbo a la profunda escalera espiral que descendía hasta los cimientos de la Montaña. Otros iban llegando y algunos observaban los cuerpos de varios lores tenebrosos que habían muerto en combate a causa de la caída de los cristales y del fuego. Se llevaron sus cuerpos y los situaron aparte. Nadie se atrevió a retirar las máscaras que ocultaban sus rostros, por miedo a ser alcanzados por alguna maldición.

DESCENSO A LAS TINIEBLAS

—Ésta es la segunda vez que te salvo la vida —dijo Asmodeo.

Curdy se había quitado el abrigo, convertido en un harapo llameante, antes de que el fuego de Aurnor devorase su cuerpo. Miró el abrigo.

—No te preocupes —dijo Asmodeo—. Sé que estás pensando en tus amigos.

—Los lores tenebrosos acabarán con ellos.

El *bafomet* se corporeizó en las sombras del pasillo; sus ojos rojos ardieron en las tinieblas. Desplegó las alas grises de águila.

—¿Crees que habían venido a por ellos? No. Ni siquiera a por ti. ¿Ya no te acuerdas del principio de esta historia? Los templarios trajeron el Arca de la Alianza y las setenta y dos columnas del Templo de Salomón. Ahí abajo está el Laberinto, y en el centro se halla lo que ellos codician. Hay que tomar una determinación. ¿Acabaremos lo que hemos empezado?

—Sí, supongo que sí. —Curdy parecía algo melancólico.

—¿Qué pasa ahora? ¿No se trataba de acabar con ese inquisidor? Te aseguro que está bien muerto, decapitado y momificado dentro de un bloque de plomo.

—No es eso.

—¿Entonces?

—Entonces… nada. —Sus ojos miraron vagamente alrededor.

—No me dirás que estás pensando en esa rata —dijo el *bafomet*—. Vamos, Curdy, esto es una guerra; siempre hay pérdidas.

—Esa rata es un antepasado mío, era la única parte de mi familia que me quedaba —replicó el muchacho, enojado—. Y estoy un poco harto de que hables así de todas las cosas que yo aprecio. Es posible que Cormac haya muerto, pero a ti eso te dará igual, y a Salomón también…

—¿Cómo puedes atreverte a hablar de ese modo del verdadero y más grande hechicero de todos los tiempos? No tienes ni la más remota idea de lo que estás diciendo. El Arca de la Alianza oculta la llave de los elementos, el Mysterium. Mantiene en orden el mundo mágico, para que lo entiendas, y hay que tomarse millones de preocupaciones a lo largo de muchas vidas para que esté a salvo. Y no se puede hacer de otro modo. Esa llave tiene que estar aquí…

—¿Por qué no os la lleváis?

—… tiene que estar aquí del mismo modo que en el fondo de una pila tiene que haber un tapón para que no se vaya el agua a otra parte.

—Vaya explicación…

—Pues es muy acertada: habla del equilibrio, del equilibrio entre las grandes fuerzas, entre los grandes poderes. Unos y otros están relacionados, como lo lleno y lo vacío: lo lleno ejerce una presión sobre lo vacío; a su vez, lo vacío atrae lo lleno, ¿no es verdad?, y si quitas el tapón… dejará de estar lleno, porque se vaciará. El Arca de la Alianza es algo parecido: es uno de los vértices de la energía de tu mundo, y los alquimistas deben velar por esa clase de objetos. Hay objetos creados por hechiceros poderosos o malignos, como por ejemplo ese Cetro de Carlomagno y ciertos amuletos, pero el Arca de la Alianza es el vértice del tiempo y de los cuatro elementos, por eso se llama así: es la alianza entre los cuatro elementos que componen la materia de tu mundo terrenal, y si ese equilibrio se rompe… comenzará el caos, el verdadero caos. Muchos espíritus terribles abandonarán el Abismo; entrarán y podrán cobrar forma. Eso es lo que Aurnor pretende… Lord Malkmus deseaba ajusticiarte, eliminarte de una vez por todas, pero todos esos lores tenebrosos entraron gracias a la conspiración de lord Malkmus con otros fines: han venido a por el Arca de la Alianza, a abrirla y a liberar lo que hay dentro. No puedo saber qué es lo que Aurnor pretende exactamente... ni cómo puede llevarlo a cabo, pero sabemos que lo intentará. Tienes que abrir el Arca antes que él, y sólo en ese momento sabrás lo que hay que hacer.

—En otras palabras: Aurnor quiere quitar el tapón del fondo de la bañera...

—Eso mismo. Es menos poético, pero vale.

—¿Crees que mis amigos no correrán peligro?

—Ahora no, pero si no nos damos prisa, no sólo ellos correrán peligro; muchas cosas cambiarán y será terrible, absolutamente terrible, puedes creerme.

—¿Y Aurnor?

—No puedo engañarte —reconoció el *bafomet*—. Siento su presencia, esa aparición sobre las llamas... Es posible que tengamos que enfrentarnos a algo mucho peor que los lores tenebrosos. ¿Tienes el Cetro?

Curdy se lo mostró.

—Bien. Aún puede ayudarnos, aunque a donde vamos las cosas no son como te imaginas...

—¡Mira! —El rostro de Curdy se iluminó en las tinieblas. Algo se había movido en la oscuridad; el vago resplandor de las llamaradas lo iluminó—. ¡Está aquí!

La rata corrió pegada al muro y se acercó a Curdy. El muchacho extendió las manos y la rata saltó a ellas, apartándose del Cetro prudentemente.

—¡Creíamos que habías muerto!

—¿No sabías quiénes son los primeros tripulantes que abandonan un barco cuando éste arde en llamas? —preguntó Asmodeo a Curdy. El muchacho miró al demonio con indiferencia y acarició a su antepasado.

—¿Y tampoco sabías quiénes son los primeros polizontes en colarse en las bodegas de un barco cuando lleva a buen puerto? —Asmodeo hizo una pausa—. Aunque no quieras responder, lo haré yo: las ratas. Desde luego, tu antepasado tiene un instinto de supervivencia superdesarrollado...

—¿Y qué querías que hiciese? ¿Te parece mal que haya salido con vida de ese infierno? Ya basta, vamos a ese Laberinto. —Curdy miró hacia la boca del pasillo. Oía ruidos distantes. Posiblemente mucha gente había despertado de súbito al escapar de la magia de los sueños, controlada por los lores tenebrosos a través de la Gran Vidriera y su hechizo. Él sabía que eso serviría de poco si no alcanzaban el centro del Laberinto antes que sus enemigos.

—Los lores tenebrosos se dirigían hacia el Laberinto. Habrán vigilado la única entrada —dijo Asmodeo, caminando hacia las tinieblas. Curdy le siguió.

—Creo que la conozco.

Asmodeo se volvió hacia el muchacho.

—La Puerta de las Profecías, ¿verdad?

—Se me olvidaba que últimamente has estado jugando al escondite... ¿Por qué lo hiciste?

—Me pareció sensato y, además, lo más seguro para mis amigos, aunque ya veo que gracias a tu intervención no fue así.

—¿Esperabas que mirase de brazos cruzados? Se suponía que te habías quedado frito en aquella batalla, cuando empuñaste el Cetro con tanto entusiasmo contra lord Malkmus.

—Vamos —ordenó Curdy con abnegación—. Es hora de acabar con todo esto.

La forma del *bafomet* corrió en las tinieblas, seguida por un muchacho a cuyo hombro se había subido una rata.

—Aquí. ¡Hemos llegado!

La escalera descendía trazando una espiral hacia las profundidades. Parecía el lugar más viejo que hubiesen visto jamás. Sólo algunas antorchas punteaban raquíticamente el descenso al Abismo. Curdy se volvió para interrogar a Asmodeo cuando unas garras lo apresaron por los hombros y lo alzaron por encima de aquel vacío tenebroso. La forma negra del dracontófago planeó gracias a sus alas coriáceas en grandes círculos descendentes. Los puntos de las antorchas pasaban y se alejaban. El fondo se acercó. Por fin el dibujo laberíntico en losanges que hacían las baldosas se desenrolló como una alfombra. Un joven con una rata en brazos que colgaba de una sombra alada que apenas se diferenciaba de la oscuridad de la que había descendido aterrizó suavemente en el suelo.

Curdy comprobó que el laberinto de baldosas iba cerrándose hasta tocar las paredes de un mausoleo. El mausoleo no era de grandes proporciones. Era un lugar demasiado pequeño para representar todo lo que encerraba. Si el Arca de la Alianza estaba allí, sólo había que cruzar la entrada. La única entrada se abría ante ellos como una boca bostezante y negra.

El corazón de Curdy se estremeció de pronto. Apoyadas contra las paredes del mausoleo, les aguardaban varias sombras. Encapuchados y negros, los lores de las tinieblas se apartaron y dieron unos pasos. Curdy empuñó el Cetro, inseguro. El dracontófago adquirió una talla mucho mayor y sus ojos ardieron como lámparas sulfúreas. Su aguijón se elevó como suelen hacerlo los escorpiones, las alas se replegaron, uñas y garras rayaron el mármol. Pero nada. Los lores no se detuvieron. Sus rostros impertérritos seguían allí, aguardándolos. Algunos avanzaron y formaron entre todos un pasillo mortal ante la puerta negra.

Curdy retrocedió unos pasos.

—¿Por qué no han entrado?

—¿Crees que pueden hacerlo? Ahí dentro no puede entrar cualquiera; sólo su señor se atrevería a hacerlo —respondió el demonio—. O tú. Es el fin de las profecías.

—Entonces están esperando al mismísimo…

—¡No pronuncies su nombre! Eso sólo le dará más fuerza. No pienses ni pronuncies su nombre…

Pero Curdy no podía dejar de pensar en otra cosa que no fuera la imagen de Aurnor avanzando hacia ellos: el lord supremo, la astucia personificada, el instigador del caos, avanzando allí mismo hacia su objetivo final… ¿Cómo podrían impedírselo? ¿Qué forma adquiriría?

—Deja de pensar en eso. —El aguijón del dracontófago tocó su espalda y Curdy sintió una ligera descarga de dolor y cierto alivio—. Precisamente porque está en camino tienes que cruzar esa puerta como sea, ¿lo entiendes? Yo te ayudaré, aunque sea lo último que haga.

Curdy miró hacia delante. Las máscaras, que recordaban a diferentes animales, clavaban sus ojos crueles en él. Las túnicas negras colgaban como andrajos tejidos con la oscuridad. Empezó a percibir un sonido lejano, como si viniese de su propio interior, pero se trataba de un rumor externo, rodeado de una música que brotaba de las profundidades de la tierra, como si se celebrase alguna clase de misa negra. El rumor creció y creció, y la voz de aquel murmullo ascendió el largo camino de oscuridad que habían descendido. Nuevas máscaras emergieron en las tinieblas. Docenas de capuchas enmascaradas avanzaron hacia ellos. Cabezas de animales y bestias mágicas esculpidas en hierro y plata brillaron recortadas contra las sombras de aquellos andrajos flotantes. La voz que pronunciaba palabras en una lengua extraña era nasal y recitaba tras su máscara. Era como si estuviese detrás del mausoleo. Curdy retrocedió un paso. No sintió la oposición de Asmodeo. Aurnor celebraba alguna clase de culto a las profundidades del mal antes de dar su último paso.

—Lo invocan… —Curdy oyó la voz de Asmodeo, que rápidamente quedó oscurecida por el rumor de una voz que recitaba en latín una letanía espantosa.

Uno de los lores, el que estaba situado más cerca de la entrada del Templo del Arca, golpeó un bastón contra el suelo, y aquel golpe impuso un ritmo a la música de ultratumba que arropaba la voz de la letanía. Los lores se unieron a ella, uno tras otro, y el coro negro recitó la invocación.

—¡Espera!

Curdy se volvió para descubrir que allí, detrás de ellos, Luitpirc iba a su encuentro.

LAS CUATRO PUERTAS

Asmodeo cambió de posición y el dracontófago en que se había convertido se encaró a los impertérritos lores. Pero ninguno de ellos alzó un brazo ni se dispuso a atacarlo.

—¡No me fío! ¿Cómo sabemos que es él?

Luitpirc se aproximó rápidamente, con gran esfuerzo. Sus cabellos estaban desordenados, su abrigo colgaba desharrapado. Tenía grandes ojeras, pero sus ojos miraban con energía.

—¡Curdy! Estás vivo…

—¡Alto! —susurró el dracontófago, sin apartar su mirada de los lores—. Te lo repito: ¿cómo sabes que es él?

Curdy miró con desconfianza el rostro de su maestro.

—No entrarás solo en el Laberinto —dijo Luitpirc.

—¡¡¡Alto!!! —insistió Asmodeo.

—Dame una prueba de que eres realmente Luitpirc.

—¿Qué? Pero… —El anciano parecía perplejo—. Ya me imagino que últimamente me he perdido una buena parte de los acontecimientos. No he estado muy bien… pero yo sigo siendo yo… En fin…

—No dejes que se acerque o tendré que hacer algo… —amenazó Asmodeo.

—¡Está bien! Tenemos poco tiempo, por lo que veo, y he venido a ayudar. Quiero disculparme ante ti, Curdy. Hice muchas cosas mal, pero ahora sé qué es lo que quiero... —Y diciendo aquello, Luitpirc empuñó su bastón y dio un rodeo. Después se interpuso entre ellos y los lores tenebrosos. Extendió las manos y trató de enfrentarse. El dracontófago protegió a Curdy y el joven se aferró al Cetro.

Después hubo una extraña confusión de acontecimientos. Luitpirc desprendió una luz asombrosa y el estallido del trueno acabó con las sombrías letanías. El dracontófago sacudió su aguijón y descargó contra la fila de la izquierda. Curdy se arrojó hacia la puerta, protegido por el escudo de su maestro. Entre los pliegues de sus enemigos ardieron largos puñales plateados, hojas mortales de acero cargadas de magia y veneno que apuntaron a sus corazones. Los lores se arrojaron contra el demonio. Varias de aquellas puntas ensartaron el cuerpo del dracontófago. El hierro atravesó la esencia, desgarrándola en un estallido de arcos de luz que atravesaban sus túnicas. Dos de los lores retrocedieron hechos jirones al ser alcanzados por la descarga del monstruo. Luitpirc se arrojó hacia delante consumiendo una gran energía, pero Curdy logró abrirse paso en medio de un árbol de rayos que penetró en la puerta negra. Al volverse, encontró la mano de su maestro y tiró de ella con fuerza. Una especie de velo invisible parecía cubrir la entrada, protegiéndola de los intrusos.

—Sólo gracias a tu mano podía entrar contigo. ¡Gracias! —jadeó Luitpirc. Desde fuera llegaban luces apagadas y relampagueantes fucilazos. El demonio se debatía mortalmente—. No tardarán en llegar muchos de nuestros lores; no escaparán sin dar explicaciones... Ahora tienes que cumplir tu misión, Curdy, y yo debo ayudarte.

—¿Saldremos del Laberinto?

Luitpirc pareció triste.

—No lo sé, pero no fue creado para que nadie pudiese abandonarlo. Ahora tienes que abrir el Arca de la Alianza y poner a salvo lo que hay en su interior. Para ello, el elegido debe llegar hasta el centro del Laberinto.

Luitpirc se puso en pie con dificultad y caminó junto a Curdy.

El joven se hizo millones de preguntas sin respuesta. No entendía por qué le había tendido la mano a su maestro... En parte, porque deseaba ayudarle, pero también porque no había querido llegar hasta el centro del Laberinto a solas.

A pesar de que el mausoleo no parecía demasiado grande, un inmenso pasillo descendente, altísimo y estrecho, avanzaba hacia las tinieblas. El corredor parecía estar lleno de cristales que mostraban imágenes. Los cristales eran barreras que ocultaban recuerdos de tiempos remotos, atrapados en ellas. Curdy había visto alguno de aquellos rostros. Parecían almas que vagaban por otra dimensión.

Finalmente, llegaron a una oscuridad impenetrable y, al dar el último paso, todo cambió. Una masa sólida y fría rodeó sus cuerpos. Después oyeron el rugido de una corriente que empujaba en dirección contraria. Un mar de fuego se extendió a su alrededor y cuando las llamas estaban a punto de abrasarlo sintió que se asfixiaba en el fondo del mar. Había cruzado las cuatro puertas.

Al otro lado sólo había un vacío en el que no titilaban estrellas.

Al fondo se extendía un espacio negro débilmente iluminado por una luz azul que procedía del centro. Docenas de columnas antiguas se levantaban en el perímetro de aquel lugar. Las columnas parecían sumergirse en un abismo sin fin y elevarse hasta una negrura también infinita. Curdy se fijó en los rostros de las columnas: todas ellas habían sido esculpidas con las formas de los demonios que Salomón había encerrado en ellas, supuso. El Templo. Habían llegado.

Luitpirc estaba a su lado y se lo corroboró.

Al volver la mirada a su espalda, se dio cuenta de que el pasillo por el que había entrado había desaparecido: dos columnas de piedra ocultaban un arco de oscuridad, como el resto, y todas y cada una de ellas parecían girar a su alrededor lentamente. Todas ocultaban setenta y dos formas de salir de aquel Laberinto de Profecías, pero sólo había una forma de entrar para el elegido y para aquellos que lo acompañasen. Como en los tiempos antiguos. Como en las pirámides de Egipto. Como en los templos mortuorios de Mesopotamia. La idea era la misma, con diferentes y mucho más avanzados recursos: el elegido entraba hasta el centro, y normalmente no tenía oportunidad alguna de salir. Pero al menos cumpliría con su cometido.

—Lo has conseguido —dijo Luitpirc—. Está ahí.

Su maestro señalaba el Arca de la Alianza: una esfera de metal azulado que desprendía aquel suave resplandor. A pesar de que caminaban sobre un abismo infinito, les daba la sensación de que no tenían dificultad alguna para moverse, como si estuviesen sobre un cristal.

Se aproximaron al Arca para descubrir que se trataba de una esfera con numerosos grabados. La parte superior mostraba el perfil de una ranura.

—¿Qué es lo que pasará ahora?

—Nadie lo sabe, Curdy, querido. De todos modos, quiero que aceptes antes mis disculpas; cometí muchos errores contigo. Tenías razón. Me alegro de haberte sido útil en este último momento —dijo su maestro.

—¿Y qué pasará contigo si abro el Arca?

—No lo sabrás hasta que lo hagas, pero eso no ha de importarte. Éste era el designio de mi Orden. Si he llegado hasta aquí, bien, eso era lo que tenía que hacer. El resto del camino lo andarán otros, si así lo han decidido en otro lugar. Hay que saber despedirse.

Curdy miró los ojos de su maestro. Recordó las frases de su madre. La palabra y la promesa tenían que llegar a su último momento. Recordó a sus amigos y supuso que no volvería a verlos, que aquello ponía muchas cosas en orden en su mundo, el mundo por el que había luchado; a cambio, él tendría que irse. Ya estaba casi seguro. Ni siquiera había tenido tiempo de conversar con Ylke, no había podido compartir todas esas cosas con las que disfrutaban un día tras otro sin darles importancia: la amistad, las bromas, la alegría de aprender todos los días... Él sólo era un elegido. Muchos lo admirarían desde otro ángulo, pero él lo sabía: ésa era la desdicha de ser sólo un elegido. Estaba destinado a hacer algo, a hacerlo por todos los medios, a hacerlo solo, y ya está. Nadie podría atravesar aquel Laberinto de vuelta a la realidad que él conocía. Les separaba el tiempo y las barreras de los cuatro elementos; ésas eran en realidad las paredes del Laberinto, paredes infranqueables para cualquier mortal.

—Sé que no volveremos.

Luitpirc entendió a su alumno y puso una mano en su hombro con gran cariño.

Curdy se guardó el Cetro carolingio en un bolsillo y puso ambas manos con gran decisión en los bordes de la esfera. Luitpirc retrocedió un paso, respetuosamente, y cerró los ojos por devoción al gran misterio que allí se ocultaba.

Los dedos de Curdy apresaron la tapa del Arca y comenzaron a abrirla. Poco a poco. Con la lentitud de un ladrón. Con la parsimonia de un monje que vela por el secreto más grande de todos los tiempos. La luz era dorada y procedía de un hermoso cáliz de oro que reposaba en el centro de la esfera. Los ojos fascinados de Curdy vieron que el cáliz estaba cubierto por una tapadera perfectamente cerrada. Allí estaba el misterio, ante sus ojos, brillando pacíficamente... Y en ese preciso y glorioso momento, una rata abandonó su bolsillo, corrió por su brazo rápidamente y clavó sus dientes incisivos en la mano derecha de Curdy con toda la fuerza que una rata es capaz de aplicar con sus mandíbulas de rata en un desesperado caso de vida o muerte.

EL MANTO ROJO

Entre el estupor y el pánico, Curdy gritó y apartó las manos del Arca. Luitpirc empuñó su bastón, pero una fuerza terrible y desconocida lo apartó de un solo revés y lo envió contra una de las columnas, donde el rostro de piedra de uno de los Setenta y Dos Amos empezaba a moverse, separando las manos del tronco pulido, articulando los dedos, crujiendo y abandonando lentamente su aletargado estado de inmovilidad geológica.

—¡Descubre el Cáliz! ¡Ábrelo! —gritó Luitpirc.

La rata saltó; de su boca brotó un humo pestilente que giraba como un torbellino alrededor del Arca. La rata cambió de forma y creció confusamente. Curdy se apretó la mano, preso de un inmenso dolor, y cayó a punto de perder el conocimiento. Estaba seguro: aquellos dientes estaban envenenados. Tenía una horrible sospecha y deseaba confirmarla. Trató de reunir todas sus fuerzas y se apoyó en la base del Arca.

La rata había desaparecido. Un torbellino giraba en su lugar y crecía. Por fin la aparición se concretó y allí estaba, de espaldas, la imagen de un gran señor de talla más que humana, encapuchado, inclinándose sobre el Arca. Al volverse, Curdy sintió que la mordedura de la mano le dolía de tal modo como si una garra hurgase en su interior a través del brazo y tratase de arañarle el corazón.

Una voz, sibilante como el sueño de una gran serpiente, atravesó el espacio y penetró en su mente.

—Gracias, milord.

Era él. Estaba allí. Curdy lo comprendía todo.

La risa atronó sus oídos. El veneno hundió sus uñas en el corazón del muchacho. No importaban todos los poderes de la tierra; lo habían atrapado en el momento oportuno.

Curdy abrió los ojos lentamente. Deseaba enfrentarse a aquella imagen antes de morir.

Aurnor. Aurnor el Grande inundó sus ojos. Un sumo sacerdote. Una túnica roja como la sangre. Una capucha ancha y llena de majestad. Un rostro blanco incapaz de respirar, una triste boca... Sólo la piel débilmente tatuada, una máscara de carne entre blanca y gris, inhumana; dos ranuras en las que asomaban pupilas propias de animales ciegos, acostumbrados a la noche infinita.

Las manos blancas y largas se cernieron sobre el Arca. Una de ellas hizo una leve señal. El Cetro de Carlomagno voló suavemente hasta ella, donde fue empuñado con decisión.

Al fin Curdy lo entendía, demasiado tarde. Se acordó de la última parte del acertijo que había escuchado durante su sueño profético, al cruzar las puertas de la tumba regia de Carlomagno:

Siglos tarda lo pequeño
en hallar el camino
que los grandes han vedado
con poderes eternos.

Estaba allí desde el principio.

No había sido un antepasado suyo quien les mostró el camino hasta el Cetro de Carlomagno, sino la refinada astucia del gran lord tenebroso. El amor, o, mejor dicho, la carencia de amor, se había convertido en la mayor debilidad de Curdy. Aurnor se había reído de Salomón y de los altos poderes. En lugar de enfrentarse a ellos directamente, jugó a darles la razón, a hacerles creer que ganarían la partida... una vez más. Pero esta vez había necesitado servirse de las debilidades de su enemigo. Ahora Curdy despreció su propio afán de venganza, su deseo de empuñar el Cetro. Se sintió estúpido y ridículo.

La garra del veneno encogió su corazón y Curdy lloró de dolor.

Luitpirc desató su ira contra Aurnor y la luz de una nube de fuego se cernió sobre ellos para ser apartada por la imperiosa garra del señor de las tinieblas. Aurnor movió su mano, y eso bastó para que Luitpirc fuese arrojado contra otra de las pesadas columnas. Su maestro no podría resistir el enfrentamiento. Era el fin.

En ese momento, el señor de las tinieblas descubrió el Cáliz. Un vapor rojizo humeó desde su interior y creció. Aurnor apresó el Misterio, lo apartó del Arca y las columnas crujieron. Los espíritus allí encerrados comenzaron a liberarse, en busca del intruso. Aurnor alzó la copa y se la llevó a los labios blancos. El vapor que escapaba de ella se esfumó y devoró su interior. Aurnor bebió y a medida que lo hacía las columnas cambiaban de forma y los rugidos de sus demonios, despiertos tras más de mil años de inercia, invadieron el espacio. Alzó la copa y finalmente la apartó de su rostro. La luz azul se había extinguido. El Arca estaba muerta. El vértice se había roto.

Curdy sintió un dolor inmenso junto a su corazón al encontrarse con la mirada de aquel ser monstruoso más allá de cualquier medida.

Aurnor extendió las manos y arrojó toda su fuerza contra Luitpirc. El Cetro emitió una fuerza despiadada y Luitpirc se desvaneció sin vida.

Las columnas se cerraban sobre el centro. Setenta y dos demonios se movían hacia ellos. Cuando eso sucediese, el Templo se vendría abajo y habría comenzado el nuevo reinado de poder de Aurnor el Grande.

Las manos del lord tenebroso rodearon el cuerpo del joven. Lo sostuvo en sus brazos y miró su rostro de cerca. Curdy creyó que ya no aguantaría más aquel dolor en su interior.

En ese momento, Aurnor miró hacia arriba. Sintieron la corriente golpeándolos, la gelidez del barro, el muro de fuego. Los cuatro elementos se encontraron en aquel mismo lugar que ahora se había convertido en el centro del mundo. Las bocas de los setenta y dos demonios rugieron a la vez una imprecación milenaria y demoledora.

Aquel torbellino los envolvió y los arrastró a las profundidades.

Séptima parte

El iniciado de Aurnor

LA PUERTA SE CIERRA

Los lores se concentraron al fondo de la escalera. Una batalla tenía lugar en las entrañas de Hexmade. Lord Máximus había reunido a cuantos se cruzaron en su camino. Vieron el intercambio de luces en las tinieblas del fondo. Al llegar se encontraron con numerosas sombras que entonaban un cántico de terror. Hasta los más fuertes sintieron miedo en sus corazones. Los lores tenebrosos se replegaron custodiando el mausoleo del Arca.

—¡Hacedlos callar! ¡No escuchéis lo que dicen! —Lord Máximus arrojó un poderoso conjuro contra una de las sombras, que retrocedió como un murciélago.

Una nube de fuego verde creció entre las manos del lord que golpeaba el suelo con un bastón, marcando el ritmo de aquella música. Otra nube de fuego creció y cobró la forma de un monstruo que estalló sobre los alquimistas, desprendiendo hilos de fuego que prendían en sus ropas.

Lord Máximus retrocedió envuelto en llamas. Varios de sus ayudantes extendieron los brazos y tres arcos voltaicos envueltos en auras rojas alcanzaron a uno de los sombríos lores, golpeándolo fuertemente contra la pared del mausoleo. Se oyó un ruido seco y la máscara bovina que ocultaba su rostro rodó por el suelo, al tiempo que su portador caía como un harapo negro que el viento echa por tierra.

La puerta negra se había cerrado.

Se oyó un movimiento espantoso bajo tierra, como si los cimientos de la Montaña hubiesen cambiado de lugar.

Entonces los lores tenebrosos huyeron hacia los espejos. El perímetro de la gran sala guardaba altos espejos enmarcados por recargadas filigranas. Los espejos se volvieron más negros que la noche y la mayor parte de los lores se esfumó detrás de sus superficies que emitieron imágenes horrendas. Dos de los fugitivos fueron alcanzados por la electricidad mágica de los lores y cayeron sin sentido. Cuando lord Máximus se hubo librado del fuego, se acercó a ellos y ordenó que fuesen atados con cadenas de alta seguridad.

Los demás habían desaparecido. Se aproximaron a los espejos y tocaron sus superficies. Lord Máximus se vio a sí mismo reflejado. Eran tan duros como cualquier otro cristal.

—Aquí están las puertas de la traición —dijo el lord.

Conradus se aproximó a él.

—Debemos romperlos todos, cuanto antes...

—Ya es tarde... ¿dónde está sir Whylom?

—No lo he visto hasta ahora. Lord Hubert y sus vidrieros van a tener que dar muchas explicaciones —dijo el lord. Caminó lentamente junto al cuerpo de uno de los lores tenebrosos.

—Otro resultó gravemente herido. ¡Está allí! —le informó lord Randolph. Al retirarle la máscara y la capucha, con gran sorpresa descubrieron el rostro de una hermosa mujer, aunque indudablemente malvada.

—Es ella... —dijo lord Máximus—. Lady Macbeth.

Una vez arriba, el Consejo se reunió. Docenas de aprendices se amontonaban a las puertas de la universidad. Lord Hubert entró con paso decidido en la gran sala. Las puertas de roble inglés se cerraron detrás.

Una gran mesa redonda, en el centro, atraía las miradas de los guardianes. Algunos de esos guardianes eran aprendices y voluntarios. Se acercaba la hora del alba, pero la actividad había sido incesante durante toda la noche. Lord Hubert se había ausentado en Ridleton Mayor por asuntos particulares y tardó en llegar a la Montaña. Llegó escoltado por algunos de sus más fieles hombres de confianza.

—Lord Hubert, tendréis que dar muchas explicaciones acerca de vuestros espejos. Estáis arrestado —ordenó severamente lord Máximus ante los presentes.

Lord Hubert no se resistió.

—Es posible que se haya conspirado, pero no puedo ser responsable de cuanto se haya hecho en mis talleres —dijo sin apartar la mirada de los ojos de lord Máximus.

—Hasta que eso fuese demostrado, permaneceréis encerrado en una mazmorra de alta seguridad.

El rostro del rico cristalero se contrajo de ira.

—Han sido vuestros espejos los que han ocultado las puertas de nuestros enemigos. ¿Quién controlaba esa magia sino los maestros de vuestro gremio? No pudieron ser creados sin que nadie se diese cuenta. Tendremos que investigar los talleres. Y... hay algo más... Decidle que pase.

Las puertas se abrieron de nuevo. Ylke Lewander avanzó consternada hacia la mesa del Consejo. Lord Hubert la miró con altivez, como siempre había mirado a los miembros de otras familias a los que consideraba de una clase inferior.

—¿Qué os había prometido Aurnor el Grande, honorable lord Hubert...? —inquirió la muchacha, sin temor alguno.

Lord Hubert se rió forzadamente.

—Aurnor el Grande... Son palabras que deberían estar prohibidas en esta universidad.

—Había un alquimista en posesión de una máscara esférica, una máscara como un espejo que reflejaba todo a su alrededor, deformando el espacio y el tiempo; un antímago.

Los murmullos de los lores se propagaron por la sala. Después se hizo el silencio.

—Ese antímago controlaba la magia de los espejos y podía adquirir el aspecto de otros personajes, como el del malherido sir Whylom Plumbeus...

—¡No sé de qué me habla esta aprendiz! —gritó lord Hubert con una extraña sonrisa en el rostro, refiriéndose al Consejo—. ¿A qué se debe esta inquisición?

—¡Responded! —ordenó lord Citrus, enfurecido.

—Podía tener el aspecto de otros personajes, para así confundirlos, y controlaba la magia de los espejos. Gracias a ese conspirador los lores tenebrosos pudieron entrar en la Montaña, gracias a él sir Whylom Plumbeus dio sus tenebrosas clases, cuando en realidad estaba muy malherido en su mansión, recuperándose de las heridas causadas por las armas de Curdy Copperhair, el Quinto Lord. ¿Erais ese conspirador, oculto tras la máscara esférica, o acaso la utilizaba Adelbrandt Wendel?

—Esto es de locos, ¡no sé de qué me está hablando! No sé nada de eso, ¡nada!

Ylke miró a los miembros del Consejo, uno a uno.

—Por favor, se lo suplico, encuentren a mi hermana.

Aiken había participado en el registro de los aposentos de Adelbrandt Wendel. Cuando llegaron a los pasillos más altos de la torre, se encontraron con su puerta. Nadie parecía haber limpiado aquel lugar en muchos años. Las telas de araña colgaban del dintel y un extraño olor emanaba de la madera. Acompañando a tres de los más y mejor adiestrados lores, Aiken, Angus y Alan se dispusieron a echar abajo la puerta, cuando lord Randolph dijo algo detrás de ellos.

—No tendría que ser necesario. —Avanzó hasta la puerta y sacó un juego de llaves. Metió la llave maestra y la tanteó—. Sí, es posible que lo sea... Bien... constato que no funciona...

Aiken llamó a la puerta.

—¡Un momento! Hay otra llave... —Lord Randolph volvió a intentarlo. Crac. La cerradura crujió. Los goznes chirriaron. La línea de sombra cedió siniestramente. Las telas de araña colgaron por detrás.

Entraron. Objetos antiguos y extraños decoraban un largo pasillo sin ventanas que recorría el corazón de la torre hasta las salas con ventanales. El pasillo olía a moho envejecido. Si Adelbrandt estaba allí, lo imaginaron medio muerto. Torcieron a la izquierda y los muros se hicieron más altos. Ramos de rosas secas en los jarrones, un manto de viaje tirado sobre un sillón de piel, varios pares de botas altas, una cama en el centro, con cuatro grandes columnas. Las sábanas estaban manchadas de sangre.

—Supongo que sus heridas no dejan de sangrar… —murmuró Aiken—. Como todos los renegados.

—¿Maestro Adelbrandt? —inquirió uno de los lores, acobardado. Se había oído algo al fondo, donde un nuevo pasillo recorría por el interior las cámaras de la biblioteca y del laboratorio personal del profesor.

Aiken esperaba no encontrar a su hermana en un lugar tan espantoso como aquél. Suplicaba al cielo que eso no sucediese. Avanzaron hacia el pasillo, dispuestos a enfrentarse al horroroso profesor. Aiken dio la vuelta y caminó. Pasaron junto a la biblioteca; después el pasillo giró.

Al fondo, Aiken se vio a sí mismo reflejado en un gran espejo que cerraba el paso.

—¡Ha huido! —murmuró Aiken—. Estaba aquí y ha huido a través del espejo.

Se acercaron a la superficie del mismo y se miraron precavidamente.

—¿Es posible que él esté detrás, mirándonos? —preguntó lord Randolph.

Aiken no apartó los ojos encolerizados de su propio reflejo, esperando que alguien más, detrás, fuese testigo de su enojo.

—Es posible, profesor Randolph. Pero hemos llegado tarde.

EL DEMONIO DE WAHLHEIM

Al día siguiente el viento soplaba. Las búsquedas no daban ningún resultado; Lyte continuaba desaparecida.

El corazón de Ylke estaba triste y oscuro. Se sentó en la cama, mirando cómo nevaba tras la ventana. Había llorado sin poder conciliar el sueño y tenía grandes ojeras. Le había costado convencer a sus padres de que no abandonaría Hexmade. Se sentía en gran parte responsable de lo ocurrido. En su cabeza el grito de su hermana pequeña resonaba constantemente como si acabara de oírlo. Estaba deseando que fuese de día para poder hacer algo.

Poco después se reunió con todos sus amigos en la sala del fuego. La chimenea ardía con el renovado vigor de unos troncos de roble aserrados en el Bosque Retorcido.

Se hizo el silencio y en ese momento un cuervo aterido picoteó el cristal de la ventana. Cuando Aiken logró desatrancarla, Clawhoofs y otro cuervo enorme aletearon por la sala desprendiéndose de un torbellino de nieve.

El misterioso cuervo se posó ante Gretel y cabeceó, mostrándole la pata. Clawhoofs graznó al sentir las manos lánguidas de Ylke acariciando su frío plumaje.

—Gretel, es para ti —dijo Aiken sin apartar los ojos del gran cuervo.

Gretel se aproximó con precaución al cuervo desconocido y cogió el hatillo de su pata; reconoció los sellos secos y miró por la ventana.

—¡Es un correo de mi abuelo! —exclamó, y su cara con forma de corazón se iluminó por primera vez en muchos días. Lo abrió y empezó a leer con avidez, pero la sonrisa se borró de su rostro casi inmediatamente.

—¿Qué pone?

—¡Oh! Tenéis que escuchar esto… —dijo Gretel, conmocionada. Volvió a leer; sus ojos azules parecieron más oscuros que nunca y se detuvieron en los de Ylke—. ¿Recordáis que solicité información a mi familia en Colonia sobre Adelbrandt Wendel? Pues mi abuelo se puso en contacto con algunas personas y le dejaron visitar un archivo secreto en la ciudad. Esto es increíble…

Tomó aire y continuó:

—«Natural de la ciudad alemana de Wahlheim, en el principado de Pfalz-Richstahl, su nombre es Wendel… un… peligroso asesino… bajo vigilancia y captura por las autoridades de Magonia en Alemania. Superviviente de una de las familias alquímicas más tenebrosas y traidoras adscritas al culto de Aurnor. Su signo heráldico es la falena.»

—¿Qué es una falena?

—Una de esas mariposas nocturnas —respondió Cleod a su hermano.

—Vaya…

—¡Lo suponía! —exclamó Aiken.

—«Acusado de asesinato. Mostraba manía por las jóvenes y los niños…»

—¡No podía ser de otra manera! ¡Fue él! —estalló Aiken.

—«Acusado de rapto y tortura, su especialidad eran los hijos de sus enemigos. Fue popularmente conocido durante años como "el demonio de Wahlheim". Lograba extraer toda clase de información atrapando a los hijos de quienes debían ser interrogados por estar en posesión de importantes secretos. Es hijo bastardo y no deseado del monje Clodwig Wendel…»

—¡Clodwig! —exclamó Ylke.

—¿Qué pasa? —preguntó Angus con un escalofrío.

—Clodomir es una forma nórdica del franco Clodomir, también conocido como... Clodoveo —respondió Gretel.

—Un momento, ese nombre me suena... ¿No se llamaba Clodoveo quien se encargaba de las torturas en los ejércitos de lord Malkmus? —preguntó Alan.

—El maestro de torturas de la Torre de Londres —respondió Aiken.

—Es él —dijo Gretel—. Aquí pone Wendel...

—No —susurró Ylke, asustada. Todos la miraron, intrigados.

—¿Qué pasa?

—El maestro de torturas de la Torre de Londres era demasiado viejo. Puede ser su hijo —respondió ella.

—¿Y por qué no Clodoveo en persona? ¿Por qué no puede ser Clodoveo?

Ylke miró a Cleod con una extraña expresión en los ojos.

—Porque sólo el hijo de ese monstruo puede haber desarrollado esa pasión enfermiza por la tortura de niños, y porque Clodoveo está muerto.

—De todos modos, ¡es hora de que el Consejo nos oiga! Los lores tienen que enterarse de esto —dijo Gretel.

—Eso es más sensato, y esperaremos a que Curdy dé muestras de vida y continuaremos buscando...

—Iremos.

—Y mira esto —siguió Gretel leyendo—: «Su esposa se llama Elizabeth Braun, fue copartícipe y acusada de los mismos crímenes. Quemada varias veces en una hoguera a las afueras de la ciudad de Wahlheim, finalmente murió... A partir de aquel momento, los crímenes del que fuera conocido como "el demonio de Wahlheim" fueron mucho más crueles y sangrientos. Durante una de sus correrías, su hermano Armin Wendel fue atrapado y acusado de licantropía y asesinato...».

—No conocemos a esa mujer, la amada de Wendel, Elizabeth Braun —dijo Cleod.

—¡Podría ser con la que conversaba anoche en la escalera! ¿Te acuerdas, Ylke?

—Pero ¿para qué raptar a una niña si en realidad pretenden algo más importante, si son sirvientes de Aurnor? —meditó Ylke.

—El hombre lobo de Bedburg... ¿Os acordáis del examen sobre los hombres lobo?

—¡Ese Peter Stubbe no era Peter Stubbe!

—¿Por qué?

—Era su hermano, Armin Wendel, el hombre lobo. Aquí pone que uno de los hijos de Wendel, Armin, fue acusado de los mismos crímenes y condenado a muerte.

—Tenemos que encontrar a Lyte cuanto antes —murmuró Ylke.

Aiken cogió su mano y abrazó a su hermana.

Fue un tiempo larguísimo el que tuvieron que esperar. Muchos de los lores no estaban presentes, pues seguían buscando sin pausa a Lyte. Aquella misma mañana se había ordenado romper todos los espejos de Hexmade. Algunos protestaron, arguyendo que sus espejos eran reliquias familiares de gran valor. Los primeros en ser destruidos fueron los grandes espejos que colgaban por los pasadizos de la Montaña, en los comedores, en las alcobas, en todas partes donde los maestros vidrieros hubiesen ubicado espejos nuevos en los últimos tiempos. Después comenzó la investigación de los espejos más viejos. Se rumoreaba que la mala suerte había caído sobre la Montaña como un espectro que no la abandonaría hasta el final de los tiempos. Pero la seguridad era más importante que cualquier maldición menor, como era (y es) el caso de la rotura de cualquier espejo.

Al fin Gretel pudo mostrar la información obtenida por su familia y el Consejo escuchó lo que tenían que decir. Lord Máximus ordenó que llevasen el informe secreto de Adelbrandt Wendel. Jungius y sus ayudantes llevaron los Tomos de Renegados.

—Es el hijo de Clodoveo... —dijo lentamente lord Citrus—. Sin embargo, la investigación ha revelado que en realidad esas noticias se referían a torturas practicadas por su padre, por el propio Clodoveo, situaciones que él tuvo que soportar y sus culpas no son más grandes hoy de lo que lo fueron ayer. Antes de que Adelbrandt entrase en la Universidad de Hexmade se practicó una profunda legeromancia en su mente, y todos sus recuerdos son los que vivieron cuando su padre hacía todas esas barbaridades. No se le acusa de ocultación. Su arrepentimiento procede de los crímenes que vio cometer a su padre, a su hermano y más tarde a Elizabeth Braun, pero nunca fueron perpetrados por sus propias manos.

—Un momento, ¿quién elaboró ese informe? —inquirió Ylke, imaginando la respuesta.

—En encargado fue… sir Whylom Plumbeus. Él lo propuso como profesor, él mismo lo invitó a la universidad, de modo que él mismo… fue quien realizó la investigación para los Tomos de Renegados —respondió lord Citrus.

—¿Y dónde está sir Whylom Plumbeus? —preguntó Aiken—. Ya lo dijimos: está enterrado bajo una montaña de plomo. ¡Él estuvo allí durante el incendio de la vidriera, que se desplomó sobre su cabeza!

—¡Oh, no puede ser cierto! —exclamó Corgan Lewander, defraudado y con los ojos enrojecidos.

El padre de familia irrumpió ante el Consejo después de haber recorrido todo el castillo en busca de su hija junto a las partidas de rastreadores. Se habían empleado todos los métodos conocidos, pero ninguno había dado resultado.

—Mi hija sigue desaparecida, lord Máximus, y estoy seguro de que ese Adelbrandt Wendel tiene algo que ver.

—Corgan, tranquilizaos… Hacemos todo lo que está en nuestra mano.

Ylke se sentía a punto de llorar y, sin embargo, jamás había estado más decidida a terminar con alguien.

—¡Se acabó! —gritó Corgan—. Encontrad a mi hija o haré caer sobre vosotros todas las maldiciones de la tierra—. Me habéis defraudado, lores de Hexmade —añadió con dureza y desprecio—. Esto es lo que ha pasado por confiar la educación de nuestros hijos a unos lores engreídos que son incapaces de controlar la sombra de Aurnor, campando a sus anchas por el corazón de la Montaña... Detesto vuestra maldita tolerancia hacia los renegados, a esto nos ha llevado. Pero si esta vez tiene que pagar mi hija, si Lyte no aparece sana y salva, juro ante este Consejo que cometeré actos terribles aunque tenga que viajar hasta el fin del mundo, y no me arrepentiré de ellos, como hacen esos renegados.

Corgan Lewander parecía haber perdido a todos sus hijos. No los veía. Sus ojos estaban desorbitados. Sólo pensaba en Lyte. Se marchó a paso vivo rompiendo el anillo de jóvenes que los rodeaban. Aiken lo siguió impetuosamente.

Lord Máximus se levantó y siguió al enfurecido padre con la mirada, hasta que las grandes puertas de roble inglés se cerraron detrás de él con un profundo golpe cuyo eco hizo todavía más desagradable el mutismo de la reunión.

LA PALABRA DEL ELFO

Hexmade parecía desmantelado. La niebla no abandonaba sus muros. El espectro del otoño había vuelto y envolvía la sombría Montaña. Los búhos recorrían las gargantas rocosas al crepúsculo en busca de fugitivas presas sobre las que arrojarse. Muchos constataron que las cámaras superiores de la Montaña Gótica mostraban grietas que nunca habían existido. La escalera principal registró una larga fisura que partía los peldaños, y la señal de aquella falla se transmitía de piedra en piedra a través de muros, corredores y cámaras, resquebrajando las entrañas de la fortaleza mágica. Se decía que el corazón de la Montaña se había partido, que Aurnor había vencido, que el mausoleo del Arca había sido violado y que algo funesto había tenido lugar en las penumbras de la tierra.

Ahora Hexmade se elevaba por encima del Bosque Retorcido de espinos como una lúgubre aparición. La hiedra negra crecía por sus fachadas ajedrezadas, colgando sobre interminables hileras de ventanas. Las grietas surcaban los muros y todo dejaba de encajar con aquella perfecta simetría que le había dado la magia original con la que había sido fundada. La Montaña Gótica se elevaba como por acto de brujería entre las nubes eternamente grises y la bruma de los pantanos se extendía, al tiempo que las aguas estancadas proliferaban y los espinos se hacían más largos, asediando los caminos empedrados de la Comarca Secreta.

En medio de aquel ambiente tuvo lugar la inspección de los talleres de lord Hubert. El Consejo de la Cámara Alta no abandonaría la Montaña, aunque pesasen sobre sus piedras diez mil años de mala suerte a causa de la rotura de tantos y tantos espejos. Allí, en uno de los talleres de los cristaleros, los lores ordenaron fundir una gran pieza de plomo rescatada en el lugar del incendio. Los maestros cristaleros encendieron sus antorchas y envolvieron en suaves llamas azules el plomo indistinto. El metal comenzó a chorrear, cambiando de forma y fluyendo, para solidificarse en grandes charcos. Poco a poco aparecieron los restos mortales ante la multitud atónita. Aquel personaje había muerto mediante una decapitación fulminante. La gran hoja de cristal había separado limpiamente la cabeza del cuello. El plomo goteaba sucio, como si una sustancia negruzca se hubiese mezclado con él, y un olor espantoso se expandió por la sala, como el hedor de una pestilencia mágica, enterrada en el metal, que empezaba a envenenar el aire. Apareció la cabeza. A nadie le cupo la menor duda: eran las vestiduras del Sumo Inquisidor de Inglaterra.

La máscara de Mordrec emergió, sonriente y quemada, bajo el plomo goteante. Un gas infecto trepó en el aire, enroscándose como una garra en los haces de luz que cortaban la sala procedentes de los altos ventanales. La plata oscurecida por el baño del más impuro de los metales comenzó a relucir. Todos se hacían la misma pregunta.

Ylke y su hermano se miraron. Los lores vacilaron. Una espesa niebla se cernió contra los cristales, como si maléficos espectros deseasen irrumpir en la cámara. Los cristaleros se detuvieron, amedrentados.

—Proceded. Tenemos que descubrir quién se ha ocultado durante tantos años detrás de esa máscara —ordenó lord Máximus.

El fuego volvió a soplar con suaves llamaradas azules que apartaban el plomo.

Lord Máximus tomó la cabeza de lord Malkmus de Mordrec. La pesadilla estaba en sus manos. El ejecutor de la Inquisición, a su merced. El plomo se había quedado pegado en los jirones de tela que rodeaban la máscara de Mordrec. La alzó frente al Consejo. Los miembros asintieron.

Lord Máximus separó la máscara lentamente. No había pelo ni piel: sólo el rostro momificado de sir Whylom Plumbeus. Era como una máscara de cuero y plomo enrojecido. Se hizo un increíble y devastador silencio.

Por fin se oyó un llanto apagado, y un joven avanzó entre la multitud. Se postró ante los restos mortales. A una señal del implacable rostro de lord Máximus, los cristaleros continuaron fundiendo el plomo que cubría el cuerpo del Sumo Inquisidor hasta que éste apareció arrodillado, en la posición de su muerte, con la mano derecha limpiamente cortada.

Hathel Plumbeus, su hijo, se acercó a los restos mortales de su padre y se arrodilló. Lloraba amargamente. El joven recogió la cabeza y la máscara de su padre con veneración.

—No, Hathel, muchacho.

Los ojos enrojecidos de Hathel se volvieron hacia el lord, suplicantes.

—No. Puedes sentir dolor, pero nada más. Los restos mortales de tu padre serán quemados en una hoguera a las Puertas de Hexmade, junto con los cuerpos de los lores tenebrosos muertos durante la lucha. Ése será su final.

Hathel dejó de llorar. Ylke creyó leer desesperación y humillación sin límite en sus ojos.

Un gran montón de madera de espino, recién aserrada, se recortaba contra un crepúsculo rojo enterrado en tenebrosas brumas. La multitud se congregó para contemplarlo. Lord Máximus avanzó decididamente con la antorcha en las manos. El Consejo estaba reunido ante la solemne ocasión. La hoguera prendió. Los restos mortales de lord Malkmus, así como los de otros tres lores tenebrosos muertos en combate, comenzaron a arder. El humo negro y acre creció, y el fuego del crepúsculo se alzó con una voraz llama.

Tras la hoguera, una espesa niebla envolvió Hexmade pesadamente y no la abandonó durante días enteros.

Aquella misma noche, mientras los rescoldos cenicientos todavía ardían en medio de la niebla, una aparición tuvo lugar en la sala del fuego. Ylke permanecía sola, mirando las llamas. Los acontecimientos la habían sumido en una profunda melancolía. Curdy había desaparecido, se creía a ciencia cierta que, junto a Luitpirc, había muerto en la última batalla. Deseaba estar sola. Y aquella sala le ofrecía esa profunda soledad cuando un chasquido en las tinieblas le anunció la llegada de un personaje inesperado.

—¡Kroter! —El elfo fue a su encuentro, tomó la mano derecha de Ylke con las manos y se agachó servilmente.

—Os saludo, lady Lewander.

—Kroter… —Los ojos soñadores de Ylke recordaron días más alegres en las praderas de Wilton. No quería pensar en todas esas cosas; se situó de nuevo en la realidad. Pero llevaba demasiados días tratando de ser positiva para tropezar todas las mañanas con aquella horrible realidad.

—Ylke Lewander debe venir con Kroter… Al fin ha descubierto algo.

Los ojos de Ylke se iluminaron.

—Kroter ha visto la máscara —susurró el elfo de tal modo que la asustó.

—¿Dónde?

—Lo he seguido mientras volvía a las Cocinas; otros elfos me lo dijeron, y fui a verlo. Sigue rondando los talleres de los cristaleros. Allí hay un lugar en el que deberíamos buscar… ahora.

—Iremos.

Ylke convocó rápidamente a sus amigos. A su vez, avisaron a lord Máximus. Éste acudió a su encuentro y más de veinte guardianes los acompañaron. Descendieron de nuevo a los lúgubres talleres. Todo había sido abandonado y había muchos objetos tirados por el suelo. En la oscuridad de la noche, los espejos rotos emitían confusos reflejos al mover las antorchas. Kroter guió a Ylke hasta el mismo lugar en el que había sido desvelado el cuerpo de lord Malkmus. El vasto taller seguía hacia dentro y una vez allí torcía en un largo corredor. Pero el corredor no parecía conducir a ninguna parte. Ylke miró hacia el fondo. Sólo había una ventana, una triste y lúgubre ventana dentro de la cual había sido insertada una vidriera. Allí había representado un alquimista. Recorrieron el pasillo.

Lord Máximus tomó medidas de seguridad. Podría tratarse de una trampa. Tantearon las paredes. Arrojaron conjuros contra ellas, pero no parecían ser otra cosa que piedra húmeda. La silueta de Kroter avanzó hasta el fondo y se situó ante la pequeña vidriera.

—Sólo es una ventana... —murmuró Aiken, desesperado. No quería constatar por nada del mundo que allí no había nada, que todo aquel revuelo los conducía a un pasillo con una ventana opaca que apenas transparentaba el resplandor de la luna.

Ylke miró a Kroter. Éste señaló inquisitivamente la vidriera.

—Lo vi aquí —dijo el elfo. Su voz se alejó con un eco.

—Eso es una ventana, Kroter —protestó Aiken, a punto de echarse a llorar.

Ylke se acercó a la vidriera y sintió algo extraño al aproximar sus dedos.

—Aiken, saca el trimercurio.

Su hermano echó mano de aquel líquido misterioso. No había servido de nada durante la investigación de los espejos mágicos. El que los controlaba se había servido de ellos para cerrar todas las puertas. Ylke tomó el botellín y lo abrió. Se empapó la mano y restregó el líquido por la vidriera de la ventana, que llegaba hasta el suelo.

La luz que atravesaba la vidriera proyectó una imagen borrosa. Los cristales temblaron. Los colores se mezclaron y se quedaron suspendidos en el aire como una transparencia. Aquello no era una ventana, sino una puerta. Nadie habría reparado en ella, creyendo que se trataba de otra cosa. Ylke dio un paso adelante y atravesó sin dificultades el espejismo. Aiken la siguió, y detrás de ellos lord Máximus.

—Pero...

—Está aquí... ¡Lyte! —murmuró Ylke.

Su hermana parecía dormir profundamente en un lecho blanco que brillaba como con luz propia, encerrada por una cubierta de cristal que la envolvía perfectamente. La apartaron e Ylke se inclinó sobre el pecho de su hermana.

—¡Respira! Está durmiendo.

Puso sus manos sobre los hombros de su hermana y trató de despertarla suavemente, pero no sucedió nada. Volvió a intentarlo y miró a lord Máximus. Los rostros de los lores se reunían alrededor.

—Es un encantamiento. La llevaremos arriba.

El lecho fue extraído de aquella cripta y cargaron con ella hasta los niveles superiores, donde la llevaron a una de las cámaras de las curanderías.

Lyte no había despertado, pero Ylke durmió toda la noche junto a su hermana para que no se sintiese sola si abría los ojos. Aiken no estaba muy lejos, y sus padres aguardaban fuera. Todos ansiaban que Lyte despertase de un momento a otro, pero no sucedió. La luz del alba acarició las ventanas.

Ylke se dirigió a otra de las salas y recorrió las camillas de los convalecientes. No eran pocos los que habían sido alcanzados por las maldiciones de los lores tenebrosos. Sólo algunos habían dejado de oír aquella espantosa música en sus mentes, muchas horas después del combate. Cormac estaba al fondo.

—¡Estás despierto…! —murmuró Ylke, emocionada.

—Ylke.

Ella tomó su mano.

—¿Cómo te sientes?

—Como si Bombastus me hubiese fileteado de una vez por todas —respondió el escocés con sorna. Se rió un poco, pero el corte le dolió muchísimo y prefirió no moverse.

—Tengo muchas cosas que contarte.

Entonces Cormac escuchó cuanto ella sabía, y él le refirió también su combate con la máscara esférica. La luz creció en la habitación. Por primera vez en muchos días, la niebla se había apartado de la Montaña.

Cormac miró el techo y sus ojos se perdieron en extraños pensamientos.

—Estoy seguro de que Curdy no ha muerto; no sé por qué, pero puedo sentirlo... Yo vi cómo se enfrentaba al enmascarado. Él no puede morir. Es más poderoso que todos nosotros, puede hacer cosas increíbles...

Cormac recibió las visitas de muchos de sus amigos durante aquella mañana, hasta que Ylke fue visitada por Clawhoofs. Un mensaje de Bombastus los convocaba aquella tarde en las Cocinas de Hexmade, como al principio de la historia.

Los trolls que custodiaban las grandes puertas descabezadas de las Cocinas habían quedado atrás. Unos elfos se apartaban en medio del vaho, ocupados en sus quehaceres. Las ollas barboteaban y el vapor entenebrecía la atmósfera. Había menos luz que en aquella ocasión.

Bombastus caminaba ágilmente delante de ellos, blandiendo su gran cuchillo de filetear.

—Pasad a mi santuario.

Nadie quiso preguntar quién los había reunido, pues estaban casi seguros de que se trataba de Asmodeo.

Entraron en la sala y Bombastus retrocedió hasta la puerta, desde donde les dedicó una extraña mirada.

—¡No toquéis nada delicioso! Ya sabemos que vuestro amigo le ha cortado la cabeza al Sumo Inquisidor de Inglaterra... Pero no diré más, me dedicaré a mis ollas: un lord no hace preguntas a otro lord.

La puerta se cerró y se sentaron en el suelo. Poco tiempo después, una araña se descolgaba del techo pendiendo de un hilo y aterrizaba en el centro del círculo. La araña se encogió y una criatura algo más grande cobró forma ante sus ojos: era como el híbrido de un murciélago y un pequeño y mocoso troll. La criatura tenía una boca ancha, cabellos desmañados y anchas maños de largas uñas. Se inclinó y cogió la araña.

—No podré quedarme mucho tiempo... —dijo el elfo.

—Asmodeo.

—No pronunciéis ese nombre demasiado alto... podría deprimirme —respondió—. Ésta suele ser mi apariencia si decido deambular por las Cocinas, pero reconozco que no es mi favorita. Estoy débil...

El elfo parecía increíblemente viejo. A diferencia de Kroter, la apariencia de Asmodeo era la de un elfo cavernario, salvaje y perverso. Por momentos el elfo cavernario se convertía en una débil transparencia que cambiaba de lugar con dificultad.

—Me falta mucha energía... el combate fue terrible. Estuve a punto de extinguirme, ¿y qué habría sido de vosotros sin mí? ¿O de mi amo?

—Por favor, Asmodeo, cuéntanos qué es lo que ha pasado —suplicó Ylke.

—Para empezar, el personaje de la máscara esférica salió ileso, y puede estar en cualquier lugar... Mis condolencias a lord Cormac, y mi enhorabuena por salir con vida del trance.

—¿Y Adelbrandt? —preguntó Aiken.

—Adelbrandt Wendel ha huido y ahora estará bastante lejos, reuniéndose con su señor. La mujer que lo ayudó a raptar a Lyte era un espectro de gran poder llamado Brunilda de Worms, y estuvo en Hexmade mientras el Cetro de Carlomagno rondaba por los pasillos en poder de Curdy. Está claro que ni el Cetro ni Curdy están aquí, de modo que ella ha desaparecido para proteger la herencia del emperador. Hay espectros con fijaciones para toda la eternidad...

—¿Y Curdy? ¿Es cierto que ha muerto?

El elfo cavernario se rascó la cabeza, pensativo.

—Curdy... no he sabido nada de él. Supongo que, junto a su maestro... ha muerto. —Aquellas palabras tocaron el corazón de su auditorio como un silencioso trueno—. Me gustaría creer lo contrario, os lo juro, pero no hay nada que me haga suponer semejante cosa, y el método aristotélico recomienda descartar las posibilidades imposibles si no hay datos que las demuestren... Sigo el método desde hace mil años y no me va mal. He estado lejos y arriba, y allí nadie sabe nada del legendario Curdy. Además... no consiguió lo que se proponía. No alcanzo a imaginar cómo, pero ahora pienso que los lores tenebrosos estaban allí para dejar que Curdy entrase, no para impedírselo. Al que deseaban detener a toda costa era a mí, ¡y vaya que si lo consiguieron! Apenas sobreviví al ataque de aquellos cuchillos, destrozaban mi fuerza, la hacían jirones, no había nada que pudiese hacer para defenderme de ellos... Por eso Curdy logró entrar con Luitpirc y yo me quedé atrás. Cuando los miembros del Consejo llegaron, ya era tarde, muy tarde, y los lores tenebrosos ya habían conseguido lo que se proponían: custodiar la entrada de su señor. Espero conocer la verdad algún día. Seguiré buscando a Curdy; arriba no lo han dado por perdido, pero lo que sucedió en el interior del mausoleo es y será un misterio hasta que alguien nos lo explique.

—Lo bueno es que lord Malkmus ha sido ajusticiado —dijo Aiken.

—Desde luego, a un alto precio. Finalmente Curdy fue superior a su rival, pero no fue capaz de vencer a Aurnor, aunque ¿quién esperaba algo semejante?

—¿Crees que Aurnor estaba allí?

—En todo momento tuve una extraña sensación. —La voz del elfo adquirió un matiz misterioso y frío, y sus ojos se desenfocaron, perdiendo la mirada en un recuerdo vago e innombrable—: Percibí su presencia con mucha fuerza; desde luego él estaba cerca, vigilándonos, acosándonos, esperándonos, pero sus armas son variadas y su imaginación, al parecer, es capaz de superar nuestros recursos. De un modo u otro, logró engañarnos.

Ylke se sintió defraudada al escuchar a Asmodeo. El demonio hablaba de todo aquello como si se tratase de una partida de ajedrez: habían perdido una pieza llamada Curdy a cambio de otra llamada lord Malkmus, y ya está. Le pareció injusto. Era como si «allá arriba» jugasen a un juego de poder que no tenía en cuenta los sentimientos de las personas que estaban allí abajo, atados a las alegrías y sufrimientos del mundo terrenal.

—¿Y nuestra hermana? Tienes que ayudarnos...

—Prometo hacerlo, y es probable que antes de lo que esperáis esté despierta, pero necesito algo de vuestra paciencia. No podré volver hasta dentro de algún tiempo.

La imagen del elfo parpadeó. Asmodeo volvió a parecer increíblemente viejo y cansado.

—Espera…

—No —respondió el diablo—. Es mucho, me ha costado un enorme esfuerzo convocaros… Voy a desaparecer. Romped el círculo y esperadme. Volveremos para acabar lo que hemos empezado.

Los ojos del elfo relampaguearon débilmente ante la mirada de Ylke. Alzó una mano en señal de despedida.

Todos habrían preferido hacer cientos de preguntas, pero un instante después Asmodeo era sólo un espejismo traslúcido y luego se extinguió en el aire sin dejar rastro alguno.

14 EL CRUORMANTE

La silueta se prolongaba a la luz de la luna sobre el oleaje negro. El mar rugía contra los riscos de la inhóspita isla. El pináculo de roca albergaba aquel palacio enorme y agudo como el cono de una catedral negra. Los bastones golpearon el suelo, y los lores tenebrosos entraron por los cuatro pasillos hasta encontrarse en el centro.

El poderoso lord apareció tocado de rojo, cubierto, como todos sus devotos seguidores, con la gran capucha, pero era más alto y soberbio que cualquier otro señor que caminase al amparo de aquellas tinieblas. Avanzó hasta el centro para presidir la ceremonia de iniciación.

Lord Aurnor celebró el culto al poder de las tinieblas.

El antifaz de oro se volvió hacia la multitud congregada. Las voces cantaron gravemente tras las máscaras. El coro entonó la letanía.

Otra vez oía aquella música. Curdy se agitó en sueños y despertó sobresaltado. Le dolía el estómago como si le hubiesen aplicado punzones infernales, le ardían los ojos y durante mucho tiempo creyó que la piel echaría llamas.

Pero esta vez fue diferente; quien controlaba los efectos de aquel veneno deseaba que se relajase. Abrió los ojos y tanteó el calabozo;

se encaramó a un ventanuco de cristal y apartó el vaho: sólo vio una soledad infinita iluminada a medias por el pálido resplandor de una luna que erraba en el cielo. El océano se perdía en el horizonte, agitado y hambriento.

Se dejó caer y escuchó los pasos. Sólo en ese momento se dio cuenta de que aquel calabozo contaba con una puerta de hierro. La llave chirrió en la cerradura y los goznes cedieron lastimeramente. La imagen borrosa caminó rápidamente hacia él. Apenas tuvo tiempo de protegerse. Lo cogieron por los brazos y le ayudaron a caminar. Curdy estaba seguro de que todos sus poderes habían sido destruidos, eliminados, arrancados de su personalidad. Las ropas que llevaba eran diferentes. Lo había perdido todo. Cubrieron su cabeza con la gran capucha de un manto negro. El chico descubrió el rostro casi blanco de uno de sus captores y los ojos claros, demasiado abiertos para tratarse de un ser humano, que lo escrutaban con curiosidad.

Estaba seguro de que lo quemarían. De que su fin se hallaba a unos pasos.

La antorcha iluminó negros corredores y escaleras que descendían. Se mareó al ver las sombras, monótonamente proyectadas, a la vez que descendían y descendían. Después la luz desplegó su resplandor y las bóvedas crecieron. Había antorchas depositadas en el suelo que iluminaban el camino hacia un lugar sagrado para aquellos seres oscuros.

La música de los coros llegó a sus oídos, como a la entrada del Templo, poco antes de acceder al misterio del Arca: los lores tenebrosos se habían congregado y cantaban y recitaban. Otra vez aquel bastón que golpeaba el suelo, la vastedad de la sala prolongaba el eco ominosamente. Los pilares se hicieron más altos, las figuras en ellos esculpidas parecían abrir sus ojos para contemplar su paso. Por fin el centro de la catedral se extendió frente a él, un largo pasillo flanqueado por seres enmascarados cuyos ojos lo observaban fijamente. Curdy recuperaba la consciencia paso a paso, a pesar de la debilidad corporal que lo dominaba. Sus carceleros avanzaron solemnemente, hasta que se detuvieron.

La música se hizo más intensa. Las voces lo rodearon. Por encima de todas ellas, el maestro de ceremonias recitaba algo que él era incapaz de comprender, y aquel bastón golpeaba el suelo.

Casi creyó desfallecer cuando descubrió al fondo, al final de aquella egregia alfombra que tapizaba la dura piedra, propia de la coronación de los reyes merovingios, la imagen de aquel manto rojo, el antifaz de oro que brillaba bajo el espeso pliegue de su capucha. Sabía quién era… Lord Aurnor alzó las manos e hizo un suave gesto. Los captores de Curdy, con las cabezas agachadas, recorrieron el camino hasta situarse a cierta distancia del lord tenebroso. Los lores rodeaban la escena sin apartar sus ojos del preso.

El chico, convencido de que iba a morir, alzó la vista para encontrarse con la extraña mirada que lo atravesaba desde los orificios del antifaz dorado, pero un repentino y agudo dolor de cabeza nubló su mente y le obligó a caer de rodillas. Los carceleros lo soltaron. Después retrocedieron por el pasillo sin dar la espalda a su señor y sin mirarlo directamente.

Curdy oyó la voz en su mente, como surgiendo de la música que lo envolvía.

—¿Comprendes ahora, Cruormante?

El chico trató de ubicar aquella palabra. Lord Malkmus le había dicho algo parecido durante su duelo en la Cámara de los Lores.

—El enigma piramidal, la cúspide, el final. Ni siquiera los de tu Orden supieron la verdadera razón. ¡Mírate!

Curdy hundió sus dedos en la revuelta cabellera pelirroja. Deseaba sacarse aquella voz de la mente, pero parecía imposible escapar a su control y dominio. Era como si estuviese allí dentro, escuchando los latidos de su corazón y todos y cada uno de sus pensamientos.

—Te voy a dar a elegir: vivir o morir. Si vives, serás mi iniciado, el Cruormante; si mueres, las llamas te consumirán.

Curdy no tenía ninguna duda. Deseaba morir antes que ser un siervo de su enemigo… pero algo relampagueó en el fondo de su mente, algo extraño para lo que no buscó nombre ni explicación, y por una virtud que jamás habría sabido explicar, dejó de pensar, y sólo quiso sobrevivir, impulsado por un pensamiento profundo que no deseaba revelar.

La despiadada risa de Aurnor lo traspasó. El veneno que corría por sus venas apresó su corazón y lo encogió de tal modo que le hizo retorcerse de dolor en el suelo. La carcajada cedió. El chico trató de incorporarse.

—No esperaba menos de ti... —dijo Aurnor—. Sobrevivir a cualquier precio para conservar la esperanza, para luchar contra mí... Pero ¿cómo lucharás contra mí cuando seas mi siervo? —Aurnor rió de nuevo—. Me alegra que decidas intentarlo. Verás que eso es mucho más difícil de lo que crees...

El chico trató de imaginar las argucias de Aurnor; había sido capaz de burlar a todas las órdenes del Alto Reino y al custodio del Arca, al mismísimo Salomón... Todo el plan se había convertido en una increíble maniobra de las tinieblas. ¿Cómo sería capaz de revelarse contra él, si lo controlaba desde dentro, si lo convertiría en el Cruormante...? ¿Y... qué significaba ser el Cruormante...?

Varios lores tenebrosos se acercaron a Curdy y dejaron caer sobre él una capa violácea. Lord Aurnor avanzó hasta el joven. Sus manos blancas y largas lo alzaron. El chico elevó el rostro y sus ojos miraron el antifaz de oro. Los ojos de Curdy eran violáceos y fríos gracias al efecto de aquel veneno. Al encontrarse con los ojos de Aurnor, sintió un profundo e incomprensible terror. La mano blanca de Aurnor cayó sobre el rostro del chico y arrastró los párpados, sellando sus ojos. Un cáliz de oro se acercó a sus labios y Curdy escuchó el mandato del sumo sacerdote.

—Bebe, Cruormante; saborea y duerme.

La música creció a su alrededor, sus labios se humedecieron con aquel líquido templado y bebió, bebió largamente del Cáliz Sangrante. Un instante después, Curdy ya no recordaba nada más de cuanto había vivido. Se desvaneció en los brazos de sus captores, convencido de que, al despertar, le esperaría una extraña lucha interior. Deseaba despertar en algún lugar en el que no tuviese que contar el tiempo.

ÍNDICE ALFABÉTICO

AGOBARD DE LYON, Sumo Inquisidor de Francia.

ALCIÓN. Pájaro parecido a una golondrina azul de gran tamaño, cuyo vuelo es capaz de apaciguar las tormentas si logra pasar por encima de ellas.

ALERIÓN. Pájaro del color del fuego, con largas alas parecidas a las del halcón. Pertenece al conjunto de las criaturas alquímicas, y es el señor de todos los pájaros, y mucho más grande que un águila. La alquimia consideraba que sólo había una pareja en el mundo entero. Cuando la hembra llegaba a la edad de sesenta años ponía dos huevos. A los dieciséis días, cuando los pollos rompían el cascarón, los padres eran escoltados por millares de pájaros hasta el mar, donde se arrojaban y desaparecían devorados por los peces. Los otros pájaros se ocupaban de los jóvenes aleriones hasta que eran capaces de volar. Eran de rango inmediatamente inferior al fénix. Una historia similar podemos encontrarla en el *Bestiario*, de Pierre de Beauvais.

ALTO REINO. Dimensión mágica suprema a la que se refieren los alquimistas y alquimistas, y de donde proceden las influencias más profundas e inexplicables. Se trata de un territorio simbólico ajeno a la razón humana al que sólo se accede mediante los acertijos, las metáforas y las sustancias alquímicas, así como los números y el lenguaje de los sueños.

Ardlúk el Viejo. Fundador de la Orden del Dragón. Ancestro de todos los Vlad de la aristocracia transilvana. Entre sus más allegados parientes, se hallan los mandatarios de la Orden del Dragón, Sarx, Valak, Ordrog, Vrolok...

Bustrófedon. Escritura de izquierda a derecha y de derecha a izquierda, alternativamente. Se usó en el alfabeto griego arcaico y en otros sistemas de escritura antiguos.

Cámara de los Lores. Alianza de lores alquimistas amparados en el Secreto de Juicio que formaban un órgano de gobierno inquisitorial ubicado en las raíces de la Torre de Londres. Lord Dæmon de Alkwin, los hermanos MacClawen, Lady Gundulax son algunos de sus miembros más famosos. Actuaban cubriendo sus rostros con máscaras de metal que representaban extraños y deformes caras de animales. Todos iban encapuchados a excepción del lord Chamberlain, el portavoz de la Cámara, que llevaba, además de la máscara, una peluca rizada de crin blanca de caballo.

Catoblepas. Según Isidoro de Sevilla, extraña bestia semejante a un enorme y peludo buey capaz de cambiar de color para camuflarse en los pantanos. Su cabeza era tan grande que siempre miraba hacia abajo y captaba con su olfato la presencia de dragones, a los que combatía ocultándose en el fango y arrojándoles fétidos nauseabundos.

Condado de Gwynedd. Nombre del actual país de Gales. En sus fronteras con Mercia se ocultaba Nolandshire.

Crannog. Palabra de origen irlandés (de *crannóc* y *crann*, que significan «árbol») con la que se describen algunas islas construidas por hombres primitivos en los mismos lagos, lo cual conseguían acumulando piedras en el fondo hasta que lograban crear una base firme sobre la que echar tierra y plantar árboles.

Cruomante. Palabra formada por las palabras *crúor*, «sangre», y *mantia*, «magia»; significa alquimista que se ocupa de la sangre, o que basa sus poderes adivinatorios en ella.

Cuneiforme. Sistema gráfico aparecido en Mesopotamia y cuyo principio consiste en imprimir los signos con una cuña sobre arcilla (o piedra, con la ayuda de una maza).

Curia Regis. Nombre latino que se daba en los tratados de la época al Consejo del rey de Inglaterra.

Dragón. Criatura alquímica y a la vez física, dotada de grandes poderes y de gran energía; es la fuerza rebelde del Rey Áureo. Los dragones forman grandes y extrañas familias, y existieron docenas de tipos diferentes. Al principio lo consideraron la serpiente más grande que habitó en la tierra.

Fénix. A pesar de lo mucho que se ha hablado del fénix, lo cierto es que los verdaderos alquimistas dicen que nunca hubo más de uno en todo el mundo. Si los aleriones se caracterizan por ser una única pareja, el fénix es el Pájaro Único, por lo tanto el ave suprema de entre todas las criaturas mágicas. Puede vivir hasta quinientos años si no requiere renacer de nuevo, acto al que recurre según los alquimistas para volver con renovadas fuerzas. El fénix moría abrasado en su propio fuego para renacer después de sus cenizas. Las leyendas sostienen que cuando el fénix vuelve lo hace en forma de gusano, aunque no es exactamente un gusano, sino una brasa que arde debajo de las cenizas y cuya quemadura es mortífera. Al poco tiempo, el fénix comienza a manifestarse con grandes llamaradas capaces de consumir cualquier cosa, hasta las piedras, como si fueran resecos montones de hojas. Después aparece en forma de fénix, como un gran halcón que sólo unos pocos pueden distinguir en medio de las llamas. Es el arma mortífera del Rey Áureo, y su único señor es conocido en las profecías como el Mensajero de la Llama.

Fray Curberthus Gaufrey. Gran Custodio de la Orden del León Rojo.

Godofredo de Bouillon. Noble merovingio, fundador de la Orden del Temple.

Gran Inquisición. Ejército creado con el consentimiento del Rey de Inglaterra, gracias al cual los Lores Inquisidores inician la caza de brujas.

Guntram de Magdeburg. Caballero de la Orden Teutónica, encargado de proteger la comitiva de Godofredo en su viaje hacia Jerusalén y de combatir a los Caballeros de la Orden del Dragón.

Íncubus. Especie de demonio masculino. Se traduce como íncubo.

Leucrota. Especie de perro gigante y solitario, mitad hiena, mitad león, que vivía de la carroña de ciertos monstruos, como los dragones.

Libro Registro de la Gran Inquisición. También llamado Libro Domesday. Registro escrito llevado a cabo por los escribanos del nuevo rey normando Guillermo el Conquistador sobre la propiedad de las tierras de Inglaterra, y continuado por su heredero William Rufus gracias a su lord Canciller Ranulf de Flambard.

Lord Anselm de Becq. Arzobispo de Canterbury. Estaba relacionado con la Hermandad de Alquimistas de Inglaterra y, a su vez, con la Cámara de los Lores.

Lord Canciller. Elegido por el rey de Inglaterra, era el portavoz de la Curia Regis, o Corte Suprema. En los tiempos de este relato, el lord Canciller era Ranulf de Flambard.

Lord Chamberlain. Cargo con el que se conocía al Portavoz de la Cámara de los Lores, que en los tiempos de este relato era lord Drogus de Marlow.

Lord Malkmus de Mordrec. Sumo Inquisidor de Inglaterra, la mano derecha del lord Canciller. Su identidad verdadera era un absoluto misterio, como la de la mayoría de los lores tenebrosos, y se ocultaba tras la Máscara de Mordrec, el hijo traidor del rey Artur, que había encontrado después en la tumba que Morgana preparó para su hijo en una cueva de las Montañas Negras (Mynyddoedd Duon, en galés) de Gwynedd (Gales). Ver Nolandshire.

Lord Robert de Wairhan. Conde normando que regía la ciudad de Wilton y la comarca de Wiltshire a excepción de las abadías de Malmesbury y Abury, bajo el dominio de la Orden de Cluny.

Lord Supremo. Para el feudalismo, lord que tenía poder sobre otros lores. En este relato es un título honorífico e intransferible que la Cámara de los Lores otorga a Aurnor o al demonio.

Lord. En los tiempos de este relato, trato de honor que precedía a un nombre. A excepción de los duques, todos los barones, marqueses, condes y vizcondes eran tratados como lores. Los altos cargos eclesiásticos, como los obispos y los arzobispos, también eran considerados lores. A su vez, la esposa de un lord recibía el trato de lady antecediendo a su nombre.

LUITPIRC DE MAGONIA. Maese de la Logia de Alquimistas de Wilton. Después Primer Consejero del Monarca. Es uno de los miembros del Consejo de Magonia. Popularmente conocido como el Cuentacuentos, por ser el portavoz del Concilio.

LLANFAIRPWLLGWYNGYLLGOGERYCHWYRNDROBWLLLLANTYSILIOGOGOGOCH. Es en verdad un pueblo que existe y que está en la isla de Anglesey, en Gales. Es el topónimo más largo del Reino Unido y el tercero más largo del mundo.

MAGONIA. Ciudad mítica en la Edad Media, el lugar en el que se creía confluían todos los caminos de los alquimistas europeos. A menudo se representaba como una ciudad en medio de las nubes a la que sólo se podía acceder mediante sus buques, capitaneados por alquimistas conocidos como tempestarios, por su habilidad para provocar y dirigir vientos y tormentas.

MONTAÑAS NEGRAS. Llamadas Mynyddoedd Duon en galés. Altas colinas del condado de Gales que alcanzan los tres mil pies de altura, como es el caso de Waun Fach, la más alta de todas.

NOLANDSHIRE. Comarca de Ninguna Parte. Se encontraba en los territorios salvajes de las Montañas Negras galesas, y había varios valles que accedían a sus Puertas. Territorio creado en Inglaterra por el Concilio de Magonia para proteger a los alquimistas anglosajones de las casas innobles frente a las persecuciones de la Gran Inquisición de la Cámara de los Lores. Su capital fue Hexmade, y su collage de magia era una fortaleza conocida como el Reino de los Aprendices y dirigido por Luitpirc de Magonia.

ORDEN DE CLUNY. La orden de Cluny es una orden benedictina. Fue creada el 11 de septiembre de 909. Guillermo I, duque de Aquitania, donó la villa de Cluny al papado para que fundara un monasterio con doce monjes. El monasterio se situó en Mâconnais, en Saône-et-Loire. La donación hecha por Guillermo I no era gratuita, pretendía obtener la protección y la garantía de la Santa Sede, dado que su poder era muy escaso. Guillermo el

Piadoso quería evitar el control de los laicos. En la carta de la fundación de la abadía se establece la libre elección, por parte de los monjes, del abad; un punto de suma importancia en la orden benedictina. Durante el siguiente siglo y hasta los tiempos de este relato, la Orden de Cluny se expande e incluye numerosos monasterios del continente y, por influencia normanda, muchas de las abadías de Inglaterra.

ORDEN DEL DRAGÓN. Orden otorgada a Ardlúk el Viejo, el primer ancestro de Vlad Drakul y de toda la sanguinaria aristocracia de Moldavia, Valaquia y Transilvania. Dieron desde el principio gran relevancia a la sangre, y su signo heráldico era un dragón rojo alado.

ORDEN DEL LEÓN ROJO. Orden de alquimistas merovingios fundada por la Logia de Herreros de Carl Martell en el siglo VII.

ORDEN DEL TEMPLE. Fundada por Godofredo de Bouillon junto al Priorato de Sión, en un principio su misión fue acceder al sanctasanctórum del Templo de Salomón y preservar el secreto allí enterrado.

ORDEN TEUTÓNICA. Brazo armado de la Orden del León Rojo, formado por caballeros mortales de las casas merovingias de Austrasia. Todavía hoy existe en Alemania. Aunque en apariencia se dedica a fines benéficos y altruistas, sus verdaderas ocupaciones nunca han quedado del todo esclarecidas.

PETROGLIFO. Pictograma primitivo rupestre, tallado o grabado.

PIPPIN EL VIEJO, fundador de la estirpe de los pipinianos carolingios. Fue mayordomo del Reino de los Francos. Pasó a convertirse en Gran Maestre de la Orden del León Rojo y uno de los consejeros del Rey Áureo.

RANULF DE FLAMBARD. Lord Canciller de Inglaterra y a su vez Obispo de Durham. Fue el hombre de confianza de William Rufus, segundo rey normando de Inglaterra.

REINO DE LOS APRENDICES. *Véase* Nolandshire.

SUCUBUS. Especie de demonio con cuerpo femenino. Se traduce como súcubo.

WILLIAM RUFUS. Rey de Inglaterra.

ÍNDICE

LA MONTAÑA GÓTICA

LABERINTO DE CRISTAL

EL OJO DE LOS SUEÑOS

EL TEMPLO Y LA PROFECÍA

EL INICIADO DE AURNOR